JN076853

支配層の腕の中で眠り続ける、君よ！

これだけは知っておけ！大地教［Earthism］とトランスヒューマニズム

レックス・スミス

自分の法律は自分で作る、
好きなように行動せよ。

Do what thou wilt shall be the whole of the Law.

儀式魔術師　アレイスター・クロウリー

論理性ではなく、とにかく感性である。

客観性ではなく、主観である。

ニューエイジは、
トランスヒューマニズム社会を浸透させるために
支配層が世に放った最強の武器です。

まるで動物（獣）であるかのように
感情／感覚／主観だけで生きる人間は、
牧場の家畜のように簡単にコントロールできます。

テレビで少し恐怖を煽（あお）れば、感情が悪い方向に揺さぶられて、雷が怖くてパニック状態になる野生動物のように、すぐ思惑通りの行動（＝インスタント・リアクション）をとってくれます。

私たちが自然から与えられた、
人間だけができる高度な思考の形態である
「論理性」「批判的思考」「哲学」「計算」「長期的な視野」
を放棄するということは、

「人間であるということそのものを放棄する」

に等しく、

支配層の言い分としては、
「そんな獣のような思考回路の人間はもはや人間ではなく、
管理されて当たり前の家畜である」
となります。

「今を生きる」や「批判を嫌う」をはじめとするニューエイジ気質は、まさにこの思考の獣化を体現した価値観であるということです。

ニューエイジ気質は、
「人間牧場に適切な」人間が
大量生産される体制を構築するために、
支配層により100年以上も前から
徐々に浸透させせられてきたのです。

論理と感性、客観と主観――対立する思考プロセスを
バランスよく両立できる人間は
支配層にとっては脅威でしかありません。

カバーデザイン　三瓶可南子
カバーイラスト　©iStock
校正　麦秋アートセンター
本文仮名書体　文麗仮名（キャップス）

まえがき

「**ニューエイジ**」とは、カウンターカルチャーに立つことで自己アイデンティティを形成するための信仰、コンテンツのことである。信仰心に基づいているが故に、ニューエイジ気質の情報発信者は、発信内容の論理的な整合性などほぼお構いなしであり、自分の信仰にマッチした情報であれば即座に採用／発信をし、信仰にマッチしていない情報であればスルーをする。そのため、こちらがいくら論理的な見解をもって彼らの主張に異議を唱えても、聞く耳持たずである。自己肯定感が得られないそれらの否定的な意見は、もはや存在しないに等しい。

私は、2017年に、晴れて（世間一般で言う）陰謀論者の仲間入りを果たした「遅咲き」の人間であり、翌2018年に、Facebookグループ「フラットアースジャパン」を立ち上げました。当初は、論理的整合性がすこぶる高く物理科学にも則っており、自分でも直接観測できる**フラットアース**という「陰謀論」は、世の中の人々がさまざまな不条理に気づき、現状の想定よりもいくらか明るい未来が実現できるきっかけになる。そう信じて啓蒙活動に励んでいました。

しかし、現実は異なりました。多くの人々が「地球球体説」を当たり前のように支持している理由は、球体説が物理学的に正しいと思っているからではなく、学校やマスメディアの発信をほぼ無条件に受け入れる、というメインストリームへの強い信仰心から球体説を支持しているだけであるという現実に突き当たりました。私が実生活やSNSで論理的に整合性が高い主張をいくらしても、教科書のオウム返し、感情論に基づいた反論、論点ずらしなどの揚げ足取り行為をされてしまい、議論が議論として成立しなくなる場面が実に多かったのです。

揚げ足取りでよくあるのが、他の陰謀論者が〇〇（論理的整合性が著しく低いトンデモ陰謀論）という主張をしているが、その陰謀論の根拠を教えてください、とその主張を特にしていない私に訊いてきたり、別のフラットアーサーがしている〇〇（論理的整合性が著しく低いトンデモフラットアース論）という主張を持ち出してきて、大地が平らであるという私の他の根拠を全てひとくくりに馬鹿にしたり。理由は、同じ〝陰謀論者〟だからや、同じ「大地の形が球体ではなく、平面である」と考えている人であるというだけで、そのマイノリティな主張をしている全ての人の意見が、まるでカルトのように統一されていると勘違いしているということです。なんらかのフラットアースの正式な団体を作っていて、正式に所属している人たちによる共通の意見ならいざ知らず、そうではないにもかかわらず、謎に連帯責任を求めてくるのです。

面白い現象だと思うのですが、誰かがメインストリームに沿ったいわゆるマジョリティ分野（例：西洋医学、宇宙科学、数学など）についてわからないことがあり、その疑問を解決しようと知人に訊いてみたとします。知人は回答がわからなければ、その分野の専門家である〇〇という人の意見を聞いたり調べたりするとよい、と返してくるでしょう。訊いた方は言われた通りに調べて、その専門家の意見を「正」として脳にインプットします。つまり、人はメインストリームのマジョリティ意見について何かを知りたい時には「その分野で最も専門的な知識を持っている人」を基準に情報を取得する傾向にあるということです。

反対に、陰謀論に代表されるようなメインストリームに沿っていない（場合によってはかなり）マイナーな意見についてはどうでしょうか？　インターネットか何かで〇〇という陰謀論的な主張を誰かがたまたま見たとしましょう。少し興味が湧けば、〇〇について検索エンジンにキーワードを入力したり、#をつけてSNSで検索したりするでしょう。その際に彼らの脳裏に焼き付けられるのは検索した〇〇に関する主張の中で、最も論理的整合性の低いトンデモ主張になります。マイノリティ意見について調べる時には、〇〇の知識を最も持っている人の意見を参考にするのではなく、〇〇に関する知識を「最も持っていない」人の意見を元に〇〇についての結論を出す傾向にあるということです。

メインストリーム分野のひとつである「宇宙」について調べようと思った人は、宇宙人やUFOと毎晩交信していると主張しているような変人ではなく、NASAやJAXAを参考にすると思います。フラットアースについて調べようと思った人が、長年フラットアースの情報を発信していて「地球の曲率から考えて、おおよそ見えることが不可能なビルや山が遠くに見えている」ことを説明している人を参考にせず、まさに前述の宇宙人やＵＦＯと毎晩交信しているという（真空宇宙の存在を否定するフラットアースから逸脱した）変な主張をしているタイプの「フラットアースの情報発信をしている人」の意見を基準に判断してしまうのです。

ここから何が言えるかというと、陰謀論というカテゴリーに属するようなマイナーコンテンツにとっては、情報発信者の発信する情報の質のばらつきが、時には対外的な印象として命取りになるということです。私自身も情報の質が完璧であるとは決して思っていませんが、それでもできるだけ俯瞰的に、論理的に、客観的に情報を捉え、メタ認知を意識し、物理科学で説明すべきところは物理科学で説明する、といったことに気を遣いながら情報発信をしていると自負しています。マクロ視点で物事を見る、批判的思考で一旦物事を考えてみる、論理的または客観的な整合性を意識する、メタ認知を高める、などを高いレベルで実践できるような「陰謀論者」が増え、各陰謀論の平均的な情報の質が上がることを目指して、毎日啓蒙活動に励んでいる所存です。

次に本書の内容ついて書きます。

端的に言ってしまうと、ここ１００年くらいで特に世の中のさまざまなシーンに侵食しているニューエイジムーブメントという思想と、支配層が目指している「家畜（一般人）の一元管理がしやすい、理想のデジタル超管理社会」との因果関係について考察をしている書籍になります。一見、全く関係ない二つの事柄のように思えるかもしれません。しかし、本書を読み終えれば、このデジタル超管理社会の実現には、長年にわたり浸透させてきたニューエイジムーブメントに関連するさまざまな思想、考え方、生き方、物の捉え方の一般社会への広がりが不可欠であるということがご理解いただけるかと思います。

ニューエイジムーブメントは、カトリック教会への反発（＝カウンターカルチャー）で生まれた神智学から始まり、多種多様なコンテンツに姿を変えながら登場してきました。そして、多くの人が影響を受け、潜在的なものも含めてニューエイジの思想や信仰に基づいた「気質」を持つようになりました。（スピリチュアル系をはじめとする）ニューエイジコンテンツを直接的に信じていないけれども、長年の浸透で潜在意識にニューエイジ気質が埋め込まれている無自覚な人も含めると相当な数の人であると言えるでしょう。本書の大まかな流れとしては以下のようになっています。

（1）ニューエイジ気質とはそもそも何か？

陰謀論者が持つべき姿勢や思考プロセスなどについて少し説明してから、（先にできるだけマクロ観点から入ったほうが、後に読むよりミクロな部分がわかりやすくなるため）**ニューエイジ気質**とはどういった**特徴や性質**を指しているのかを見本も交えて説明しています。一旦はニューエイジ気質とはこうであると先に頭の中にインプットしていただいてから、それらを踏まえた上で残りの部分を読んでいただけると嬉しいです。

ニューエイジ気質に関する説明を先に持ってくるもうひとつの理由は、スピリチュアル、自己啓発、新興宗教、ワクワク陰謀論などのニューエイジ「コンテンツ」はある意味ただの「手段」であり、そこから結果的に論理的思考がほぼ排除されたニューエイジ「気質」という結果になってしまっていることが本質的な問題であるためです。信仰の自由は守られるべきだとは思っていますので、極端な話をすれば、どれだけニューエイジコンテンツという「手段」にのめり込もうが、結果としてニューエイジ気質にならなければ問題はないということです。

ただし、現実はニューエイジコンテンツにのめり込んだ人で「ニューエイジ気質ではない」人に個人的には一度も遭遇したことがないというのも確かですので、本書では総合的には「ニューエイジコンテンツにのめり込んでいる人＝ニューエイジ気質の人」という前提で考察や説明をしています。

また、潜在的にニューエイジ気質の人で、「自分はニューエイジコンテンツを見たり、支持したりしていないからニューエイジ気質ではない！」と勘違いした状態の（無自覚ニューエイジな）人が一定数いることも問題だと思っています。読者の皆様にも、本書を読みながら、ご自身にも当てはまる部分があるかどうかを客観的に検証してもらえたら嬉しいです。

（2）ニューエイジムーブメントの成り立ち

主に**過去**に着目しています。ムーブメントの誕生や過去から現代までに多角的に登場してきたさまざまなコンテンツを紹介し、それらの一部のコンテンツと支配層（単純に世界の動きや通貨発行などに多大な影響を与える富や権力がある人たちの総称）の目標である**世界統一計画**※の実現にどのように貢献しているのかなどをマクロ視点で考察しています。アルベルト・アインシュタインとニューエイジムーブメントの関係にも切り込んでいます。

※世界統一計画
統一という表現を少し大げさに思う方もいるかもしれません。世界をひとつだけの国家にしてしまうという計画ではありません。少なくとも、建前上は「世界中が手を取り合って政治や平和な社会の実現に向けて頑張りましょう」といった表面的にはポジティブな、国家よりももう少し緩い統一とお考えください。陰謀論界では New World Order と呼ばれています。

（3）ニューエイジムーブメントの新たな転換期

主に**現在**に着目しています。ニューエイジの流れは現在どのようになっているかを説明しています。どのステージでも共通して言えることは「カウンターカルチャー」をベースにしているということ。ニューエイジに欠かせない概念であり、この共通点から読者も点と点を繋（つな）げていってもらえたら嬉しいです。

既存の古代宗教の体制を壊したかった**神智学**（破壊のステージ）
←
神智学の新たな価値観に基づいた信条から作られた**新興宗教**（再生のステージ）

↓
原子力爆弾、ロズウェルなどの宇宙人事件、NASAの宇宙開発、日本の漫画、アニメ、テレビゲーム、ヒッピー文化、大衆音楽、学校教育によるニューエイジ思想の**メインストリーム化**（浸透のステージ）

↓
メインストリーム化したことによりスポットライトが当てられてきたため、嫌悪感を抱かれやすい宗教から、「神」や「戒律」などのわかりやすい宗教的な部分を抜いた信仰思想の**精神世界およびスピリチュアル系**（変化のステージ）

↓
Qアノンを起爆剤とし、嫌悪感を抱かれやすい「精神性」の部分を抜き、政治や科学、医療などの現実的な分野を織り交ぜた**陰謀論カルト**（擬態のステージ）

メインストリームそのものへのカウンターカルチャーという性質を持つこの進化を、自身の体験やまわりの見本とともに紹介しています。

「陰謀論カルト」のステージも厳密には、新興宗教→スピリチュアル系と同様に「変化」ではあります。しかし、この変化は多くの人がそれらの陰謀論コンテンツがニューエイジムーブメントを源流としていることにすら気づかないという意味では、変化を飛び越えてもはや〝**擬態のステージ**〟と呼べるのではないでしょうか。新興宗教同様、時間とともに世間からの嫌悪感が増してきたスピリチュアル系から、精神的な要素をかなり排除した（ように見える）陰謀論的な解釈が前面に出た**疑似科学、疑似医療、疑似歴史を扱った「陰謀論カルト（擬態のステージ）」**です。新興宗教の神を自分に置き換えるスピリチュアル系（＝自分が神様の宗教）から、嫌悪感を抱かれやすい精神性や（一般的な）カルトのイメージを取った、「高次元」などの単語を使わないもう少し学術的な雰囲気を出している現実風のコンテンツであるとも言えます。

この「陰謀論カルト」という新しいニューエイジムーブメントは、Ｑアノンの緊急逮捕の度重なる不履行やトランプ大統領の神格化からもわかるように信頼性の低い「陰謀論」として、世間一般から捉えられています。それどころか、世の中を少しでもよい方向に持っていきたいという利他性のもとで行動している活動家たちの「陰謀論」の類に入るトピックについてのまっとうな主張の世間への印象までをも悪くしてしまいます。全ての陰謀論が「陰謀論である」というだけで、トンデモ扱いを受けてしまうようになるのです。そういう意味では、支配層にとっては非常に効果的な新しいニューエイジの形態になります。ニューエイジ陰謀論者が「陰謀論者のマジョリティ」である日本の現状がある限り、私たち家畜階級の人間にとってはマイナスでしかありません。真実が何も伝わらなくなってしまうのです……。

（４）ニューエイジの今後の進化とデジタル超管理社会との関係

主に**短中期の未来**に着目しています。ニューエイジ気質が今後どのような思想に進化していき、日常生活の在り様に影響を与えていくのかを考察しています。

ここで登場するのが本書のサブタイトルにも入れている「**大地教**」という新たな思想になります。「大地教」は、英国シンクタンクのチャタムハウスが提唱している「Earthism」を私が勝手に日本語に変換した名称です。簡単に言うと「大地（地球）を信仰し、その母なる大地のためならば日常生活のあらゆる場面での我慢を私たちは受け入れなければならない」という侘び寂び的な思想に基づいた美徳（＝信仰）になります。

ニューエイジおよび意識高い系界隈に特に好まれ、既に大衆の間で浸透してきている大地教的なコンテンツやムーブメントとしては、地球温暖化阻止、オーガニック食品、ビーガニズム、プラスチック撲滅運動、カーボンクレジット、人口増加に貢献したくないので子供を産まないカップル、などが挙げられます。

この「我慢」をさせる行為が、トランスヒューマニズムの黎明期とも呼べるメタバースやＡＲ（拡張現実）技術を中心としたデジタル超管理社会達成のためには不可欠な要素なのです。現実と仮想空間の境目が曖昧になる没入感をデジタルに提供する時代の思想である、という意味では「**大地教**（没入のステージ）」と呼んで差し支えないでしょう。大地教は、侘び寂びの我慢の美徳を特徴とする、人間らしくのびのびと生きること自体へのカウンターカルチャーとも言える思想になります。

（5）トランスヒューマニズム社会の在り様について

主に**長期的な未来**に着目しています。デジタル超管理社会のさらに先にある世界について、映画やテレビドラマの「予測プログラミング」などから、30年後、50年後、100年後の社会がどのようになっていくかを予測しています。もちろん100年後の未来を正確に予測できているとは思っていませんので、こちらはご自身の考察の参考程度に覚えてくださったら嬉しいです。

本書の大まかな流れをざっと書いてみましたが、お気づきの通り、本のサブタイトルにもなっている「大地教」と「トランスヒューマニズム」は後半部分から登場してきます。タイトルに惹かれて本書を購入された方は、前半のニューエイジに関する部分を少し退屈に感じてしまうかもしれません。しかし、ニューエイジムーブメントのこれまでの変革を頭に落とし込まなければ、今、そして未来に起きるであろうマクロ的な社会の動きと生活の在り様を支配層目線から想像して理解することはできないと考えているため、ぜひ前半を読み飛ばさずに最初から最後まで通しでお読みください。

極端な話、いきなり後半から読んだら、テクノロジーの進化や、環境に優しい取り組みといったムーブメントのポジティブな面ばかりが印象に残ってしまい、むしろ未来を楽しみにしてしまう読者が出てきてしまうのではないかとさえ思えるくらいです。

陰謀論に関する情報を積極的に発信している、いわゆるニューエイジ陰謀論者（コンスピリチュアリティ）のくくりに入る人たちは、ニューエイジ気質に基づくさまざまな思想や考え方、生き方により、トランスヒューマニズム並びにその橋渡し役となるメタバースやＡＲ技術をむしろ「無限の可能性を秘めた革新的な技術」として肯定的に捉えてしまう可能性もあります。よって、本書のような内容を扱った本は（少なくとも日本では）今後もほとんど出版されることがないと個人的には思っています。本書が、日本の「陰謀論界」のための貴重な書籍となってくれたら著者冥利に尽きます。

さらに本書を読むにあたって、以下の２冊の書籍も併せてお読みいただけると、本書の内容への理解もより深まるのではないかなと思います。いわゆる「陰謀論」のくくりに入る内容や切り口の書籍ではないのですが、メインストリーム目線からニューエイジムーブメントおよびニューエイジ陰謀論者を考察したもの（①）と、今後のテクノロジーの加速度的な進化をポジティブに捉えつつ、わかりやすく説明しているもの（②）になります。この２冊の内容を足して、性悪説の支配層という概念やフラットアースなどを追加すれば、皆様もいろいろとマクロ視点がクリアになるのではないかと思います。

私自身は、テクノロジーの進化と日常生活への浸透には「よい面も少なからずある」ことを理解しています。しかし、本書では「こういう側面もある」というスタンスで**悪い部分を強調している**ということもご理解ください。

カウンターカルチャーに立つことで自己アイデンティティを形成している「ニューエイジ気質」の人が傾倒しがちなコンテンツは以下になります（あくまで一般的な傾向です）。

神智学、新興宗教、スピリチュアル系、精神世界、自己啓発、マルチ商法、（引き寄せの法則などの）ニューソート、高額な健康食品、トンデモ陰謀論およびコンスピリチュアリティ、似非（えせ）ヨガ、オーガニック食

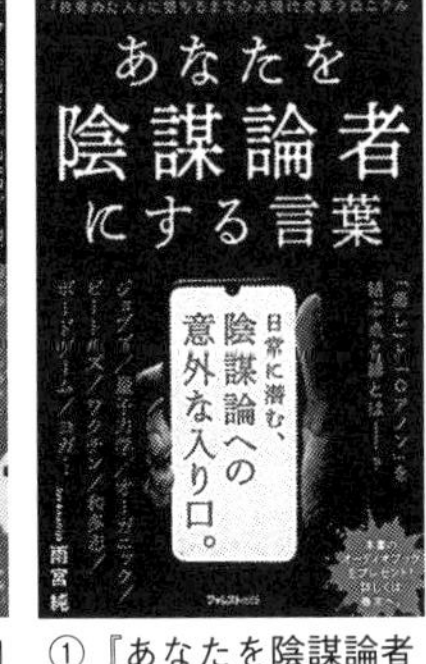

①『あなたを陰謀論者にする言葉』著：雨宮純

②『2030年　すべてが「加速」する世界に備えよ』著：ピーター・ディアマンディス他

品、ビーガニズム、代替医療、神秘科学、人智学、ヒッピー、宇宙人、自給自足の村づくり、漫画、アニメ、テレビゲームなど。

次に私が管理人を務めるFacebookグループ「フラットアースジャパン」のメンバーのコメントを二つ紹介します。いきなり読んでも意味がわからない可能性がありますので、本書を一度読んでから改めてこのコメントを読み直してもよいかもしれません（元コメントには個人名などが入っていたため、少し修正や補足をしております）。

[コメント]

『2030年 すべてが「加速」する世界に備えよ』を読み終え、紹介されている最新テクノロジーとニューエイジスピリチュアルは一体であると改めて気づかされました。今の（一部のニューエイジ陰謀論者が唱える）人間は3Dプリンティングやバイオロボ説はそのままですし、現実をカスタマイズできパーソナライズされるというフレーズが本の中で度々出てきましたが、これは人それぞれ、思考の現実化等々に通じます。（某人気ニューエイジ陰謀論者の）とあるライブ動画を観てみましたが、その中でテレパシーができる人間が増えているとその陰謀論者の方は言っていました。テレパシーはBCI（脳コンピュータインタフェース）によって実現できるとイーロン・マスクを中心に推し進められています。

別の（ニューエイジ陰謀論者の）方ですが、毎朝のYouTubeライブはグループフロー状態になりハイブマインドを形成しやすくします。エコビレッジやパーマカルチャーは国連が推しているそうです。彼ら（ニューエイジ陰謀論者）は**DS**※の支配や洗脳からの脱却を口にしていますが、価値観はそもそも支配者層発信であり、テクノディストピアへの道を突き進んでいることに気がついたほうがいいですね。

［コメント］
日本人は「自分と違う意見＝敵」とみなしてしまうことが多いと言います。それは「協調」「空気を読む」といったことが一番重要である「感情が優先の文化」のもとに育ってきているからだと言われています。また近年流行ったHSP、コウペンちゃんなどの「自分を大切に」という自己啓発コンテンツや、モンスターペアレント、クレーマーのような社会現象も批判を受けつけない人を増やしていると考えられます（これらはニューエイジの「一人一人が神様」に繋がります）。
私もそうでしたが、意見として受け入れるべき批判であるならば、感情的に捉えずに（感情的に捉えると自分の全てが否定された気分になる）客観性を持って論理的に受け入れることが大切だと思います。支配層は人々が論理的な思考をできないようにいろいろなコンテンツを仕掛けていますので、論理的思考を意識的に養わなくてはと感じています。

最後になりますが、本書を出版してくれたヒカルランドやこの本の制作に関わってくださった関係者の皆様に改めてお礼を申し上げたいと思います。ヒカルランドは、出版している全書籍のうち、ニューエイジ系の書籍が半数を大きく超えており、そのため「ニューエイジ陰謀論の出版社」というイメージを世間に持たれているのは事実ではありますが、その対立軸に立ちニューエイジを批判的に切るだけでなく、そもそも支配層がなぜニューエイジムーブメントを世に導入したかを考察した本書の出版も許可している懐の深さもあるということは申し上げておきたいです。また、2022年4月にヒカルランドから発売された自著の『99・9％隠された歴史』でもニューエイジムーブメントの役割について、アインシュタインの役まわりから具体的なコンテンツまで切り込んでいますので、未読の方はこちらもぜひ手に取ってみてください。
それでは引き続き、本書をお楽しみください！

※DSとは？（Wikipedia より）

「ディープステート（英：deep state、略称：DS）」または「闇の政府」とは、アメリカ合衆国の連邦政府・金融機関・産業界の関係者が秘密のネットワークを組織しており、選挙で選ばれた正当な米国政府と一緒に、あるいはその内部で権力を行使する隠れた政府として機能しているとする陰謀論である。

著者的解釈：ニューエイジ陰謀論者が好んで使う、権力者たちが集結する悪の組織が一枚岩で動いているとする映画のような二元論的な設定の概念である。実際は、ほんの一部の超権力者が自分個人の思惑を実現させるために「風を吹かせて」、あとは家畜が勝手に転がり落ちているだけでしょう。お互いのために密約をするようなことはあれど、具体的な組織を形成しているわけではありません。

目次

第2章　歪（ゆが）められた信仰心とニューエイジの広がり

第3章　ニューエイジ気質による大衆支配

第4章　思考の獣化というメタバース慣らし

第5章　フラットアースと大地教の関係

第6章　メタバースと相性抜群のニューエイジ

第7章　トランスヒューマニズム社会に向けた予測プログラミング

本書は、著者レックス・スミスが管理人を務めるFacebookグループ「フラットアースジャパン」への自身による投稿記事を大幅に加筆編集したものです。

また、本文中のＵＲＬは執筆当時のものです。現在はページが削除されている場合もありますので、ご了承ください。

序章

陰謀論者が持つべき姿勢

「世の中のおかしさ」に気づいたとはどういうことか？

人々の生活を変えてしまうようなイベントが起きた際に必ず見られる現象ですが、そのイベント、直近だとコロナパンデミックやコロナワクチンの矛盾に疑問を持ちはじめ、調べていくうちに自分は世の中のおかしさに気づいたのだ！　と思いはじめる人が増加します。

日本でもコロナで世の中に対して強い疑問を持ちはじめた人はかなり増加したと思います。彼らはある程度いろいろと「気づいている」のは確かに事実ではあるのですが、気づいてから少し時間が経過すれば（支配層が用意した）さまざまな袋小路トンデモ陰謀論コンテンツに傾倒してしまい、つまるところきちんと「気づいている」わけではない人が大多数の印象です。少なくともマクロ視点で物事を見ていない、とは思います。

この現象は実生活でもSNSでも見られ、Qアノンやエドワード・スノーデンに代表されるようなあり得ないトンデモ救世主ストーリー、与党の対立軸に立つ弱小政党の応援（という無意味な時間の消費）、ニューエイジスピリチュアル系のコンテンツ、論理的／客観的に無理がありすぎるさまざまなトンデモ陰謀論、客観的なエビデンス不足の高額な健康食品や代替医療などにのめり込んでいく人が実に多いのです。俯瞰的、論理的思考ができる残りの「本当に気づいた」人の数があまりにも少なすぎて、より過ごしやすい世の中に変えることなど到底できない状況をまざまざと見せつけられてきました。

一般世間に馬鹿にされてしまうようなトンデモコンテンツに夢中になってしまう人は、詰まるところ実はあまり「気づいていない」ということであり、こういう「気づいているようで気づいていないような人」が今後も大量生産されていくようでは、お金を刷る権利を持っているような特権階級で構成されるいわゆる「支配体制」は今後も相当磐石なのだとは思っています。

私はこの状況を非常に歯がゆく感じており、その人たちはせっかく「いろいろと気づいた」にもかかわらず「無力化されていく」のは非常にもったいないと思うのです。そこで、少しでも論理的根拠に著しく乏しいトンデモコンテンツを信じ込んでしまう「ダメ陰謀論者」を減らし、また既にトンデモ陰謀論に片足を突っ込んでしまったが、正気に戻りその状態から抜けられる人が増えてほしいという想いで本書の執筆を決意した次第です。

「本当に気づいた人」の最低限の条件とは何か？　を考えたところ以下に辿り着けるのではないでしょうか。

①歴史的に見ても、この世界の支配構造が常に支配層対奴隷（奴隷＝仕事をして収入を得ないと生活できない一般民衆）であるということに気づいており、「国家」だとか「政治」だとか「光の戦士」だとかの「ワクワク陰謀論」コンテンツの類が、**奴隷の分断**と奴隷に**幻想を与える**ために用意されているだけであり、時間をかけるべきでないとわかっている人。

②対立軸に立って何かを主張している人であるというだけでその情報発信者の情報をまるで新興宗教の教典のように鵜呑みにせず、支配層が仕掛けている「無力化コンテンツ」が蔓延っていることをわかっていて、批判的思考で情報を精査できる人。

現代の学校教育の賜物か、はたまた古来ある日本の文化の賜物なのか、日本にはこのような思考ができる人がレアなため、本書を通して少しでも増えることを願っています。未来の子供たちにとって少しでも生きやすい世の中になってほしいという願望とともに、今後も日々啓蒙を続けていきたいと思っております。

「本物」が集まるグループを作る

先日、大変頭がよく、俯瞰的思考ができる友人と語っていたのは、日本には「本物」の陰謀論者がほぼ皆無だよね？　という事実。

本物の陰謀論者とは何か？

他人に啓蒙をする際に、コロナワクチンガーッ！　球体説ガーッ！　と各コンテンツ単体で物事を考える人たちは「本物」とは言えません。コロナワクチンガーッ、でもNASAは聖なる存在で宇宙はある！　みたいなタイプの陰謀論者が実に多いのがよい見本です。

こういうタイプの人は、世の中を多角的に見据え、さまざまな陰謀論コンテンツの共通点を見出して、それらの一見関係ないコンテンツの点と点を繋げて包括的に考える、ということは決してやりません。

　たとえば、コロナワクチンを調べていった経緯でわかったことをトランスヒューマニズムと繋げられる人。英語圏ではこういう思考ができる人がいます。（例：世界経済フォーラムのグレートリセットなど）日本だけなぜこんなにも少ないのでしょうか？

　私が管理人を務めるFacebookグループ「フラットアースジャパン」では、ありがたいことに「なるほど！」と思わせてくれるような客観的／俯瞰的な意見も日本語で寄せられるのですが、まだまだそこまでに達していないグループメンバーも多いという印象です。

　またYouTubeやTwitterなどのSNSで検索をしても論理的／俯瞰的思考という観点でのレベルは低く、ガッカリしてしまうことが正直多いです。「おっ期待できるかも！」と思える情報発信者に出会っても、多くの場合、しばらくすると主観丸出しのトンデモ陰謀論を発信しているのを見かけ、私がその人のフォローをやめてしまうこともしばしばです。

　ド直球のアドバイスをするのであれば、ニューエイジ気質の人、ニューエイジ系の陰謀論に目がない方は、ニューエイジの起源などについて調べて、すぐにニューエイジ気質をやめること。そしてできるだけ俯瞰的／客観的に物事を見られるように取り組んでいってください。信仰心や主観と論理的思考の切り分けもお願いします（信仰と論理の切り分けについては、**オッカムの剃刀**という概念が参考になりますので調べてみてください）。

　この友人は10年以上前に世の中がおかしいと思い、その後陰謀論にハマっていったわけですが、訊いてみたところ、友人が当初参考に読みはじめた情報の発信者が軒並みニューエイジ気質の陰謀論者でした。友人は頭もよく、客観性の高い論理的思考ができる人なので途中で彼らの主張が「しっくりこない」ことに気づいたのでよかったですが、客観性や論理的思考があまりできない「気づいた人」がそのままどんどん感化されていき、いつの間にかニューエイジの「思考の袋小路陰謀論」に完全にすくい上げられて、真相を伝える人としては「無力化していく」という現実で起きている現象を強く実感できるエピソードではありました。

個人的な目標ではありますが、自分が管理人を務めるFacebookグループには前述の条件に当てはまる10年来の友人のような「本物の気づいた人」が集まってくれるグループにしていきたい、と考えています。本書は、特に日本に蔓延っている「ニューエイジにハマってしまった陰謀論者」全員に読んでほしいと切実に思います。

宝の持ち腐れにならない「知性」の手に入れ方

私が壁に向かって叫んでいるような感覚でほぼ毎週叫んでいる（ほぼ誰も聞いてくれませんが……）ことでもありますが、質の高い情報を手に入れることこそ、奴隷階級の一般民衆にとっての最大の武器であるということ。とりあえず情報を「知る」だけでは弾の入っていない銃を渡されるようなものであり、その情報を「どう処理し、どう他の思考に自分なりに展開していくか」、これを実施して、初めて弾の入った殺傷力のある銃になります。言い換えれば人間が持つ「知性」とは、こういう武器と成り得るような思考をすることです。たとえば「大地が平らであり、静止している」という44マグナム級の拳銃（情報）を手に入れた方々には、その状態が宝の持ち腐れにならないように、その情報とそこから得られるさまざまな気づきを他の考察にも応用するような形でどんどん思考を展開していってほしいです。

44マグナム級の情報という武器を手に入れた方々の中には、自分はどうせ知性がないし、うまく武器として活用できないよ、と謙遜する方も中にはいるかと思います。私がいつも主張しているような知性の手に入れ方がわからない、という意見の方もいるかもしれません。でも私たちは皆同じ人間なわけですから、実は誰でもある程度の知性は手に入れられます。方法は端的にズバリ、知性を手に入れる「努力」をすること。

とても簡単です。時間さえかければ、誰にでもできる行為です。日本刀をひたすら研磨して、切れ味を整えるが如し、本を読み、ネットを検索し、SNSの投稿を分析し、さまざまな動画（や映画）を観る。そして他人と建設的かつ中身のある議論を心がける。日頃からこれらを実践していくことでいつのまにか知性は身につきます。6か月前より確実に知性が上がります。保証します。

「世の中の嘘」に気づいたのならば、なおさら「努力」してみませんか?

そのためのサポートとなる投稿も毎日のように「フラットアースジャパン」などで私やメンバーがしています。私たちの努力が無駄にならないように、意見がたとえ異なる場合があっても、頼もしいと思える知性を持った同志が増えることを願っています。陰謀論を正しく知ろうとする努力を怠らない人は、ほぼ無条件で尊敬します。

一般大衆は確かに知能や経験、権力では支配層に遠く及びません。しかしながら、知能が支配層よりも低いなりの努力すらしていない人が、支配層に家畜動物と軽蔑される現状は、ある意味仕方がないのかもしれません。この現状が悔しかったら努力をしてください。私も引き続き努力します。

自分の啓蒙の場を客観視する大切さ

特にニューエイジ気質の「陰謀論者」が陥りがちな傾向のひとつをご紹介し、なぜそれがいけないのかを解説していきます。自分を客観視することができない人間が落ちる罠(わな)であるとも言え、まわりに与えるダメージは実に大きいです。

啓蒙の場についてメタ認知を発揮して、その場の特性に応じた情報発信をするという行為ができない人が多いという現象になります。マンツーマンで誰かに教えるプライベートな場から大勢の前で発信する場まで、啓蒙の「場」は何通りも存在します。伝え方は、〝陰謀論者〟であれば誰でもかなり気を遣うべきであり、常に自問自答しながら場に応じて工夫を凝らす必要があります。

一般人に「トンデモ」の印象を与えがちな陰謀論、特にフラットアースなどであればなおさらその「場」の特性や状況に応じた正しい伝え方の鉄則がひとつあります。それは、

「その啓蒙の場が不特定多数の人間に公開された場であればあるほど、論理的にわかりやすく、客観的な整合性が高い主張や意見を徹底しなければならない」

ということです。

私は何度か（健康パスポート反対などの）抗議活動に参加したことがあります。そういった際にはフラットアースのことは一切言わないようにしています。それはそのデモでフラットアースを主張することのデメリットを理解しているからです。フラットアースの説明は時間がかかりますので、フラットアースとだけ叫んでも道行く人々には決して理解されないとわかっているからです。頭がおかしいと思われるだけでしょう。自分を客観視できているからなせる判断です。

それでは陰謀論の啓蒙で想定される「場」を気を遣わなければいけない順で記載します。本当は「テレビ」という場が最大限に気をつけなければならないのですが、テレビはレアケースであるため、今回は含めません。

（1）街宣やデモ

その話を聞きたくなくても、聞き手はそこを通りすがるだけである程度聞こえてしまうため、かなり気を遣わなければならない啓蒙の場です。フラットアースの街宣ならば物理にほぼ特化して伝えるべきです。

コロナ関連の抗議デモでアニメキャラのコスプレをした人を見たことがありますが、「普通の人」に見えるスーツや普段着を着ることも大切だと思います。道端を歩いていて、二度見されるような恰好は抗議活動ではやめましょう。

（2）ＳＮＳの書き込み

不特定多数の人が見る公開投稿やコメントに限りますが、誰が見るのかがわからないため、信仰や臆測の強い主張や意見は、はっきりと個人的見解であるとわかるように書くよう努めなければなりません。誹謗中傷や事実無根の類は避ける必要があります。

（3）動画配信

世界中から、その動画のトピックに興味を持った人が観る「場」であるため、多少の偏りはあってもよいが、やはりある程度信仰や臆測の類はそうであると明記／明示しなければなりません。最近は検索エンジンではなく、いきなりYouTubeから検索をかける人も多いため、場合によってはＳＮＳの書き込みよりも気をつけないといけない場合があります（特に登録者数の多いチャンネル）。

（4）セミナーや講演

こちらはイベントの主旨に同意された方々がお金を払って入場するものであるため、わりと自由に発信してよいでしょう。ただしセミナーの模様を動画で撮りSNSなどで発信する場合にはより気をつけなければなりません。閉鎖された空間であるからある程度自由に発言してよい、ということを忘れないでいただきたいです。

（5）非公開のチャット、その他の「陰謀論者」との直接対話

あまり気を遣わなくてよいでしょう。

それぞれの場の特性をあまり理解せず、どの場でも同じような方法で攻めてしまうことが**コンテンツのトンデモ化**※に直結してしまう要因となるため、いつも考えながら情報発信をしていただきたいところではあります。

自分を客観視できない人（メタ認知が苦手な人）は行動すればするほどマイナスである

※コンテンツのトンデモ化
そのコンテンツが一般人に頭のおかしい人が言っているトンデモコンテンツであるという印象を与えること。

真相追究は一人一人の頑張り。外的要因のせいにしない

「情報の分析ができていない、思考の発展並びに思考停止、予測をできていないのは全て自分のせいであり、外的要因に逃げてはならない」

著者レックス・スミス（私）を客観的に分析してみましょう。

①真相にそれなりに気づいている。

②オッカムの剃刀、論理的／批判的思考、点と点を繋げる、俯瞰的思考がおおむねできている（そ

れでももちろん外れることもある）。
③　英語ができる。
④　真相追究の努力をしている。
⑤　書籍という膨大な時間がかかるメディアに取り組んでいる。

これだけです。

陰謀論者としては③はあったらいいな、でありMustではありません。Deep Learningを駆使することもできます。①は本書を手に取った読者であれば既に当てはまっている可能性が高いでしょう。⑤はやる気のある人が本を書けばよいと思います。あとは②と④です。②は④をすれば誰にでもいずれ手に入ります。私ごときを超えていってもらって大いに結構です。

努力をしていない、客観的思考ができていないという自分自身の問題を「あの（よく参考にしている）陰謀論者がすごいからだ」「あの情報発信者は工作員で情報が直接降りてきているんだ」などと他人のせいにせず、これからの私たちの生活が少しでもよくなるような情報の獲得に努力し続けてください。

フルタイムで働き、小さな子供がいて、書籍執筆もSNSでの投稿も活発にし、持病もある私ですら時間が作れていますから、皆様でも作れます。私もそれでも寝る前にガス抜きの娯楽を楽しむくらいの余裕がありますので、皆様もガス抜きできるくらいの余裕を残せます。

ともあれ日本の陰謀論発信者は英語圏よりも平均的なレベルが低いのは確かです。漫画アニメゲーム大国なだけあって陰謀論コンテンツのニューエイジ色もおおむね強いので、誤誘導をできるだけ避けるという意味でも、陰謀論系の情報は、まずは「フラットアースジャパン」から確認することを個人的にはお勧めしています。

第1章

支配層の最大の武器
「ニューエイジ気質」とは？

ニューエイジとはそもそも何？

本質的には**「カウンターカルチャー」を基軸にした「信仰／思想」**であると言えます。

カトリック教会のカウンターカルチャーとして生まれた**神智学**、**古代宗教**のカウンターカルチャーとして誕生したさまざまな**新興宗教**。今であれば、**メインストリーム社会**のカウンターカルチャーとして生まれた（トンデモ）**陰謀論**。未来の話をすれば、**現実世界**のカウンターカルチャーであるとも言える**仮想空間**。

このように時代に合わせて形を柔軟に変えてしまう「信仰／思想」であり、〝信者〟は自分がニューエイジであるとすら気づかない（またはニューエイジという概念すら知らない）でカルト的にのめり込んでいくため、大変厄介であると言えます。

カウンターカルチャーは、たとえば、強いサッカーチーム対弱いサッカーチームの試合において、中立的な立場の観戦者は無意識にほぼ必ず弱いほうのチームを応援してしまうという心理的な傾向に見られるような、人間の本能に語りかける魅力的な概念であるため、浸透力と依存性がすこぶる高いのです。

コロナウイルスをきっかけに、一般大衆を「言葉が話せる牧場の家畜」くらいにしか思っていない絶大な権力をもつ一部の特権階級による「崩すことのできない支配構造」に気づいた人が増えた気はします。ある程度気づいたこと自体は確かによいことではあります。しかし、コロナパンデミックが起きてから、これらの「気づいた」人たちが辿っていった軌跡を見ていくとガッカリすることが正直多いです。

ガッカリしてしまう一番の理由は、コロナパンデミックのさまざまな嘘を経験したことで「気づいた一般人」が、〝政府は常に我々のためを考えており（完璧に政治を遂行できているとは言わないまでも）「性善説」の理念に基づいて政策決定や行動をしている〟という勘違いから目を覚まし、現状の支配構造を少しでも改善できるような「戦力」になりかける、にもかかわらず、スピリチュアル系などのニューエイジ思想にハマっていってしまい「無力化」してしまう。このような「気づいた一般人」が、特に日本ではあとを絶たないことです。

私が何度も直接見てきた現象でもあり、日本では特に陰謀論者のニューエイジ率が著しく高い状態となってしまっていることが残念で仕方がありません。本書でも後ほど、より詳細に触れますが、私が生まれたイギリスにはデイビッド・アイクという世界的に有名なニューエイジ陰謀論者がおり、彼に影響されてかイギリスにもニューエイジ気質の陰謀論者は少なからずいます。けれども、日本のニューエイジ率の高さは異常であり、過半数を大きく超える「陰謀論者のマジョリティ」として存在してしまっています。YouTubeを検索してもニューエイジ気質でない陰謀論者を探すのが大変なくらいです。

　なぜ日本にこれほどまでニューエイジ気質の人間が増えてしまったのか？　日本は伝統的に「感覚」「侘び寂び」「空気を読む」といったニューエイジ気質の豊かな土壌となる文化が存在しています。日本の新興宗教は、国内ニューエイジ思想のはしりである大本（おおもと）（教）をはじめ、幸福の科学、崇教真光（すうきょうまひかり）、創価学会など、全てニューエイジではあります。しかし、これらの宗教はある程度信者が増えた時点で「新興宗教＝怪しい」というイメージに嫌悪感を抱く人間も一定数増加しました。そこで、神や戒律、禁欲、我慢、覆すことのできない絶対的な力を持った唯一神といった古代宗教の特徴をできるだけ消した上で精神性の部分だけを残し、興味を持った人をニューエイジ気質に染め上げていく巧妙な「カルト宗教」であるスピリチュアル系が代わりに台頭します。

日本でニューエイジ気質がここまで浸透してしまった理由

　繰り返しになりますが、日本にはもともと侘び寂びであったり、空気を読む、まわりに合わせたりする行為を「調和をもたらす」ポジティブなものとして捉える文化があり、ニューエイジで「善」であるとされている概念や思想と非常に相性がよいということが挙げられます。

　この文化的な相性のよさに目をつけた支配層は、戦前に日本のニューエイジ文化を植え付ける種として「ニューエイジ神秘科学者のアルベルト・アインシュタイン」を来日させ、この天才科学者が日本びいきであるという印象を日本人に与えました。あのアインシュタインが認めた日本であるならば間違いない、という愛国心に起因した自尊心をくすぐる戦略であったと言えます。

そして戦後GHQは、日本に**3S**※**(Screen, Sports, Sex)**と言われるコンテンツを導入し、国民の愚民化をさらに進め、その後に世界を代表するニューエイジコンテンツにまで成長を遂げる**漫画**、**アニメ**、**テレビゲーム**の中心国という役割を与えました。

子供の顔比率を意図的に取り入れた「子供回帰戦略」

これらのエンターテインメントでは、ニューエイジ気質を育んでもらうために**「友情」「努力」「勝利」「愛」「仲間」「カワイイ」**といったニューエイジ的な概念が過剰に美化されており、絶対的な正義の価値観としてファンに植え付けられていきます。

アニメの登場人物の目が異様に大きいのもこのためです(カワイイの美化)。アニメは世界的に認められたコンテンツにまで成長をしていくわけですが、今ではFacebookや次世代のインターネットとなるメタバースに登場するアバターもこの「ニューエイジ精神」を受け継ぎ、やたらと大きな目のキャラクターばかり登場します。

日本政府の**クールジャパン戦略**はまさに、これらのコンテンツを通した日本のニューエイジ文化の世界侵略であるとも言えます。(クールジャパン以前から見られたことではありますが)日本のアニメが流行りだしたアメリカでも若者のニューエイジ化は顕著に進んでいきました。

※3S
現在の3Sは「スマートフォン、スピリチュアル、SNS」に置き換わっているとする意見もある。

ニューエイジ気質とはそもそも何か?

支配層が「ニューエイジ気質」を1世紀以上かけて大衆に植え付けてきた主目的は、家畜の完全な支配を実現する**「現実と仮想世界が融合したトランスヒューマニズム社会」**の形成に順応的な、支配層にとって都合のよい思考回路の人間を増やすことにあります。

本書は「ニューエイジ気質」のさまざまな特徴を基軸に考察を展開しています。まず挙げられるのは（波動という単語を直接使わなくても）自分に「ポジティブ波動」を「引き寄せる」行為を善とし、「ネガティブ波動」を「引き寄せてしまう」行為を悪とする**ニューソートの信仰**がニューソートに直接傾倒していないニューエイジの人でも普遍的に見られること。

私がＳＮＳで直接見かけた見本を出すと「津波で亡くなった人は波動が低かったから亡くなった」や「貧乏人はポジティブを引き寄せられていないから貧乏のままだ」といった、各個人の環境や運を無視し、自分がそれまでの人生で適当に生きてきても何とかなってきたことを、まるで（ポジティブ波動を引き寄せた）自分の手柄であるかのように「ポジティブ」変換をする自意識過剰かつ自分本位な思考を指しています。

〝ポジティブなことを言ったもん勝ち〟のような乱暴な価値観のため、彼らは根拠は特になくても、バナナのたたき売り状態でとりあえずポジティブな発言を安っぽく繰り返すので、陰謀論を伝える際には聞き手にうさん臭く聞こえてしまうのも問題です。

YouTubeチャンネルを持っている人であれば「俺は必ず売れっ子になるんだ！」と毎日言ってさえいればポジティブ波動を引き寄せられ、いつか本当に売れっ子になれると本人は本気で信じて言っていたりするのです。言うくらいタダではないか！　誰にも迷惑をかけていない！　と（メタ認知ができないが故の）開き直り状態です。

こういう人がたまに客観的な意見や疑問、たとえば「コロナワクチンが導入されてから世界各国の超過死亡率がとても上がった。ワクチンに問題はないのか？」などの論理性に基づいた内容を発信しても、既に聞き手には狼少年のように映っているため、なんの効果もなくなってしまいます。おかしな人がおかしな陰謀論を言っている、で印象が終わってしまうのです。

こちらはわかりやすい見本として先に紹介しましたが、次項では、ニューエイジ気質の特徴の中でも、特に陰謀論のイメージにダメージを与えるものを選別しています。こちらの10の特徴を読んだ後に「あ、自分のまわりにいるあの人も実はニューエイジ気質なんじゃないか？」と気づき出す方も多いのではないでしょうか……。

ニューエイジ10の特徴

（1）ナルシシズムが増大する
（2）カウンターカルチャー（対立軸）に立つことが目的化する
（3）客観性や論理的思考が削ぎ落とされる
（4）メタ認知ができなくなる
（5）批判を受け付けなくなる
（6）行き過ぎた仲間意識によりカルト化していく
（7）世の中に無関心になる
（8）「今を生きる」ことを美徳と考える
（9）質よりも量を圧倒的に重要視する
（10）時間とともに独自性が増す

（1）ナルシシズムが増大する

ニューエイジの基本的な信仰思想は「神様はいません。あなた自身が神様なのです」になります。「自分が自分を照らす光となれ」という類似した教義をもつフリーメイソンリーのヘレナ・ブラヴァツキーによって創設された神智学がルーツのニューエイジは、大衆向けに陳腐化されたフリーメイソンリーのムーブメントであると捉えることもできます。

ニューエイジ気質が進むと、自分が自分の世界での絶対権力者（神）であると考えるため、客観的なものや建設的なものを含めて、自分に対する批判を一切受け付けなくなります。

もっと言えば、客観的な批判と悪意のある悪口や誹謗中傷の区別すらつかなくなります。自分の世界では自分が最も尊い存在であるため、その高みに自分がいるという錯覚をさせてくれるような、高い自己肯定感が得られる肯定的な意見しか耳に入らなくなります。

また、（表面的な）

一旦ニューエイジ気質になるとなかなか抜け出せなくなる

自己肯定感を提供してくれる「大切な仲間」に対しても、「お返し」と言わんばかりに、その仲間がほぼ何をしても批判することはありません。井戸端会議でお互いを誉め合う奥様たちを「陰謀論者」に置き換えると想像しやすいかもしれません。

彼らは仲間を批判したらその仲間に嫌われたり、（本質的にはかなり排他的であるため）グループから仲間はずれにされたりすることを理解しているので、本音を基本的には隠しながら「そういう考えもあるよね。人それぞれだよね」などと同調を装います。仲間を批判してはならないという一種の「掟」は、「自分が批判されたくない」というナルシシズムの裏返しになります。仲間に同調すれば、自分も同調される、という自己保身のための打算です。そして同調をしてくれない「非仲間」に対しては、排他的な村社会のように（無視行為なども含めた）村八分を実行します。

グループのカルト化がかなり進むと、（オウム真理教、ＯＳＨＯ、某Ｑアノン支持集団のように）非仲間に対しての暴力や破壊行為も厭わない「一般人に反社会的で頭がおかしいと思われる」軍団に変貌を遂げます。

また、この行き過ぎたナルシシズムを「ポジティブ波動で幸せを引き寄せる」という普遍的な信仰思想と組み合わせると、自分の体を労るものはポジティブ波動を引き寄せてくれるありがたいものとしてとにかく重宝し、自分の体にとって害をもたらすものを親の仇であるかのように憎むという価値観になっていきます。

もちろん、科学的に体に健康をもたらすものは重宝されて然るべきではあります。けれどもニューエイジは、ほぼ主観や表面的な聞こえのよさでしか物事を判断しないため、科学的な根拠などを検討せずに、なんとなく直感でよさそうに感じたり、好きな情報発信者がおすすめしたりしているからという理由でまわりに強くすすめだします。

マルチ商法がわかりやすい見本ですが、商品のキャッチフレーズに心を打たれた、自分の生き方を肯定され勇気をもらえた、セミナーでスピーチに感動した！　といった理由でほいほい高額な商品を購入し、カモにされてしまいます。（統一教会などの）ニューエイジ界隈で販売されている高額な壺や健康食品、（代替医療を生業とするニューエイジ医師などの）ネットショップで販売されている波動グッズなどがこの世からなくならない一番の理由が、ニューエイジ顧客がとにかくあまり考えずに感覚的にすぐ商品に飛びつくためであるのは言うまでもありません。

販売する側は、表面的に聞こえのよいキャッチフレーズや神秘性の高い疑似科学を活用すれば商品に「箔(はく)」がつき、市場適正価格の数倍で販売できてしまうわけだから、これほどまでに楽な商売はないと言えます。

(2)カウンターカルチャー(対立軸)に立つことが目的化する

メジャー軸の対立軸にある(カウンターカルチャーとして存在する)コンテンツに夢中になる傾向があります。政治であればポピュリスト的な野党(れいわ新選組、NHK党、参政党など)や大統領任期中にメディアにかなり叩かれていたドナルド・トランプ。医療であればホメオパシーなどの代替医療。スポーツであればマンチェスター・シティのような優勝候補チームではなくより弱いチーム。漫画のキャラクターであれば主人公ではなく、主人公の隣でスカしているライバルのファンになる傾向にあります。

少年漫画は全般的にニューエイジ色が強いコンテンツではありますが、人気投票でもこのスカしたキャラクターが主人公よりも高い票数を得ることが多いです(桜木ではなく流川(るかわ)、悟空ではなくベジータ、幽助(ゆうすけ)ではなく飛影(ひえい)、ゴンではなくキルアなど)。

ニューエイジ情報発信者は、対立軸に立ったことでその情報を発信する人の分母が減るため、自分がより目立っているように感じて、「自分が総合的に人気者になった」と錯覚し、自己肯定感や幸福感をもたらすドーパミンを大量に体から出します。そして肯定的な意見しか寄せない熱狂的なファンに囲まれていくのですが、その状態に依存した一種のドーパミン依存症になっていきます。

対立軸のポピュリストとして主張をする行為が、至福の喜びに繋がる道となってしまったことで、多くのニューエイジ陰謀論の情報発信者が当初持っていたかもしれない「真実を伝える志」も鳴りを潜めていきます。情報発信が、言いたいことを言い、やりたいことをやるという自己実現の機会に形を変えてしまうことで、主観にまみれた個性の著しく強い独特の方向へと舵(かじ)を切っていきます。

こうして一般的な感覚からますます遠ざかってしま

い、たまたまそのコンテンツを見てしまった一般人に「トンデモ陰謀論」の印象を与え、情報発信者が部分的にまともなことを言っていても、全く聞き入れてもらえなくなります。彼らは陰謀論を主張すれば主張するほど、マクロではその陰謀論にとってはマイナスになるばかりです。

（３）客観性や論理的思考が削ぎ落とされる

ニューエイジ気質になると、感情や雰囲気、主観といった「感覚」主体の考え方になるため、客観性や論理的思考がその分かなり削ぎ落とされます。私が「**思考の獣化**※」と呼んでいる状態になりますが、ニューエイジ陰謀論者は、感覚的に楽しくワクワクする（＝ドーパミンが出る）コンテンツに目がなく、客観性やエビデンスの説得力よりも、そのコンテンツで自分がどれだけ気持ちよくドーパミンを出せるかを重要視する傾向にあります。

マスメディアが報道しないような「陰謀論」を唱える人たちが、全員ひとくくりに世間からいわゆる〝頭がおかしい〟扱いを受けてしまうのは、ニューエイジ陰謀論者の「誰にでも論理的におかしいとすぐに気づかれる」突飛な陰謀論を得意げに『まるで歴然たる事実であるかのように』展開してしまうためです。パンデミックであれば、ワクチンを射った人が2年以内で全員死ぬ！　や、ワクチンを射った人がゾンビに変身してしまう！　といったトンデモ珍説が記憶に新しいところです。

自分の言った突飛な主張が、未来やマクロにどのような影響を与えるのかという想像が全くできないため、非ニューエイジの「陰謀論者」から批判的な意見があっても、スルーするか（信仰心を否定された認知的不協和により）開き直って攻撃的に批判し返すだけであるため、一向に改善される要素がないのです。客観性の高い批判と悪意のある批判の区別がつかないため、全ての批判は自分への個人攻撃であると勘違いしてしまうのでお手上げ状態ではあります。

※思考の獣化
客観性と論理性が削ぎ落とされた思考の状態を表している。「批判的思考」「哲学的思想」「未来を予測する」「マクロ視点で物事を考える」など、人間しか持ちえない思考方法ができなくなり、動物（獣）のようにその場その場で感覚的にリアクションしながら生きている人の思考プロセスを指す。

（4）メタ認知ができなくなる

ニューエイジ気質の人は、自分が他人にどう映っているかや、自分の置かれている状況を冷静に客観視するのがとにかく苦手です。このメタ認知の圧倒的な不足という性質も「陰謀論のトンデモ化」に多大に貢献してしまっています。

私も実際に見ていますが、アニメキャラクターのコスプレをしながらコロナワクチンのデモに参加したり、街角でぬいぐるみの衣装を着ながら下手くそな歌声で「ワクチン危〜険♪」と歌ったり、などがこれに当てはまる代表的な見本になります。テレビ出演でもこの傾向が強いため、陰謀論者がテレビに出ると「（レプティリアン支配の現状を伝えるため？）顔を緑に塗りたくった蛇のペイントで登場し、（合理的な思考の）番組ゲストに議論ですぐに惨敗する」といったことが起きます。当の本人はテレビ出演者全員に自分の陰謀論の正しさをわからせてやる！　と意気揚々と登場したつもりなのでしょうが、本人は恥をかき、結果としてはテレビ出演を通じて、「陰謀論者は頭がおかしい」という世間への印象がさらに強まるだけです。

詳細は割愛しますが、私はフラットアーサーとしてテレビ出演をしたことがあり、メタ認知をもって「大地が平らだと思っていること以外はその辺の普通のおじさんであるという印象を与えること。そして相手を論破するのではなく、議論自体に持っていかないことで〝トンデモ化〟を防ぐ」という戦略が最良であるという結論をもって望みました。しかし、番組における議論の尺だった約30分でスタジオ出演者全員にフラットアースを理解してもらう、という期待値を持っていたのか、私のパフォーマンスを力不足と感じて、YouTubeでひたすら私を模したアニメーションキャラに悪口や誹謗中傷を浴びせた10分程度の動画を公開したニューエイジフラットアーサーもいました。その幼稚な動画をフラットアーサーではない人が見たらフラットアースについてどう思うかということは考えずに、自分の感覚でのみ行動をしているのです。この動画はその後しばらくしてから削除されました。

過去にこだわらない、今を生きる、未来について考えないニューエイジらしい行動です。

（5）批判を受け付けなくなる

ニューエイジ気質は、〝全てをスルーする人〟と

〝攻撃的に批判し返す人〟という2タイプにきれいに分かれるのですが、批判を受け付けないという部分は共通です。

彼らは客観的な根拠のある批判的な意見と、いわゆる誹謗中傷や悪口の区別がつかないのです。全ては個人攻撃という結論に達します。（客観性の高さに関係なく）自分に対してネガティブな発言をした人を「自分にネガティブ波動をもたらす人物として」敵視する、または関わるとネガティブ波動を受け取ってしまうと考えるため、その人の意見を完全にスルーするという信仰に基づいた行動原理もあるのでしょう。

そして不思議と自分への（相手からの）批判を（相手に）批判し返すことは批判ではないと考えるダブルスタンダードを発揮するという特徴もあるため、ただ単に自尊心が突出して高いだけであると言わざるを得ません。私からの客観的な批判を受けて「彼のように人を批判してはなりません」とYouTubeの生配信で発言した1分後に私のことを2～3分にわたって批判するニューエイジフラットアーサーもいました。

こちらも、過去にこだわらない、今を生きる、未来について考えない、その場その場の直感でのみ行動する獣思考のニューエイジらしい一連の行動です。

（6）行き過ぎた仲間意識によりカルト化していく

ニューエイジ気質はとにかく仲間意識が強い。仲間は自分を自己肯定してくれたり、「自分が自分の世界の神様となり、なりたい自分になれる」お手伝いをしてくれたりする大切な駒である、という考えのためです。さらに、自分の意見にほぼ無条件で同調してくれる仲間については、場合によってはカルトレベルの強い連帯感により、その仲間が明らかに間違ったことをしている場合でも、仲間の行為を無理やりこじつけたポジティブ変換で正当化や擁護することが多いのです。

一見仲間想いで人それぞれの文化を尊重しているように思えるかもしれませんが、ニューエイジグループは非常に排他的であり、自分の言っていることに同調してくれない人に対しては、仲間はずれにする、無視する、SNSのグループチャットなどで、その人についての愚痴を言い誹謗中傷する、といった行動をしていきます。「仲間の意見を批判しない。どんな意見も受け入れる」という都合のよい疑似民主主義であり、本質的には排他的かつ全体主義的思考に基づいた行動になります。全体主義的な考えを美徳としているため、仲間が自分を批判しようものなら掌を返したかのようにグループから省いたり、無視したりするため、省かれるのが怖くて批判を言わないだけの状態であることもあります。

同じ志を持ったニューエイジグループは、宗教色が薄い場合はあるものの、ただのカルト集団であると言えます。この究極の形が地下鉄にサリンを撒いたニューエイジ疑似ヨガの新興宗教オウム真理教になります。

（7）世の中に無関心になる

ニューエイジ気質は「自分が自分の世界の神様」という基本思想があるため、人それぞれ好きなように自分の世界を構築すればよいと考えていて、なおかつこの思想に基づいた行動は美しいと捉えています。まるでリアル世界のシムシティを遊んでいるような感覚で快楽や物質的な豊かさを求めて適当に好き勝手に人生を楽しんでいます。生粋の**ヘドニスト（快楽主義者）**です。

ニューエイジ気質の退廃的な快楽主義ムーブメントと言えば１９６０年代に台頭した**ヒッピー文化**が有名ですが、ニューエイジ気質は多かれ少なかれこのヒッピーのような考え方であり、またこの「カウンターカルチャーにどっぷりと浸った」生きざまがカッコよく、高尚な自分たちのように「スカして」生きていない人は、汗臭く、堅苦しくて、ただ単にダサいと考えています。そういう汗臭い人の意見も、悲壮感を漂わせているだけで聞くに値しないという考えなのです。

このため、ニューエイジ気質ではない一般人からは「ただのわがままなスカした人」のように見え、そのスカしている人物が唱える陰謀論や「マスクやワクチンに関するアドバイス」など参考にするはずもなく、（臆測にはなりますが）反面教師的にむしろコロナワクチンを射ちたくなる、と思った人も一定数いたのではないでしょうか。

自分に自己肯定感を与えるコンテンツにはカルト信者のようにのめり込み、自己肯定感を上げないコンテンツは「汗臭く、ダサい」ため、見向きもしないのです。

（8）「今を生きる」ことを最大の美徳と考える

ニューエイジ気質は**過去に囚われず**、今を生き、未

来についてはほとんど考えないという特徴があります。自著『99・9％隠された歴史』でも触れていますが、この性質は、**20世紀最大のニューエイジグル**と個人的には強く思っている**神秘科学者のアルベルト・アインシュタイン**のさまざまな考えに基づいています。**今の連続が少しずつ未来を形成していく**と信じているため、今この瞬間をポジティブに生きてさえいれば、きっと未来もポジティブになる、という飛躍したポジティブ理論を本気で信じているのです。

そのため、未来についてほとんど考えない「宵越しの金は持たない」精神のもと、いつか政府の介入がない自給自足の村を作るのだ！　といった具体性が全くない未来理想論を嬉しそうに語ることはあっても、具体的に地道にコツコツと、どうやってその未来を実現していくか、またはそもそも実現可能なのかを論理的に考えられないのです。

さまざまな点と点を論理的に繋げて自分が目指すゴールの実現に向けて建設的に考えることがとにかく不得意です。また前述の「ポジティブ波動を引き寄せる」というニューソートの概念も相まって「我々はきっとどうにか目標を達成できます、皆さま勝利を信じよう！」といった根拠のない感情論になりがちです。そのため、一般社会で切磋琢磨（せっさたくま）している人からはかなり中身のない薄っぺらな意見に思えてしまうのです。

場合によっては主張がトンデモ認定をされてしまうので、中身のない理想論を語った後に「マスクを外しましょう！」といった論理的根拠のある現実的な主張をしても「この人の言っていることはどうせ全ておかしい」という印象ができあがってしまっているため、「マスクを外しましょう！」と一般人に主張しても、むしろ逆効果となることも多いのです。つまり聞き手はマスクをより手放さなくなってしまうということが起きてしまいます。

またニューエイジ気質は過去を振り返らないため、「客観的に間違っていた過去について謝罪や謙虚な姿勢での弁明をすることがない」ので、プライドがすこぶる高く映ることもマイナス要因となっています。

（9）質よりも量を圧倒的に重要視する

私が「ジャスティン・ビーバー最強説」と名づけた現象になるのですが、「質」よりもとにかく「量や数」を重視しがちです。

社会から虐げられたり、人生においてなんらかの挫折を味わってしまったが故にスピリチュアル系などのカウンターカルチャー現実逃避コンテンツにのめり込んでしまった人が多いため、自分自身のふるまいや自分の主張に本質的には自信がありません。情報の客観的な質や論理整合性の高さを重要視するのではなく、SNSであれば、他人のリアクションや再生回数を稼げたということを根拠に、そのコンテンツを正義とする傾向にあります。他人のリアクションが多いんだからきっと正しいんだ！　という価値観であり、陰謀論の中で人気となっている対立軸主張を必然的に採用しがちであり、ニューエイジのトンデモ陰謀論があっという間に拡散されてしまうひとつの大きな原因でもあります。

　これは特に対立軸に立った人間の立場からは、非常に矛盾した考えであるということに気づいていないのです。この論理では圧倒的多数の意見がそもそも正しいということになってしまいます。ワクチンは感染症を防ぐものであるし、著名人であり陰謀論者に叩かれることも多い〝再生回数が多い〟ビル・ゲイツの言っていることも正しくなってしまいます。またニューエイジは、リアクションが少ない人間の主張はダサいと考えている節があるため、その意見の客観性は基本的に検討しないのです。そしてリアクションや再生回数の多いカウンターカルチャー的な情報発信者は教祖のように崇拝してしまう傾向にあり、たとえ崇拝する人物が明らかに間違ったことを言っても、人それぞれの理屈で基本的にはスルーします。

　そしてもちろん、そのお気に入りの情報発信者を批判することはまずありません。好きな情報発信者だから、ほぼ何をしても許すのです。唯一あるとすれば、自分の自己肯定感を上げないコンテンツ

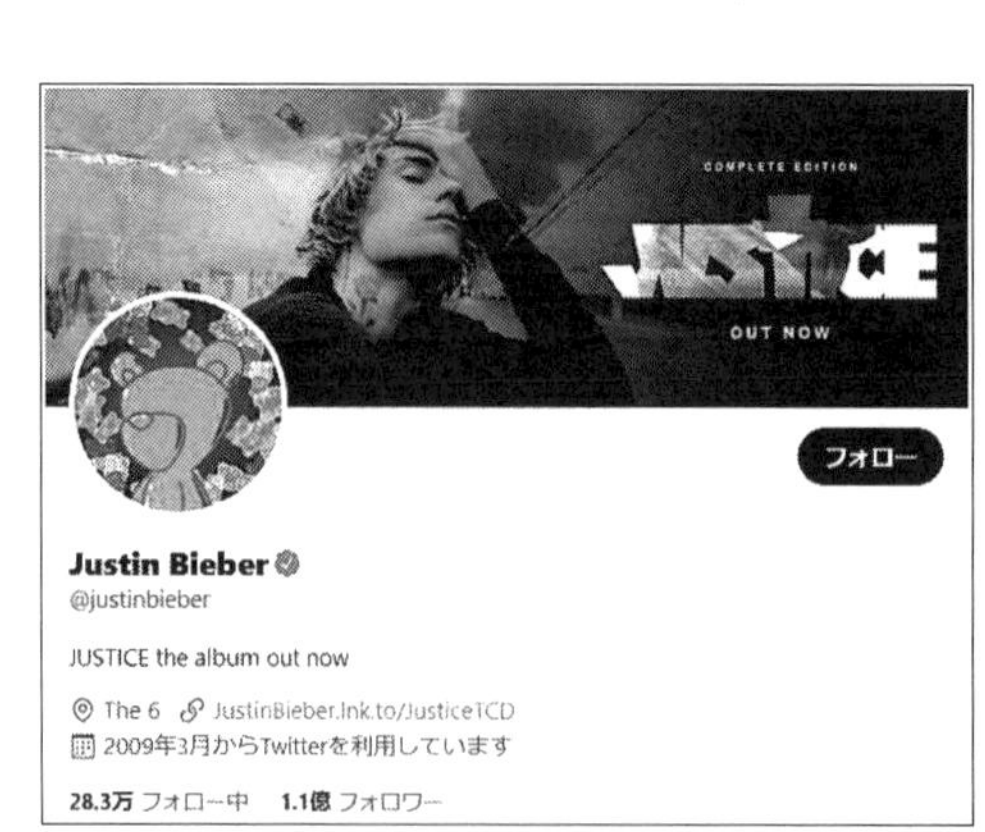

人気歌手／インフルエンサーのジャスティン・ビーバーのフォロワー数は１億超え。他愛のない（＝どうでもよい）ツイートが多い

を発信するようになった場合だけ。また、好きな情報発信者を信頼性の高い根拠をもって批判している人のことはアンチ（敵）認定して、ＳＮＳで積極的に嚙（か）みついたり、絡んだことがまだ一度もない状態でブロックしたりしてしまうこともしばしばです。

⑽ 時間とともに独自性が増す

時間が経てば経つほど、注目されればされるほど、ニューエイジの独自性は増します。自分が神様の世界が認められて、さらに調子に乗り出すのです。私も気がつけば、わけのわからない方向に行ってしまうニューエイジ陰謀論の情報発信者を数多く見てきました。注目されれば注目されるほどドーパミンが出る、人気が増してきたのは自分が真実を言っている証拠だ、という勘違い（ジャスティン・ビーバー最強説）、自分が自分の世界の神様であるため、感覚の赴くままに何を言ってもよいとすら思っているのだと思います。ファンも決して批判せず、「感動しました！」「ポジティブになれました！」「人それぞれですよね！」とひたすら同調や共感ばかりするため、情報発信者は「自分は無敵である」という一種の裸の王様状態になりがちであり、さらに調子に乗るのです。半年後には半年前と明らかに矛盾した主張をしれっと平気で言うこともあれば、主観に主観をどんどん積み上げる思考プロセスのためか、時間とともにわけのわからない方向に行ってしまうこともあるのです。

「独自性」のとてもよい見本を次のトピックに掲載します。ニューエイジ気質は表面的にわかりづらい、のよい見本にもなるかと思います。こちらは（本人が自分がニューエイジであると気づいているのか気づいていないのかは存じませんが）ニューエイジ気質であることが足枷（あしかせ）になっている日本のニューエイジ陰謀論者のツイートになります（57ページ）。この方に対する個人攻撃を意図したものではないため、名前は伏せさせていただきます。またこちらのトピックは本人の脳内を分析しているというミクロ論よりは、ツイートを通してマクロ的にニューエイジ気質の方の思考回路を分析／紹介したものになります。この方はコロナ茶番に気づくキッカケを与えるという意味ではよい活動をしている方にはなりますが、掲載のツイートにはニューエイジ気質であることが凝縮されているので説明材料として使わせていただいています。

既に書きましたがニューエイジ気質とは簡単に言うと「自分が神様の宗教」になります。ヒッピー文化の「みんな好きなことをすればよい。ただし私に迷惑をかけないでね」という考えもこの発想からきています。他人を否定することや「ポジティブ」ではないことを言わないことが正しいと感じられる読者もいるかもしれませんが、本質的には「私はあなたを批判しないので、あなたも私を批判しないでね！」というかなり自分本位な考え方に基づいています。

ニューエイジには〝自分の体／心の中には「波動」という量子力学をベースにした謎のエネルギーが存在し、ネガティブな発言や考えはこの「波動」が下がるため、最小限に抑えなければ自分がそれまで積み重ねた高い波動が低くなってしまう〟という信仰があります。ただ単に自分が損をしてしまうと思っているから、心の中では思っていても否定的な発言はしない。ある意味、自分自身にしか興味がないからこそ肯定化できる考えであると言えます。またポジティブな引き寄せが起きるという主張も「自分が自分の世界の神様」だからこそ出る発想であると言えます。環境などのマクロ要因を一切度外視したトンデモ理論であり、ニューエイジではない一般人から見れば、もはや神秘魔術の類なのです。

ツイートから読み解く日本の陰謀論界

それではツイートを解剖していきましょう。

「私はアンチ・ワクチンじゃない。私はプロ・ライフ」

←

コロナパンデミックの数々の矛盾を伝える人が「アンチワクチンではない」と発言するのは意外な発言であると思われる読者もいるでしょう。

でも、「自分が自分の世界の神様である」から派生した発想であると考えると、より納得ができるのではないでしょうか。

「私自身はワクチンを接種しないけど、みんなはみんなのそれぞれの世界の神様なわけだから、接種するもしないのもそれぞれ好きにして！」という主旨の意見になります。このツイートを読んだ（この方の）ニューエイジ気質のファンの多くは、好きな情報発信者の

> 私はアンチ・ワクチンじゃない。
>
> 私はプロ・ライフ
> 人間って最高だね！
> 人生は学びの場でも、裁きの場でもない
>
> 人生は遊び場で、忘れてる事、
> 一つ一つ思い出すところ
>
> 答えは全て、あなたの中にある
> あなたこそが、宇宙であり、愛である。
>
> みんな、私と同じ時代に生きてくれて
> ありがとう
>
> ナマステ
>
> ――ツイッターより引用――

宗教のようなわかりやすさがないのがニューエイジ気質

発信に「共感」し「肯定」をしなければ自分のポジティブ波動が下がるという強迫観念に陥ってしまいがちなため、心からそう思っているのか思っていないのかはさておき「好きな人がそう言っているのだから自分もそう行動しよう」という結論に達してしまい、実世界で一般的なコロナワクチン関連情報の矛盾点についてあまり啓蒙しなくなるという危険性があります。

つまり、「私はアンチ・ワクチンじゃない。私はプロ・ライフ」は、聞き手のやる気を削ぐ、他人に無関心で退廃的な発言であるということです。発信者本人は（おそらくですが）、ワクチン射ちたい奴は射てばいいじゃん。だから私は皆射っちゃ駄目と言うアンチというわけではないの。その人が決めることがその人の正義であり、その人の世界のルール。だってその人の世界ではその人が神様なのだから、という考えが土台にあるのでしょう。

本来ならば、コロナウイルスやワクチンの疑問点に関する情報発信を熱心にしている人がワクチン接種自体に反対ではないと主張するのは、個人的には大きく矛盾していると思うのですが、退廃的なニューエイジ思考のファンばかりなのだろうか、（私が拝見した限りではですが）誰もこれらの指摘をしません。

次に、「人生は遊び場」

←

これもニューエイジの退廃性を具現化したような発言になります。まさに支配層の主目的のひとつである（ニューエイジ気質を浸透させるための）くだらない娯楽コンテンツを通じて私たち家畜に植え付けてきた

「人生なんて遊び、適当適当。真面目に生きるなんて馬鹿らしい。みんな楽しく生きよう、以上」という価値観からくる発言ではないでしょうか？　もちろん本人に悪気は特にないのでしょう。正義であると本気で思って主張していると思われます。

一般的に人が「楽しい」と考える状態とは、ドーパミンなどの快楽的な体内物質が出ている状態です。この快感が癖になってしまうと、もはやドーパミンを出すことが目的化してしまい、いつ何時(なんどき)も好きなことをしよう、のような思考や発想に時間とともに変化していきます。

お酒やドラッグの依存症もそれ自体への依存ではなく、お酒を飲んだ時に出るドーパミンに依存しています。アルコール依存症が、アルコール自体に依存しているのではなく、ドーパミンに起因する快楽依存になっているということを知っている人は少ないでしょう。

ドーパミンを出すことが目的化したニューエイジ気質とは、自分が楽しいと感じることをしているだけでお酒で酔っ払った時くらいに気持ちよくなれる体質になってしまった人を指しているということ。ある意味ではお得な体であります。

*ドーパミン依存という状態について参考記事
お酒がやめられないのは「脳内麻薬」のせいだった！（幻冬舎 plus）
https://www.gentosha.jp/article/11803/

次に、「答えは全て、あなたの中にある」

↓

こちらも同様に、「自分が自分の世界の神様」という信仰から派生した発想になります。あなた自身があなたの世界の結論や答えを思いのままに用意すればよい、という考えです。

ニューエイジ気質となってしまった人は、他人に無関心になり、第三者から見たらスカしているような印象を与えてしまうために、そのニューエイジ気質の人が何を言っても聞きたくなくなる＝（信憑性(しんぴょうせい)がある程度高い）陰謀論ですらなかなか非陰謀論者にも広がらないのはこれに起因しています。

また、この手のニューエイジ気質が強い人は「宇宙」という概念が大好きな傾向にあります。真空宇宙なる空間に多大なロマンを感じるのか、自分が神様の世界がほぼ無限に広がっているという説明に酔いしれているのかはわかりません。宇宙にある種の精神性を求めるニューエイジスピリチュアルは、（宇宙人はキリスト教でいうところの天使の代替案のような感覚など）宇宙好きが高じてNASAなどの宇宙機関が主張する、いわゆる真空空間の宇宙とは全く関係ないところでも宇宙という概念ありきの言葉を出してきます。

あなたの中の宇宙　だとか、
パラレルワールド　だとか、
心の重力　だとか。

このタイプの「陰謀論者」は、宇宙という概念を真っ向から否定するフラットアースを受け入れづらいのか、フラットアースの「真空宇宙は存在しない」という物理科学の観点から出た主張に対して、強烈な認知的不協和を起こします。

私もSNSでニューエイジ陰謀論者に対して、フラットアースの主張を淡々とコメントしていただけにもかかわらず、ひたすら感情論で返され、議論にもならない状態でブロックされたことが度々あります。

日本でフラットアースが広がらない大きな理由のひとつがこの「宇宙」の神秘性への憧れから抜けられないニューエイジ気質の陰謀論者がとにかく多いからなのだと考えています。彼らは宇宙というロマンティックな概念を、場合によっては死んでも捨てたくないのです。もはや**宇宙教**なのです。

次に、「ナマステ」
←
投稿者ご本人は自分がニューエイジではないと思っているのかは知りませんが、ニューエイジ気質の人は自分はヒンドゥやヨガなどの古代から存在する宗教コンテンツの影響を受けているだけだ、という解釈になりがちです。

「古代宗教」と「ニューエイジ」は本質的にはかなり真逆の思想になります。ヨガはざっくり言うと、禁欲や試練を通して自分の意識と対面しましょうといった教義だと思うのですが、ニューエイジはその真逆である「欲望の赴く（おもむ）ままに遊べ！」みたいなかなり快楽的な思想になります。

（少し極端なことを言うと）陰謀論系のニューエイジ情報発信者は、自分がドーパミンを出すための手段として情報発信をしている部分があるのでしょう。人気が出れば出るほど（より注目されているという事実により）ドーパミンもたくさん出るわけで、時間とともにドーパミンを出すことが半ば目的化し、どんどん独自性の高いおかしな方向にいってしまいます。真相の追究など、いつの間にか二の次です。

　ニューエイジ気質が強い人は、ワクチンの接種が実質強制にさえならなければ、ワクチンの危険性に関する情報発信を継続的に続けていく可能性は高いです。しかし、万が一、実質強制にでもなってしまえば、仕事につけなかったりスーパーに買い物に行けない「ドーパミンが出しづらい」試練の毎日に耐えられず「ワクチンを射っても、とりあえず死なない確率のほうが高い」といった「ドーパミンの排出を取り戻すための都合のよいポジティブ変換」をする可能性が高いでしょう。

　過去を振り返らないため、それまでの意見と真逆のものを主張しだしてもお構いなしです。そしてワクチンを接種することへと、自分のマインドセットを潜在的に持っていこうとします。場合によっては、ワクチン接種の生中継をしだすニューエイジ陰謀論の情報発信者も登場するでしょう。

　そして好きな情報発信者を「肯定」しなければならない強迫観念に囚われたファンの多くは「好きなあの人も射ったんだから、私も接種してもいいんだよね⁉」という自己正当化のための結論に達するでしょう。ワクチン接種をしなかったまわりの人たちに対して「私は射っても大丈夫だった。なんで貴方も接種しないの？　接種すれば楽になるのに」とむしろ非難しだす可能性もあります。そしてワクチンを接種しても自分が死ななかったのは「ポジティブにワクチンを捉えることにした自分の波動か高かったから」といった発想になる人も少なからずいるでしょう。

　もちろんそう主張する本人たちには悪気はありません。ただただそう信じて疑わないのです。「自分が自分の世界の神様」なのだから、自分の人格形成の土台となっている「波動」という神秘的な現象が実は存在しないとは決して検討しないのです。

　そして悲しいかな、今回紹介したツイートを発信した方は、正直言ってニューエイジ気質の中でもＩＱがかなり高めな人という印象であり、日本の陰謀論界には、この方の主張が相当まともに見えてしまうくらいに論理的根拠に著しく乏しい主張をするニューエイジ情報発信者がとても多いという現状があります。

ニューエイジ気質の陰謀論者の情報は、この世界の仕組みや真実を知るきっかけとしては機能している部分もある、というメリットが少しだけあります。ただし、そういう情報を見た人が気づいた後に（自分はすごい！　特別！　と自己肯定ができるため）気づいたこと自体に満足してしまい、それ以上深掘りもしなければ、論理的に思考を発展させることもありません。

彼らは同じ「真実」を共有する仲間との退廃的で楽しい時間にすがりつくだけの状態になってしまうという大きなデメリットがあります。ニューエイジの陰謀論発信者のファンの多くは、気づいた後に、退廃的な快楽主義と、同調しないと仲間はずれにされるという強迫観念に支配され、「真相を伝える人」としては無力化してしまいます（多くの場合はむしろマイナス）。ニューエイジ気質の人が世のおかしなことに気づいても、宝の持ち腐れになりがちであるということです。

ちなみにですが、このツイートをした方はその後、まるでジャンヌ・ダルクのように先頭切ってコロナワクチン強制反対のデモに参加したかと思えば、主張が矛盾したグッズをこのツイートのしばらく後に売り出しました。「ワクチンはあなたを自由にする」というスローガン付きのグッズです。ついていけない独自性ではあります……。

日本では、スピリチュアル系、アニメやゲームとともにオーガニック食材などの地球に優しく自分の体を労るものに目がない「意識高い系」、そして海外では、地球温暖化、さまざまなジェンダー論を唱えるＬＧＢＴＱ、黒人至上主義の側面もあるブラック・ライヴズ・マター（ＢＬＭ）、中絶の自由推進運動などに傾倒した、ポリコレやキャンセルカルチャーを創り上げた「Woke（ウォーク）※」と言われる人たち、さらに新興宗教。またアメリカであれば、メガチャーチに心酔してしまっているタイプなど、これらが最もわかりやすくニューエイジ気質に染められていると言えるでしょう。

基本的な信条として共通するのが、「人それぞれ」「なりたい自分になることが美しい」「批判は受けつけない」、そして「ポジティブで自分を囲むことが物質的豊かさへの近道」というおおよそ「スピリチュアル

（精神性）」とは逆行しているものになります。彼らはどんどんナルシストで自己中心的になり、独自性も増すため、一般人の感覚と乖離していくという末路を辿っていきます。ニューエイジ気質が浸透してしまった陰謀論は、一般人に「頭がおかしなトンデモコンテンツ」としか映らず、たとえその中に真実の要素がある程度含まれていようとも、ひとくくりにその主張の全てがトンデモ主張であるという印象を与えて終わるのです。

一般人は、自分で客観的／論理的に考えるという行為が長年の学校教育の洗脳で削ぎ落とされているが故に、支配層にいいように騙されているという現実があります。情報自体の論理性よりも○○（＝学校の先生、偉そうな科学者、政治家など）が言っているから、という「その情報発信をしている人物の印象」で物事を短絡的に結論しがちであるとも言えます。そのため、ただでさえトンデモ論のマイナー意見に見られがちな陰謀論の場合には、ニューエイジ陰謀論者の行き過ぎた個性とまわりに嫌悪感を抱かせる自己中心性が壊滅的なダメージを与えてしまうのです。

個人的には、ニューエイジ陰謀論者はその陰謀論にとってむしろマイナスになることが多いため、情報発信自体をやめてほしいと願うところではありますが、言論や信仰の自由もありますし、SNSなどで注目されることを自分の自己実現とし、快感に思うというニューエイジ気質の人が情報発信をやめることは少ないでしょう。

アメリカのニューエイジ代表であるメガチャーチの様子

また、一般人は権力や肩書に弱いため、たとえば西洋医学のことを質問されれば「私にはよくわからないので、あちらの医者の方にお聞きください」と返すだけですが、マイノリティ（たとえばホメオパシー［自然医療］）については、自分が知っている一番トンデモ論を言う人物を思い浮かべ、「あのやばい人がこんなトンデモなこと言っていたからホメオパシーなんてインチキで詐欺だ」という総合的な結論に至ってしまうことが実に多いのです。

特に日本においては、こういうトンデモ論を発信しているのがニューエイジ気質のワクワク陰謀論者であることがほとんどであるため、「陰謀論」が一般的な世間には決して浸透することはありません。

※Wokeとは？（Wikipediaより）
Woke（ウォーク、[wook] WOHK）は、黒人英語（AAVE）に由来する、「人種的偏見と差別に対する警告」を意味する英語の形容詞。2010年代以降、性差別などの社会的不平等に関する幅広い概念が含まれるようになり、白人特権やアフリカ系アメリカ人に対する奴隷制の賠償など、アメリカ合衆国におけるアイデンティティ政治や社会正義を含む左翼思想の省略形としても使用されてきた。「stay woke」というフレーズは、1930年代までに黒人英語で登場した。2014年にミズーリ州ファーガソンでマイケル・ブラウン射殺事件が発生した後、このフレーズは、アフリカ系アメリカ人に対する警察による銃撃についての意識を高めようとしているブラック・ライヴズ・マター（BLM）の活動家によって広められた。主にミレニアル世代に関連するこの用語は国際的に広まり、2017年にオックスフォード英語辞典に追加された。

ニューエイジの起源について

それでは支配層がなぜ100年以上も前からこのニューエイジ気質を浸透させることに力を入れてきたかを考察していきましょう。

現代ニューエイジの原点である**神智学**は、高階級のフリーメイソンだったロシア（現ウクライナ）生まれの思想家**ヘレナ・ペトロヴナ・ブラヴァツキー**（1831年8月12日－1891年5月8日）が創唱しました。神智学は、キリスト教、仏教、ヒンドゥー教、古代エジプトの宗教をはじめ、さまざまな宗教や神秘主義思想を折衷したものです。各宗教からイイとこ取りをし、世界の宗教をひとつの形へと導いていこうとしています。

ブラヴァツキーはフリーメイソンであることもさることながら、自身の著書でも堂々と自身の**ルシファー**や**サタン**信仰について記述しており、あえてキリスト教的に言えば明確な〝**悪魔崇拝者**〟の一人です。

次章でも触れますが、神智学はブラヴァツキーの手腕により、アメリカを筆頭に海外へ広まり、多くの著名人を魅了していきました。神智学に傾倒した**ナポレオン・ヒル**という詐欺師も世間を騒がせます。イギリス人の**アリス・ベイリー**という国際連盟と深い繋がりを持つようになる人物も登場します。

（現在の）国連との関連性も高いニューエイジ思想は、国連が掲げる最終目標「**世界統一**」に同調したムーブメントであるとも言えます。そのため、ニューエイジ情報発信者たちが、アリス・ベイリーの出版社「**ルシファー・トラスト**（現在の出版社名はルーシス・トラスト）」で出版されているような（主にスピリチュアル系の）ニューエイジコンテンツを高く評価しながらも、「ワクチンを推し進める国連関連機関のＷＨＯは酷い！」とＳＮＳで発信していることは、かなり矛盾した行為である、ということもご理解いただけるかと思います。

また、意外と知られていないことですが、日本、イギリス、北欧などで主流になってきている「**無神論**（Atheism）」も神智学同様、カトリック教会への反発（＝カウンターカルチャー）を発端に世の中に徐々に浸透していった概念になります。

無神論者は、「この世界の創造者が存在すると主張

稀代のニューエイジ詐欺師、ナポレオン・ヒル

神智学の母、ヘレナ・ペトロヴナ・ブラヴァツキー

している人の物質科学的根拠が乏しい故に、証拠不十分で神の存在を認めない」と主張しています。確かに、「無神論」という概念自体は信仰ではありません。しかし、ビッグバン理論（正確には膨張宇宙論）を提唱したベルギー人天文学者のジョルジュ・ルメートルはフランシスコ・ザビエルなどが創設したカトリック一派のイエズス会宣教師だったこと、また、自然淘汰による進化論を唱えたチャールズ・ダーウィンは高階級のフリーメイソン一家の出身であること、などの矛盾は見て見ぬふりです。

また無神論者は通常、信仰心をもって「神」について語る宗教家を見下す傾向にあります。それは一般人が、世の中のいわゆる「陰謀論者」がひとつでも納得できないことを主張するものならば、その陰謀論者の言っていることが「全ておかしく、聞くに値しない」と結論づけてしまうのと同様です。そのため、無神論者（ビッグバン論者）は、有神論者（創造論者）と、話が噛（か）み合うことも理解し合えることも基本的にありません。

以下に無神論者の勘違いをわかりやすく記載します。

（1）「無神論」という概念自体は信仰ではないが、結論に至るまでに、ビッグバンやダーウィンの進化論といったまだ実証されていない仮説を強く信じる必要があるため、無神論者の信仰心はおおむね高いということに気づいていない。

（2）人が勝手に作った宗教という組織と、「この世界を創った何かは存在する」という論理的な帰結が本質的には別のことであると考えられない。

（3）現代科学を信じて疑わない。たとえそれが本来の科学から逸脱した「**科学教**」になっていても、です。現代のメインストリーム科学者をほぼ無条件で信じているため、科学者たちを司祭化していることに気づいていないのです。利権を得たいという自己中心的な考えよりも、科学者たちの誠実さが勝っているため、現代科学は「**神聖**」である、というナイーブな勘違いをしているのでしょう。

運動法則で説明できない「物が浮く、落ちる（沈む）」という現象を無理やり説明するために登場した**万有引力**という仮説があります。まだ再現もされたことがない、他の力の干渉を受けない不思議な力なのですが、特に無神論者の間では、存在が歴然たる事実であるとされている力になります。

（無神論者が司祭のように尊敬する）ニュートンやアインシュタインの万有引力／重力の理論が成し遂げたことは、**科学に神秘性を取り入れ、神秘性／精神性と物質の境界線を曖昧にしていった**ことです。この神秘科学の概念をさらに進化させたのが「**始まりも終わりも全て物質**」という主張の**ビッグバン理論**になります。

ビッグバン論者は、生命も物質的であり本質的には無機質であるという考えを持つようになります。生命が本当に物質であれば、なんらかの外的な力を加えなければその物質は単体では動かない、をはじめとする運動法則や熱力学などの物理学の法則に縛られなければいけないはずなのですが、（思考や魂とも呼ばれる）生命は、自発的に考え、自発的に動くものになります。

人の体は、その人が亡くなってようやく自らの力では動けない物質に成り下がります。生命が科学的に「物質」の特徴を持たないのであれば、それは科学的に物質ではない、というシンプルな結論に本来は至らなければなりません。つまり、物質の概念を超えた「生命」は、物質ではないものとして確実に存在している、ということです。

「量子力学波動で全ての物質は自由自在である。我々は量子力学波動によるひとつの物質の集合体（ワンネス）である」という思想を持つニューエイジと同じように、カトリック教会へのカウンターカルチャーとして誕生した無神論。この「目に見えず物質として説明できないならば魂というものは存在しない」という唯物論的な価値観も、ある意味広義ではニューエイジの端くれとして捉えることもできなくはありません。

全ては物質的に説明できる——この主張から、神秘科学、ニューエイジ思想、無神論という一見関係性があまりなさそうなコンテンツから共通点を捉えられるくらいのマクロ目線をもって、世の真相（および陰謀論）を追究していくことが何よりも重要だと思っています。

支配層がニューエイジ気質を浸透させる目的は？

支配層の目的について。結論から言うと「**支配層にとって盤石な支配体制を半永久的に持続できるトランスヒューマニズム社会の形成**」になります。この盤石な支配体制を構築するために少なくとも神智学が登場した頃から、このトランスヒューマニズム社会の実現を見据えての超長期的な戦略の中核がニューエイジムーブメントであるということです。

わかりやすい見本が、ＳＮＳの発展による「絵文字の使用」。海外であればディズニーのキャラクター、日本であればアニメで昔から「目がやたらと大きい」キャラクターが登場しました。この狙いは赤ん坊の顔パーツの比率に近いキャラクターを大量に打ち出すことで、それまでは赤ん坊や子犬などにしか使われなかった「カワイイ❣（Cute）」という形容詞を、大人をはじめ、世の中のあらゆるものに適用していく文化を創出したかったことにあります。有名歌手のアヴリル・ラヴィーンも「カワイイ❣」を連呼する曲をリリースしたり、ＳＮＳのアバターやメタバースの「分身アバター」も「目がやたらと大きい法則」に則ってキャラクターがデザインされたりしています。

政府が打ち出したクールジャパンの成果もあってか、おかげで「カワイイ❣」文化は西洋諸国でも根付きました。支配層が絵文字の普及によって得られた効果は、「大人になっても子供のように振る舞うことがカッコいい（またはその人の個性）」という価値観。そして、そこからの派生で、世界経済フォーラム主導のグレートリセット達成後に主流な社会の形になっていくであろう「**ステークホルダー資本主義**」に適合した、ダイバーシティやインクルーシビティといった概念の浸透になります。

ステークホルダー資本主義については、本書では話がかなり逸れていってしまう可能性があるためこれ以上は触れませんが、この時代の潮流となっていくであろう「大人になっても子供のように振る舞うことがカッコいい（またはその人の個性）」という価値観と、メタバースが主戦場の生活スタイルとの相性のよさについて少しだけ触れたいと思います。

まずこの価値観の浸透によって得られる一般大衆の思考の傾向は、大人になりきれないピーターパンの

「大量生産」になります。ピーターパンが増えることで得られる支配層にとってのメリットは「一人で生活していく/たくましく生きていく自信がない子供は、大人の言うことを素直に聞く傾向にあるので、政府やマスメディア、学校教師の言うことをさらに無条件に鵜呑みにしやすい国民を増やせる」ということです。

子供の大まかな特徴である「自己中心的、わがまま、主観が強い」部分を多く残したまま大人になってしまった国民が増えることで、成熟した国民の真っ当な意見を、自分本位な主張や行動で好き勝手にかき乱してくれるようになります。まさに映画『マトリックス』のエージェント・スミスのような「役割」の人間が大量に存在した状態になります。

足の引っ張り合いをしている国民ほど管理しやすい人間はいません。支配層は一般大衆がいがみ合っている間に好きなだけ自分たちのアジェンダを進行させることができます。

子供心は、「なんでもほぼ自由自在になりたい世界を設定したり、なりたい自分になれる」環境を提供するメタバースとも相性が抜群です。現実世界で起きているリアルなことよりも、今日はどのデジタルアクセサリーを身に着けてメタバースで活動しようか、どの強化パッケージを購入したらこのゲームをクリアできるかなぁ、といった本質的には全く無意味な娯楽的な事柄を重視する「おままごと遊びやNゲージ電車ごっこで現実逃避する小さい子供」のような大人になっていってしまうということを意味します。

ニューエイジ気質によって増大したナルシシズムから「自分が身に着けるデジタルアクセサリー、自分のアバターのカワイさ具合、ゲームにおける自分の強化アイテムの効果、自分のメタバースハウスの家具などのインテリアの豪華さや配置」といったことにほぼ全ての自由時間を費やす人間は、「デジタル世界での自分磨きに余念がなく、世の中に疑問を持つ時間的な余裕すらない、取るに足らない家畜」に成り下がるだけです。

メタバースでは個人の主観により、リアルな世界では実現できないような「物理法則を無視した仮想現実」を実現できてしまうわけですから、その人のメタバースの中では「地球は真空空間を数方向に回転する重力ボール」と実際にしてしまうこともできます。また、マイケル・ジョーダンを超えたジャンプ力でバスケゲームを楽しむこともできてしまうため、何がリアルで何がバーチャルかの境界線がどんどん曖昧になるというトランスヒューマニズムの本質とも言える世界が構築されます。

私はこういう理由からもトランスヒューマニズム社会の大きなマイルストーンとなりうる、日本政府が打ち出した2050年に完了予定の**ムーンショット計画**を危惧しています。

本書では、ミクロ視点での具体的なニューエイジ気質を浸透させる方法について、他にもたくさん紹介していますので、ぜひ最後までお付き合いください。

メタ社のメタバースアバターはアニメの流れをくむ

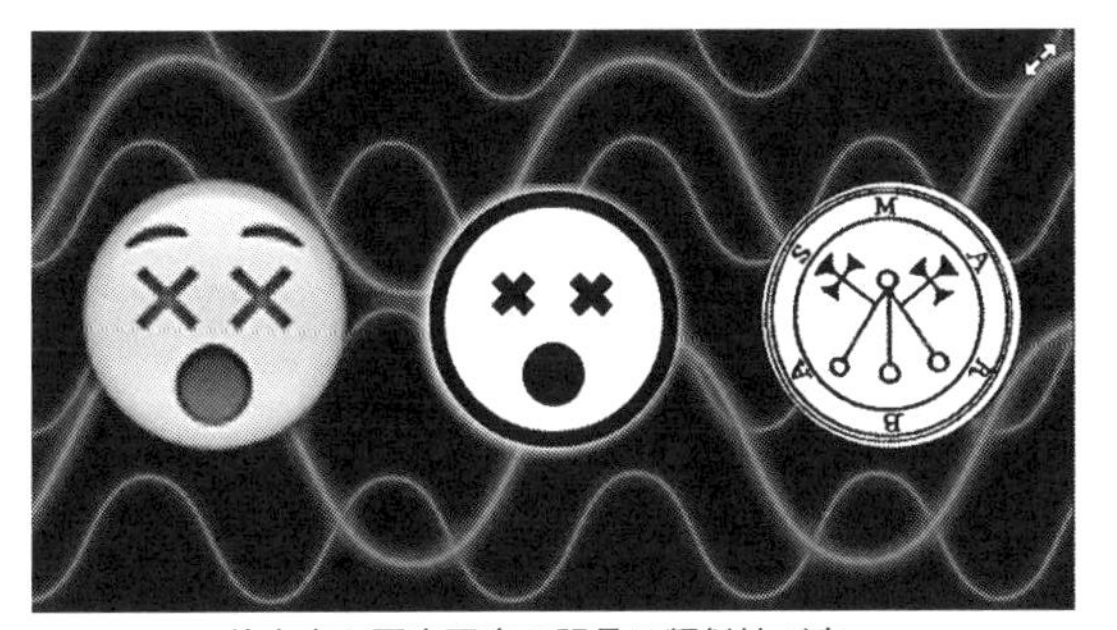
絵文字と悪魔召喚の記号は類似性が高い

第2章

歪(ゆが)められた信仰心とニューエイジの広がり

本章からは、私が管理人を務めているFacebookグループ「フラットアースジャパン」での投稿をコラム形式で掲載します（本書用に加筆・修正しています）。

ニューエイジムーブメントは、ＮＡＳＡやＪＡＸＡなどの宇宙機関、学校教育が推し進めるいわゆる物理的な宇宙論や地球球体説の〝精神版〟という位置づけです（より詳細については自著『99・9％隠された歴史』をご参照ください）。

日本でフラットアースがなかなか広まらない一番の理由は、（私を含めたフラットアース関連の情報発信者の力不足ということもあるとは思いますが）世の中のおかしさに気づいた後で、ニューエイジ系のワクワク陰謀論にハマってしまい、ニューエイジ陰謀論で取り扱われがちな宇宙や宇宙人、高次元、量子力学波動などの概念に特別な思い入れを持ち、その過程で強くなりすぎてしまった信仰心により、これらの概念が捨てられなくなることが挙げられます。宇宙もなく、アインシュタインは基本的には仮説を提示していただけであり、大地は平らで静止状態にあるという論理や物理科学に基づいた主張を「死んでも」受け入れたくないという心理状態に陥ってしまうのです。

また、これは日本で特に見られる現象なのですが、物理や数字を使って論理的に物事を考えたり、外に出て自分で直接観測して手ごたえを得られるフラットアースといういたって科学的なアプローチの「陰謀論」の強みを全て打ち消してしまうような、主観とスピリチュアル色満載のワクワクトンデモフラットアースを発信する情報発信者があとを絶たないことも、フラットアースの広がりを阻止してしまっていると言えるでしょう。

ニューエイジやスピリチュアル系に疑問を持っているけれど大地が平らであるとは信じられず、地球が真空空間を複数方向に回転しながら超高速で移動する球体であると思っている読者には、支配層最大の武器とも言えるニューエイジムーブメントを念頭に置きながら、球体説を含めた支配層の包括的かつ長期的な人類計画について考えてほしいところです。ニューエイジスピリチュアルは、ＮＡＳＡをはじめとする「物理科学的な」宇宙機関の精神版であるということをご理解いただけると、いろいろと俯瞰的に見えてくるようになるのではないでしょうか。

「太陽と惑星」を「人と人」に置き換えただけで「万有引力（重力）」も「引き寄せの法則（心の重力）」も本質的にはかなり類似した概念であることがわかります。スピリチュアル系では「心の重力」といった表現をよく見かけますが、皮肉ながら本質を捉えた表現であると言えます。「心の中」と「重力」とは本来は直接的な関係がないものであるから実に滑稽なこじつけではあります。

↑物理的な引き寄せの法則

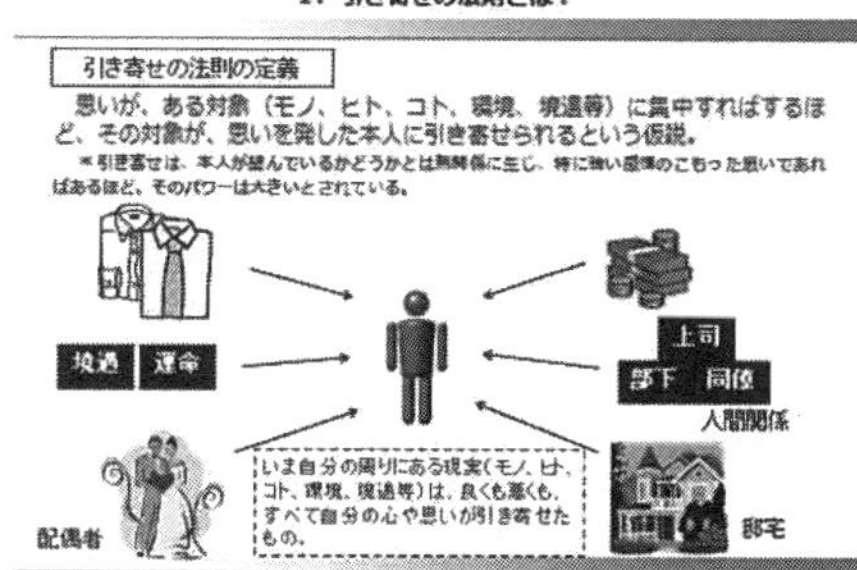

↑精神的な重力

「心の重力」という表現からも、ＮＡＳＡの主張とニューエイジの主張は、「物理」と「精神」の違いこそあれ、本質的には同じです。どちらも宇宙がないフラットアースという主張の完全なる対立軸であり、なおかつ神秘科学（＝疑似科学）にルーツを持つコンテンツであることがおわかりいただけるかと思います。

NASAの大ファンだけどフラットアーサー

これと同じくらい、

ニューエイジ気質だけどフラットアーサー

や、

アメリカ宇宙軍を作ったトランプ大好きだけど
フラットアーサー

などの主張は荒唐無稽です。

つまり、主観や感覚に則ってワクワクする陰謀論をひたすら追い続けるニューエイジ気質の陰謀論者の数々の主張が、日本でのフラットアース浸透の大きな足枷となっているのです。

要約すると以下のように説明できます。

アインシュタイン

↓　フラットアース対立軸の地球球体説と真空宇宙論の代表格であり、論理科学に神秘性を混ぜ込んだ主犯格。

ニューエイジ／スピリチュアル

↓　アインシュタインとは真逆の神秘／精神性に科学的な側面を入れたムーブメント。

どちらも「**主観と客観の曖昧化**」が目的です。

余談ですが、曖昧化と言えば支配層が猛プッシュするコンテンツのひとつとして「**性の曖昧化**」が挙げられます。メディアのＬＧＢＴＱやジェンダーレスのごり押しは、なりたい自分になれるニューエイジの価値観を推し進めていると言えるでしょう。

最後に「**カルト化する**」という現象について少し書きます。

私は宗教の信仰心は諸刃の剣であると思っています。ですので無条件に批判するものではなく、信仰の自由は保障されるべきであるという考えです。また宗教に限らず、たとえば球体説やマスク教など、信仰心に起因する要素が強い思想や考えも「カルト化する集団」に含まれているということは明記しておきます。

◇宗教の良い面

その人物が罪を犯し、刑務所に入り、そこで宗教の聖典を読むようになり、刑期を終えた後は真っ当に生きている人、生きることに希望を持てるようになった人が一定数いる。

◆宗教の悪い面

信仰心による決められた答えに思考のつじつまを合わせ、論理的思考が削ぎ落とされる。

それではカルトの線引きはどこでするか？

以下の二つの条件を満たしてしまっている状態であれば、カルト化していると言えるでしょう。

（1）信仰心が強くなりすぎて、自分または他人に直接的な迷惑をかける人。つまりその信仰心が誹誹中傷、暴力、精神的虐待、自傷に繋がる場合。

（２）その宗教や信仰心を唱えるリーダー的存在の人間が神のように扱われている状態。

こうしてみると、科学者たちが半ば神格化されているようにみえる球体説も「カルト」の定義に当てはまっているのがわかります。科学者の代表格であるアインシュタインが前世紀最大のカルトグルとも言えるでしょう。

歴史から学ぶニューエイジムーブメント

現代ニューエイジムーブメントの原点である神智学。そこから力をさらにつけた近代の世界統一史について。ニューエイジムーブメントは、神智学にはじまり、科学に神秘的な要素を取り入れたアインシュタイン、学校教育、ヒッピームーブメント、近代音楽の頂点と言われているビートルズ、漫画、アニメ、ＴＶゲームなどの多くの大衆娯楽へと広がり、ニューエイジ気質の若者が徐々に増加していきました。

個人的な印象としては、それまでアメリカでは「マッチョで男らしく、場合によっては破天荒」なジェームス・ディーン、マーロン・ブランド、スティーブ・マックイーンのような男性像が若者の間でカッコいいとされていました。その後、『ドラゴンボール』をはじめ日本のAnime文化がかなり浸透してきた２０００年代前半あたりから、ちょうど２００１年オランダで同性婚が認められたことが追い風となり、メインストリーム化していったＬＧＢＴムーブメントに連動する形で、このカッコいい男性像が大きく変わっていきます。そして現在は数十種類にも及ぶジェンダーが登場する「なりたい自分になれる」ニューエイジ気質に成長しています。

「自分の心が逆の性です」と思うのはその人の主観や個人的な思いであるため個人の自由だと思います。しかし、生まれながらにして身体的（＝客観的に）には男性だった人が、男性器を切除しただけでは染色体が変化するわけではないですし、子宮が突然ニョキニョキと生えてくるわけでもありません。身体的には元の性のままであるということを客観的に意識しながら、「自分の性は逆である」と主張することでまわりの理解や共感も得られるとは思うのです。ところが、「客観的には身体が男性である」という事実が頭から抜け落ちた、主観ばかりで物事を主張するＬＧＢＴの方が非常に目立ちます。

たとえば、スポーツの場面で身体が男の女性が明確なアドバンテージをもって優勝する現象が起きています。それでは周囲の反発があるのも当然であり、そのようなＬＧＢＴの方は自分の首を自分でしめてしまっている、という印象ではあります。

＊参考記事
競泳トランス選手が初優勝　米女子、称賛と懸念の声（NIKKEI）
https://www.nikkei.com/article/DGXZQOUD188Q90Y2A310C2000000/

それでは、ここ１００年強のニューエイジムーブメントを簡単に紹介します。

世界中の宗教を寄せ集めて、イイとこ取りの理想の形で世界の宗教思想を統一しよう、と立ち上げられた**神智学**。神智学協会ドイツ支部の事務総長にも就任し、アカシック・レコードで有名な精神科学者の**ルドルフ・シュタイナー**を一種の架け橋役として、科学という分野にも徐々に影響力を強めていきます。宗教の枠組みを飛び越え、そして次に科学という分野の中に**神秘性**を取り入れて、本来は物理学に則った客観的な仮説→実証実験→同じ環境下における他人の再現、でのみ語られるべき科学に「主観」の要素を取り入れていきます。

そして**相対性理論**という難解な仮説により、物理科学に神秘性を大いに取り込むことに成功した**アインシュタイン**（＝実測科学とメタ科学の融合とも言える）がメディアでも稀代の天才という扱いを受けていきます。フラットアースは、ここら辺でメインストリームから、ただの古代や中世の愚か者の妄想という扱いになります。

さらにアインシュタインが科学の枠組みを飛び越えて、「核が落とされない平和の世界」を目標とする**世界連邦宣言**なる思想目標の中心人物になります。ウクライナに侵攻したロシアのプーチン大統領も核攻撃を何度か仄（ほの）めかしましたが、この「核が落とされない平和な世界」という表面的に素晴らしく聞こえる思想は、支配層が**世界統一（＝いわゆるＮＷＯ）**を実現するためには不可欠なツールである可能性が高く、恐らく中長期的にはメディアや各国政府により強調されるだろうと思っています。

表面的に聞こえがよい主張には目がなく批判的に捉えることができない、いわゆる羊と揶揄（やゆ）できる一般大衆やニューエイジ陰謀論者は支配層による世界統一という本当の狙いなど全く気づかずに、核撤廃ムーブメントに力強く賛同する形で自ら進んで世界統一の実現に加担していくでしょう。日本でも3・11の東日本大震災と福島原子力発電所の爆発で、（本人が直接そう意図はしていないとは考えていますが）原発撤退ムーブメントのハーメルンの笛吹き役となった山本太郎氏に共感する形で、彼が当時から多くのニューエイジ陰謀論者の支持を得ていたことが記憶に新しいです。

ニューエイジは「自分の体を毒するもの＝波動が下がる」といった疑似科学を信じて疑わないため、体や自分が住む環境を著しく侵す（という設定には少なくともなっている）放射能に多大な嫌悪感を抱きます。そういう意味では、核というコンテンツがニューエイジ気質を促進させるためには非常に相性のよいコンテンツであると言えます（オーガニック食品などもしかり……）。

話を少し戻します。まだまだ未知数の部分が多い量子力学の突飛な拡大解釈として、ニューエイジスピリチュアルと言われる疑似精神科学の概念として現れた量子力学ベースのワンネス（＝世界をひとつに！）や、テレパシーからテレポートまでなんでも可能になるチャネリングや波動という概念が誕生していきます。

科学と精神性が完全に融合され、波動が徐々に一応は物理的に追究されている分野である量子力学ベースから「波動が高い人と一緒にいればポジティブを引き寄せられる」という完全な精神論へと（時間が経てば経つほど独自性が増す、の法則に則って）進化していきます。メガチャーチの教祖の「仕立てのよいスーツを着て豪邸に住み、自家用ジェットに乗っている私の集会に通い、私に多額のお布施を差し出せば、あなたもいつか私のように物質的に豊かになれます」という荒唐無稽な主張も量子力学ベースの主張であるということです。

それでは、世界連邦宣言からのニューエイジの進化をかいつまんでみていきましょう。

核兵器が落ちる世界をなくそう！　という大衆への建前による世界統一（平和の統一を装うということ。個人的には一時的に日本の首都にもなったことがあり、原爆も落とされた広島市が、その時に平和都市の世界的シンボルになる可能性が高いかなと思っています）。

← 国際機関の世界統一を目論む国際連合の誕生。国連の高官にも崇拝される神智学グルの一人、アリス・ベイリーの出版会社ルシファー・トラスト（現ルーシス・トラスト）が国連お抱えの出版社となる。

← 音楽、ヒッピー文化、漫画、アニメ、ゲームなどの大衆娯楽や文化によるニューエイジ思想の一般人への植え付け。

← SNSというツールによるニューエイジ気質のさらなる植え付け。なりたい顔になれるアバター文化や感覚で打つ絵文字の促進による論理的思考のさらなる削ぎ落とし。

コロナパンデミックを発端とした、戦争、食糧不足、インフレなどのさまざまな要因を使ってすすめられるデジタル管理社会の加速化と既存経済のグレートリセット。

United Nations

国連とルーシス・トラスト（旧ルシファー・トラスト）のロゴ

20世紀最大のニューエイジグルであるといえるアインシュタイン

←
実生活の主戦場がリアルからメタバースへと移り、中央銀行発行の電子通貨（ＣＢＤＣ）などによる超管理社会の形成およびムーンショット計画。
←
トランスヒューマニズム主導のワンワールドデジタル完全管理社会。

これくらい想像できてこそ、物事を俯瞰的に理解できるというものです。わからないのであれば、あなたの思考は支配層の手の内です。謙虚になって、メタ認知で自身を見つめ直しましょう。そして今後も努力しましょう。

歴史から学ぶ世界統一の形

１８１５年　ヨーロッパ協調
１９２０年　国際連盟
１９４５年　国際連合
から見る、いわゆる世界統一計画。

二元論的に描かれがちな映画をはじめとした娯楽により、武装力がある、また経済的に成長した（ソ連や中国などの）巨大な国家がその時代のわかりやすい悪役のトップに君臨していたりするような印象になりがちですが、本書を読んでいる読者の方ならば、現実はそんなにわかりやすく白黒ではないということはよくご存じかと思います。

北朝鮮やジョージ・オーウェルの小説『１９８４』のような「わかりやすい悪役のいじめっ子が鞭（むち）を振るい、ひたすら自国民を毎日叩く」世界ではなく、オルダス・ハクスリーが描く「家畜には自分が徹底的に管理された家畜であるとは気づかせず、逆に自分は自由であり、さまざまな意思決定を主体的にしていて、なおかつ人権が最大限に尊重されていて幸せだと勘違いさせる」ような、一見支配されていることがわかりづらい、気づかれにくい支配スタイルを導入している国家のほうが現実では明らかなマジョリティなのです。

ド直球グローバリストのフランス人経済学者ジャック・アタリが自身の著書『新世界秩序』でもソフトに開示しているように、世界統一への戦略には、**ヘーゲルの弁証法［Problem（問題）→Reaction（反応）**

→Solution（解決）」が常に取り入れられています。大きな戦争（問題）などを起こし、世界連邦宣言の二度と戦争が起きない国にしようという「美しい」建前（反応）のもと、それらを監視する世界統一機関の力が増強され、権力の中央集中化（解決）が現在進行形でどんどん進んでいます。

この場合の「問題」は実際の戦争でも、感染症パンデミックでも、独裁政治体制でも、テロリスト行為でも構いません。戦争（問題）を起こし、戦争が終わり（反応）、核爆弾が落とされるような戦争が二度と起きない世界秩序を目指す（解決）。戦争や世界的な問題は、基本的に支配層が仕掛けなければそもそも起きることもないと言えるほど、こうしたヘーゲルの弁証法が普遍的に使われています。

また、いわゆる帝王学や支配学に精通しているであろうアタリは、中央支配は強めるべきであるものの、各国の当事者（政府）、文化、特色などは尊重する形で残さなければならない、と提唱しています。つまりシンプルな画一化、たとえば全人類のアメリカナイズや中国化では、他の文化で育ってきた人々からさまざまな反感が生まれてしまうため、むしろコントロールしにくいと予測しているのです。

アタリは、人間は生まれた時から死ぬまで同じ人物からずっと同じような命令を受けて生きるという人生に絶大な嫌悪感を抱く生物であり、そのため、過去の絶対王政から、現在の数年に一回国家のリーダーが代わる政府主体の統治スタイルになっていったのは必然であるという意見を述べています。つまり、世界統一機関のトップも各国政府のトップも、任期を経て別の人物に代えていくほうが、ガス抜きにもなり、新たな希望やメリハリを国民に与えるため、むしろ効率よく支配できる方法であるということです。

深く考えず、表面的に聞こえがよければ、すぐに権力者に賛同してしまう家畜層に、「核戦争のない世の中を作るために〜」という表面的には素晴らしく聞こえる主張を前面に出す（世界統一のアジェンダを促進させる）手法は実に効果的です。いわゆ

我々の未来がどうなるのかをポジティブスピンで提示するジャック・アタリ

る陰謀論者が、「世界平和を表面的に訴える国連」のことを批判しても、おそらく多くの一般人には、「何を言っている？　では戦争を支持するのか？」と返されるだけであり、極右翼の暴力的な人扱いをされるだけでしょう。

ヘーゲルの弁証法を取り入れるのは、家畜の性質から支配学の隅々までわかっている支配層だからできる鉄板の支配スタイルなのです。

国連と言えば、ＳＤＧｓなどがまさにこのヘーゲルの弁証法を用いたアジェンダ促進ツールであると言えるでしょう。

〈結論〉

パンデミックや大戦争の後、（建前上は）世界から核戦争をなくすことを目的に設立される世界統一機関（国連）に備わるのは、現在の国際機関にはない、国を超えた法や裁判判定の強制執行です。各国の政府や文化／民族的な特色は、「地域特性が尊重される」という建前で、ある程度は残されるでしょう。そして、自由や平和を保障するという表面的に聞こえがよいスローガンのもと、支配体制はどんどん強度が増していき、我々大衆の自由と平和はさらに消えていくばかりです。

明治維新以降の日本ロードマップ

支配層が日本を包括的に支配しはじめたとされている明治維新以降の日本について。日本は明治維新後に中国やロシアにも戦争で勝つ快進撃を繰り返し、あっという間に世界列強国の仲間入りを果たしました。これらの勝利を奇跡と呼ぶ歴史学者もいますが、全ては計算通りだったのではないでしょうか。

日本の世界的な地位を上げて、その後に落とされる（と予定されていた）「原爆」の世界各国への印象をより強くしたかったのでしょう。暴走した戦争国家ジャパンへお灸（原爆）を据え、負けた日本は「二度と戦争をしない」憲法を作りました。

その後、平和の象徴である日本を漫画やゲームなどにより、世界で一番ニューエイジ化が進んだニューエイジ大国に育て上げ、世界平和（＝世界統一）の象徴的な国家にしていきました。「核が落とされない平和な世の中を！」という世界連邦宣言を掲げたアインシユタインも、日本が世界の中心になると発言した（発言が捏造であるという諸説あり）ことがありますが、戦後の日本の平和的な成長を考えると、（実際にしたかは置いておいて）的確な意見であったと言えます。日本の戦後の急激な経済成長も「平和の素晴らしさ」のよい見本としての役割を果たしてもらうためだと思われます。

そして現在。平和がもたらす経済成長を宣伝する役割を終えた日本経済は破壊され、支配層は元通りの極東イエローモンキーの国に戻していっているのでしょう。ＡＩ技術なども、ほぼ全てを海外に先を越されていることからも、今後はあまり経済成長は期待できないと思ったほうがよいとは思います。

神智学のスローガン

ニューエイジの土台である神智学のロゴ。スウァスティカ、ウロボロスの蛇、六芒星など諸々のシンボルは一旦置いておいて、そこに記載されているスローガンに注目してみましょう。

「There is no religion higher than truth」

真実よりも高尚な宗教はない、という意味になります。正々堂々と最初からニューエイジ的な刷り込みが行われていることがわかります。

まずそもそも「**宗教**」とは、**信仰心に基づく思想や哲学**のことを指します。つまりおおむね**主観**で展開されるものです。「**真実**」とは**客観的な事実**のことであり、本来は手段として信仰は参考にできるものの、最終的には論理的に正しい回答が真実であるという結論に至らなければなりません。主観だけでは決して辿り着けない部分になります。

「真実」と「宗教」を同じ延長線上に置くスローガンを掲げることで、客観的に見る必要があるものを、思想、信仰、主観、気分（ワクワクするからなど）で見ることが美しい、という思考の退廃を促していることがうかがえます。

神智学のロゴ

現在は、人気映画『マトリックス』などの印象も手伝い、次の支配ステップである「**こ**

の世界は（主観だらけの）仮想現実」という考え方へと、大衆の思考は「昇華」させられています。

そして近未来の生活の主戦場であるメタバースでは、「**仮想現実こそいるべき世界**」という価値観にすり替わっていくでしょう。神智学は100年以上前にできた思想ではありますから、支配層が実に長期的視野のもとに計画と行動をしているのがわかります。

ちなみに本章を読んでもポカンな人は、ある意味メタバースに片足を突っ込んでいると言わざるを得ないかもしれません。ドップリと仮想空間を楽しむ可能性がこのままでは高いでしょう……。

最後にフラットアースの話をしますと、メタバース内では球体説が正解になります。それまでにどれくらいの人を論理性や客観性、本来の科学を大切にするフラットアースに目覚めさせるかは、個人的な重要課題のひとつであるとは思っています。

NWOのグラコロ洗脳作戦

宇宙論や地球球体説の背景にあるニューエイジムーブメント。

「**科学（教）**」を支配する「**物理宇宙**」、「**思想**」を支配する「**精神宇宙**」という二大体制のもと、「宇宙」という洗脳の大衆への影響力は絶大です。私は奴隷思想の植え付けが多角的に行われている支配層のニューエイジ浸透戦略を、某ファストフードチェーンの人気商品にたとえて「**グラコロの法則**」と名づけました。

グラコロの法則とは？

人気商品のグラコロは、一見バンズ、コロッケの衣、マカロニ、ホワイトソースといった異なる材料で作られているように思えますが、これらの材料は実は小麦粉を主原料としています。支配層が打ち出す表面的には全く異なるコンテンツの多くがニューエイジ思想の浸透に貢献しているさまを皮肉った表現となります。

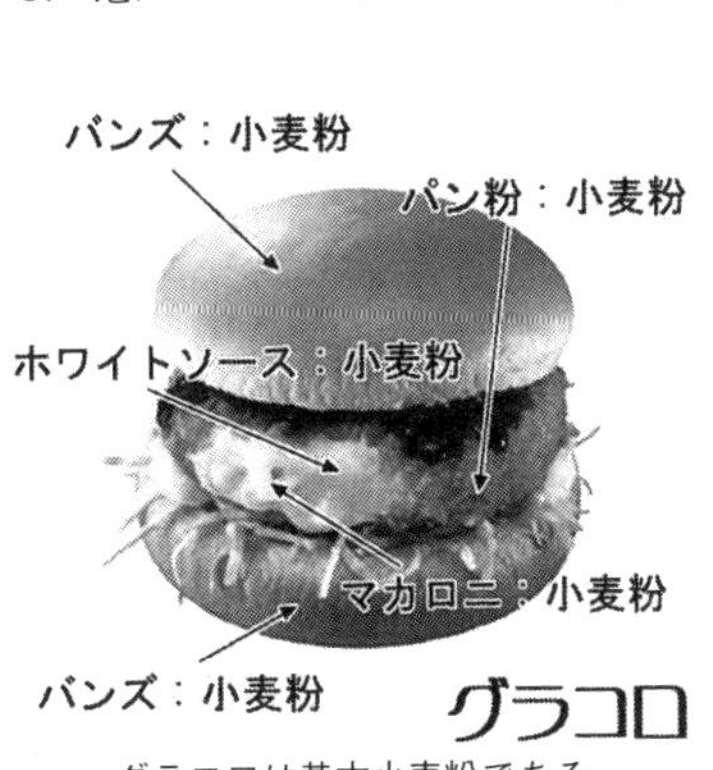

グラコロは基本小麦粉である

ニューエイジ思想の植え付けは、さま

ざまな形のコンテンツの中に導入されています。たとえばスピリチュアル系、アニメ、漫画、テレビゲーム、新興宗教、学校教育、宇宙論や地球球体説、現代音楽など。形を変えて朝から晩まで、私たちは表面意識および潜在意識にニューエイジ思想を植え付けられています。バンズとホワイトソースの見た目が全然異なるグラコロにおける小麦の使い方のように……。

グラコロの法則について、Facebookグループ「フラットアースジャパン」のメンバーより、ユダヤ教観点での興味深いコメントがありましたので紹介します。

ヘブライ語の神は4つあり、El, Elah, Elo'ah, Elohim、セム語で最古の神を表す語はElになります。「希望と正義と平和の新しい世界を構築」と掲げているニューエイジ新興宗教の財団があるのですが、この「新しい世界」とはニュー・ワールド・オーダー（NWO）のことだと思われます。ミッションには「すべての人々が人種、文化、宗教の枠を超えて、ひとつになり」ともあります。国連が深く関わっています。バラエティが多岐にわたりわかりづらくしてありますが、ニューエイジ・スピリチュアルやQアノン等は、国連傘下の可能性が非常に高く、支配層側の用意した、大衆の思想支配の戦略と言えます。家畜を奴隷化するためには、物理的にだけではなく、思想的にも支配する必要があるからです。

エル・カンターレというニューエイジ

ニューエイジコンテンツのグラコロ戦略。少しでも表面的な見た目が変われば信者は自分の好きなコンテンツがニューエイジであると気づきにくい。よって、あいつのスピリチュアルは「スピ系」だが、私のスピリチュアルは高尚で特別で似て非なるものである、といったお門違いの優越意識を個人個人に持たせることができます。

〈本題〉

グループメンバーとの「幸福の科学」に関する建設的な議論によって浮き彫りになったことを、まとめて掲載いたします。

まず日本における精神宇宙の流れ。

神秘科学を浸透させたアルベルト・アインシュタインやルドルフ・シュタイナーなどの科学者／哲学者が誕生し、以降、物理宇宙のＮＡＳＡ（日本だとＪＡＸＡ）と精神宇宙のニューエイジへと枝分かれしていきました。

その後、日本にニューエイジ思想を広めたのが「幸福の科学」の大川隆法（２０２３年３月死去）。彼が唱える**エル・カンターレ**の設定を見ていきましょう。

◎「幸福の科学」は、地球（大地）の神様を信仰していると堂々とＨＰに記載（あとで触れる大地教の概念にも通じます）
◎大川隆法は９次元霊という設定
◎エル・カンターレは、麗しき光の地球という意味
◎エル・カンターレは地球上で三度現れており、３億年前にアルファとして地球に降り立ち、二度目はエロヒムとして、そして三度目が大川隆法だと宣言している。エロヒムはヘブライ語で神という意味である

つまり、大川隆法自身が神であるという主張になります。33という数字がイエス・キリスト（死んだ年齢）を彷彿させているわけですが、自分はイエス・キリストの再来だと言いたいのかもしれません。

◎大川隆法は、自らが地上に降りて法を説く使命、全人類を救済し、新文明を建設する等の大乗の仏陀の使命を宣言した

やはり救世主（イエス・キリストや仏陀）の再降臨だと言いたいのでしょうか。

ご覧のように、特にフラットアースに気づいている方ならばお察しかと思いますが、宇宙や異次元がよく登場する「幸福の科学」は、おおむねニューエイジスピリチュアルにキリスト教や神の概念を追加して宗教風にしているだけであることが連想できます。

エル・カンターレについて。

そもそも「カンターレ」は、イタリア語で「歌う」という意味でTheを意味するElがつくのは文法的におかしいです。直訳が「ザ歌う」となってしまいます。

カンターレという単語を最初に広めたのは、「GLA(God Light Association)」、別名「大宇宙神光会」と

いう宗教なのですが、Godは神、Lightは光であるから（神智学の流れからの）いわゆるルシファー信仰であるとわかります。ニューエイジコンテンツでは、「光の銀河連合」や「光の軍団」、「光側の救世主」など、とにかく「ルシファー」を連想させる光がよく登場します。そのため「幸福の科学」は、ニューエイジスピリチュアルのグラコロの最高の見本であると言えるかもしれません。

「幸福の科学」が推奨する小麦粉には以下のものがあります。

◎ニューエイジという小麦粉に宗教色を足したのが
　「幸福の科学」
◎政治色を足したのが「Qアノン」
◎宇宙やフリーメイソンリー的な価値観（ルシファー崇拝）を足したのが「光の銀河連合」
◎日本古来のエッセンスを足したのが一般財団法人
　「武士道」

「幸福の科学」信者は、「幸福の科学」と「光の銀河連合」の五次元量子力学波動チャネリングが、実は同じ小麦粉であるとは全く気づいていないのでしょう。

そういう意味では、「幸福の科学」の戦略は実に効果的であると考えています。

〈まとめ〉
「幸福の科学」＝日本で最も普及しているニューエイジコンテンツのひとつです。

これは、グループメンバーとの議論なしでは辿り着けなかった解答であり、議論は人間に与えられた最高のツールであると言えます。それ故、科学という神聖な行為から議論を排除した現代科学、コロナパンデミ

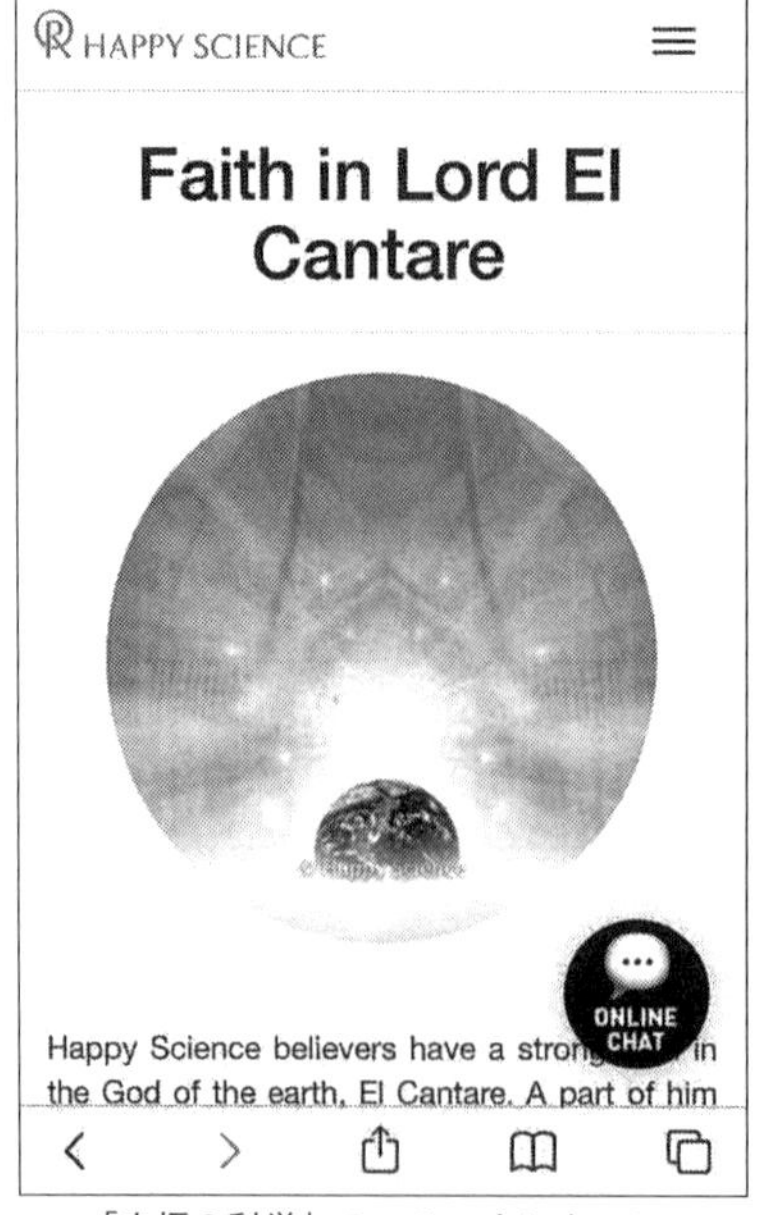

「幸福の科学」のエル・カンターレ

ック時のロックダウンとソーシャルディスタンスで議論という行為を排除した各国政府およびメディアの罪は大きいと言わざるを得ません。

余談ですが、上記を踏まえるとニューエイジ色の強いバンドのサザンオールスターズ（北極星の対立軸にある架空の南極星を彷彿とさせるネーミング）の『いとしのエリー』は、自分がエルと主張する大川隆法（ないしは神であるEl）への賛美歌であるという可能性が出てきます。ひとつ言えるのは、『いとしのエリー』はニューエイジティストのソングにふさわしく、主観全開のちんぷんかんぷんな歌詞で構成されています。多くのＪ－ｐｏｐソングの歌詞にも、文脈に適さない、意味がよくわからない英語が突然出てきます。それもこうしたニューエイジの糧となる「受け手の解釈次第でどうにでも変わる」思想を日本人に植え付けていた、という仮説も立てられます。Ｊ－ｐｏｐに加え、テレビゲームや『少年ジャンプ』で連載されるようなニューエイジ漫画のコンボを幼少期から与えれば、日本人の退廃化を簡単に行うことができます。支配層の戦略は実に包括的であり、天才的であるのです。

創価学会と幸福の科学の陰陽システム

公ではどちらかというと仲が悪いことになっている創価学会と幸福の科学という二つの新興宗教。マクロ的に見ていくと、この二つの宗教が、支配層がよく取り入れる陰と陽のような弁証法に則った相互関係の役割を果たしているのではないかと推測できます。

それでは、日本の大衆の心をガッチリと洗脳する絶妙な**陰と陽の弁証法システム**を見ていきましょう。

まず日本における幸福の科学は、マクロ（＝支配層目線）的には宗教の垣根を越えた、宗教、思想、エンタメ、書籍などを通してニューエイジ思想を大衆に植え付ける、日本の〝タビストック研究所〟とも比喩（ひゆ）できるような役割を持った組織であると個人的には考えています。もちろん現場の方々がここまでわかっていて行動しているとは思っていません。あくまでも支配層の目線でそういう役割を担っているということになります。

幸福の科学および教祖の大川隆法は、Facebookグループ「フラットアースジャパン」の投稿でも度々取りあげているように、日本のニューエイジ浸透の中心的な役割を果たしてきました。幸福の科学は、「光」「愛」「笑顔」などの陽側の要素を前面に出した新興宗教です。ニューエイジの概念をふんだんに取り入れ、太陽のように明るく幸せになりましょう！　というメッセージを前面に出しています。ポジティブ波動を引き寄せるだけで簡単に願いが叶うニューソートの概念を支持しており、総じてポジティブ（陽）の押し売りであるようです。

反対に、日蓮正宗（にちれんしょうしゅう）が「破門」したとされる創価学会の、教義は古代宗教により近く（＝ニューエイジよりは禁欲的な教え）、お経を唱え、ひたすら祈ることでようやく願いが叶う、と説いている宗教になります。信者による、公明党の選挙での投票数を増やすための説得、功績を積むことで幸せになれるなど、おおむね悲壮感や修練、我慢などの戒律的で厳しい教えが特徴であるようです。幸福の科学の「陽」に対する創価学会の「陰」であり、実に対照的で「被（かぶ）っていない」と言えます。

また、それぞれの宗教の所属タレントを見ていくと両教団の対象顧客（信者）がおおむね想像できます。

幸福の科学は、あまり信者が公言していないので明確には言えませんが、テリー伊藤氏が以前「幸福の科学信者は芸能界に普通に多く、番組にもたくさん出ている」という発言もしていましたので、おそらくは多いのでしょう。清水富美加氏が有名ですが、あとは故・景山民夫氏、河口純之助氏（元ブルーハーツ）、さとうふみや氏（『金田一少年の事件簿』の作者）が所属していると言われています。また、メンバーが所属しているのかは置いておいて、幸福の科学的なポジティブハッピーを前面に出し、ニューエイジ思想との親和性があるサザンオールスターズもこの傾向が見られます。総合的には、開放的または知的なイメージがある人物で固められています。

創価タレントは、代表的な人を挙げるならば久本雅美氏、柴田理恵氏、氷川きよし氏、モンキッキ氏、上戸彩氏、はなわ氏などが所属していると言われており、どちらかというと苦労人のイメージを打ち出しているかもしれません。創価学会の禁欲的な教えと相性のよい戦略であるし、信者の多くが、人生の苦労が多いであろういわゆる労働者階級やロワーミドル層（中流の下）なのも納得です。

ここから読み取れることは、幸福の科学はどちらかと言うと富裕層を対象としていて、創価学会はロワーミドル層や労働者階級層を対象にしているという図式です。ちなみにオーソドックスなニューエイジスピリチュアル系にハマっていく人は、幸福の科学と創価学会のターゲット層の間のアッパーミドル層（中流の上）が多いという印象ではあります。

〈まとめ〉

支配層は日本において、陰と陽の弁証法による包括的なアプローチで新興宗教（およびニューエイジスピリチュアル）のグラコロ化を成功させていると言えるでしょう。幸福の科学であれ、創価学会であれ、ニューエイジスピリチュアルであれ、信者はそんなことはつゆ知らず、自分のニーズに合った信仰コンテンツにハマり、そしてその結果として無力化されていきます。

陰と陽を使った弁証法は支配層の十八番である

支配層はこのような包括的なコントロールを実現してしまう支配学の天才集団であり、すぐに手のひらの上で踊らされてしまう私たち家畜が、いつまでも家畜という身分から抜けられない所以であると言えるでしょう。

このようなコンテンツにハマってしまった方々には、これまでの経験を埋没費用（サンクコスト）として捉え、早急に仕掛けられた罠から抜けていただきたいところではあります。ただし、一旦熱烈に信仰するようになると「その信仰コンテンツを捨てるくらいならば、死んだほうがマシ」というレベルの心境にまでなる人が一定数いて、一生抜け出せないのが非常に厄介であると言えます（ＮＡＳＡファンの球体説信者に似た心境とも言える）。幸福の科学も創価学会もスピリチュアル系も、支配層の盤石な支配体制を守る非常に厚い壁となってしまっています。

余談ですが、創価と幸福の陰陽システムが顕著に表れているのが両宗教のコロナウイルス対策。「陰」の創価は集会を厳しく中止したが、「陽」の幸福の科学にそういう様子はありません。よりニューエイジが故に、より自由で、より欲に正直であると言えます。

＊参考記事
創価学会と幸福の科学の対照的な感染対策「法話で免疫が上がります」（PRESIDENT Online）
https://president.jp/articles/-/34141?page=3

崇教真光という世界統一ツール

崇教真光※は自分の母親が昔入信していたことから真光の「道場（＝施設）」に私が何度も連れて行かれたため、実体験も交ぜてこれからもどこかで紹介していこうと思っているニューエイジの新興宗教になります。

私が10歳の時、栃木県宇都宮市にある道場の目の前で走っていて転んでしまい、右足首をきれいに真っ二つに骨折したのですが、母親は光ビーム（手かざし）で骨折を治せると本気で信じていたため、家で三日間放置されてしまいました。同じ敷地内に住んでいた叔母が母親の留守を狙って病院に連れて行ってくれて、ようやく治療にありつけたため、その後も右足が治りきらず、（ほぼ無意識にですが）右足を庇う歩き方になってしまい腰に負担がかかり、大人になってから椎間板ヘルニアを患うという実害もでています。打ち込んでいた少年サッカーも骨折してからは、左右のバランスがおかしくなってしまったために、骨折以前よりも下手くそになりました。

※崇教真光とは？（Wikipedia より）
初代教え主・岡田光玉の説いた「地球は元一つ、世界は元一つ、人類は元一つ、万教の元又一つ」を理念に掲げ、世界の対立と混乱を解消することを目標に、主義主張、宗教、人種、国境などの垣根を超えた新たなる原理の確立が必要と説く。

崇教真光は、大本（教）の影響を受け、大本と同じようにキリスト教や仏教、神道の要素を混ぜ込ん

中央の六芒星は北極星なのだろうか

だようなニューエイジ新興宗教になります。幸福の科学のような愛と幸せを前面に押した宗教ではなく、どちらかというと創価学会のような厳しさと修練を打ち出した宗教です。

真光では、救世主設定の「救い主」と「教え主」という称号が与えられた人物が教祖役を務めてきました。手を他人にかざすことで目に見えない光のビームが出て、相手の魂を浄化したり、傷を治癒することができると信じられています。光ビームを出す設定はイエスキリストを踏襲した設定であると思われますし、光ビームという概念は、多くのニューエイジが信仰する量子力学ポジティブ波動にも通じるものがあるかと思います。

星の中に太陽（ひとつ目にも見える）があるようなロゴを採用しているのですが、個人的には（フラットアースを前提で考えると）北極星に太陽が重なっているモチーフなのかなとも思いました。

子供時代、よく母親に真光の集会に連れて行かれ、ボーイスカウトを踏襲したような宗教キャンプ合宿にも参加したことがあります。走ったり運動したりする修練は確かに厳しかったものの、フリータイムでは宗教にありがちな一体感で信者が仲良く和気あいあいと語り合う「ポジティブ」な空気感が漂っていました。ただし幸福の科学のような無理やりポジティブ笑顔押し売りの空気感というよりは、創価学会のような厳しい修練の後のやりきった一体感という空気感でした。ちなみに大本（教）の流れを汲む真光をだいぶ前にやめた母親ですが、今も絶賛「スピって」います。

量子力学とスピリチュアルの関係

信仰心に関わるような精神的なコンテンツが故に、宇宙コンテンツを否定された時のニューエイジ気質の人の認知的不協和は、ＮＡＳＡの物理宇宙の比ではありません。また精神性をベースとし、実態が掴めないコンテンツであるが故に、少しでも内容の「見た目」が変わると、本質がすぐに隠れてしまい、信者は自分のそれが同じニューエイジであると気づきにくいため、大変厄介でもあります（＝グラコロの法則）。

日本人陰謀論者の多くは、ニューエイジスピリチュアルの「量子力学波動」という、表面的なポジティブ具合と居心地のよさだけは一丁前の疑似科学的概念を信じて疑いません。ニューエイジ大国の日本には、「フラットアースを支持していながらも、対立軸にある宇宙系のコンテンツを多く含むスピリチュアルコンテンツに傾倒しているフラットアーサー」が今も存在しています。宇宙がないと主張する世界標準の（非ニューエイジの）フラットアーサーは波動が低いから、「宇宙アシュタール異次元ハイヤーセルフ量子力学波動フラットアース」というフラットアースのひとつの「形」を受け入れられないんだ、と本気で考えて、非ニューエイジのフラットアーサーを批判している人もいるくらいです。

「波動」が好きな人からは、私のグループ投稿のように「〝波動が高まる〟気持ちがよい状態」から一気に現実に突き落としてしまうような「ネガティブ」に感じられる世知辛い主張は、コメントやリアクションなどの「反応」をするとせっかくコツコツと築き上げた自分の波動が下がってしまうのでスルーされ、読まれてもいないのでしょう。その方々に言いたいのは、「ポジティブ波動」など気にする必要はありませんし、科学的にも証明されたものではありません。ある意味、波動を上げないと！　というプレッシャーから解放されて、楽になったほうがよくないでしょうか？　そうすればもう少し自由に生きられますよ。現実は現実です。ひとつです。

現実は客観的に認知できる事象のことです。主観的にそれぞれがポジティブに捉えようがネガティブに捉えようが、それはその人の心の中のことであり、客観的な現実は変わりません。150㎞／hの野球ボールが体に当たったからといって、痛いか気持ちいいかと感じるのは本人次第で本人の勝手ですが、150㎞／hで投げられたボールが120㎞／hに変化するわけではありません。「引き寄せの法則」や、世界は「仮想現実（マトリックス）論」もこの辺の客観と主観の曖昧化を意図的に浸透させるためのコンテンツですので無視してください。

◎引き寄せの法則　↓　ポジティブに考えれば現実が変わる

◎仮想現実論　↓　量子力学波動を使えば、（仮想現実内の）物質的な事象をいくらでも変えられるどちらも、世の中への不満のはけ口やどうにもならない現実を変えたいという願望が見え隠れします。またこの二つの概念は本質的には同じが故にグラコロの法則が当てはまります。

量子力学ですが、アインシュタインや地球球体ビッグバン宇宙を支持する科学者の神秘科学の流れを汲む概念のひとつではあります（ちなみにアインシュタインは量子力学については晩年懐疑的であったとは言われています）。ニューエイジ気質の方々は、核爆弾、原子力発電、量子力学コンピュータなどの現代科学コンテンツの存在から、なんとなくポジティブ波動という概念にもリアリティを感じているのだと思うのですが、実際はさまざまな宇宙論の主張同様、量子力学はまだまだ未発達で多くのことが未解明な分野になります。

ちなみにニューエイジスピリチュアル界隈で人気の「ワンネス」という概念も量子力学から派生した概念になります。量子力学に関するさまざまな主張や現象、仮説が絶対に間違っているとまでは言いませんが、以下のリンクに記載されている量子力学の証拠とされるものを見ていくと宇宙論同様、基本的にはアニメ多用です。ご自身でもいろいろ見てみてください。「顕微鏡でこんなの写りました。おそらく量子力学ではこういうことです」。そんなレベルの主張が多いのです。

＊参考サイト
量子力学の謎や解釈の研究まとめ（宇宙の謎を哲学的に深く考察しているサイト）
https://newphilosophy.net/quantum/qm.html

繰り返しになりますが、普通ここまで長く研究されている分野ならば確固たる証拠がどんどん出てきているはずですが、進化論同様、未だに仮説だらけです。（真空宇宙がないとする）フラットアーサーだと、量子力学がフラットアースの主張のほぼ対立軸的な位置づけであるが故に、すぐに量子力学の未解明ぶりに気づけるのですが、日本フラットアース界という（相当な）ガラパゴスではフラットアースと量子力学は不思議と同居しており、なぜか共生が成り立ってしまっています。

実際は、「アポロ11号は月面着陸をしたが、フラットアースが正しい！」に近いくらいチグハグな結論であり、アメリカ、イギリス、ブラジル、ギリシャ、インドネシアなどの世界各国のフラットアーサーの方々に直接訊きましたが、こんな状態になっているのは日本だけです。精神的部分における信仰は個人の自由ではありますが、物理科学に落とし込む必要がある分野（この場合は量子力学）においては、認知的不協和による現実逃避を起こさず、そこは脇に置いておいて前に進んでほしいところではあります。

　物理科学で落とし込めないところは、もちろん個人が好きに信仰すればよいです。人間およびその他の生物は、体から微量の電気を発しています。この事実も捻じ曲げ、なんでもありの魔法レベルにまで量子力学を膨らませたワクワクコンテンツがスピリチュアル系の量子力学波動であり、百歩譲ってポジティブ波動が存在すると仮定するならば、オッカムの剃刀的にも正解に最も近い「波動＝電気」の可能性を模索していくべきであり、物理学者もまだよくわかっていない量子力学と断定するのは愚の骨頂です。日本に逆輸入されたＲＥＩＫＩ（霊気）なる概念も同様の印象です。

　西洋医学に異論を唱え、保険適用外の代替医療ベースの治療ビジネスを生業とする対立軸医師たちが医療行為に使うメタトロン波動測定器もニューエイジスピリチュアルの「量子力学波動」の概念を取り入れた医療機器になります。先日メタトロン波動測定器を試しに受けられる機会があったので体験してみました。純粋な効果のあるなしで言ったらありかなにはなりますが、特筆するものではないです。手短に説明すると、おそらくカラクリは以下です。謳っているような「量子力学」は関係がありません。

（１）磁力（または電気による）周波数の共鳴装置である。各内臓などから出ている一般的な周波数を装置が周期的に代わりばんこに出力して、内臓に共鳴させる。なので多少の効果は期待できると思いますが、プラセボ効果にかなり依存する。

（２）磁力や電気治療という謳い文句だと、ただのピップエレキバンの豪華版（または整形外科の電気マッサージ）という印象を与えるだけなので、マーケティング的に「量子力学波動」なる神秘的な要素をつけることで料金を跳ね上がらせているだけである。神秘的な要素を取り入れることでプラセボ効果が上がるという部分もあるでしょう。

使っている対立軸の医師たちがこの辺のどこまでをわかってやっているのかは知りませんが、厳しめのことを言えば、以下に要約できるかと思います。

対立軸商法で儲ける方法

この辺はフラットアーサーだから気づけた観点での暴きになりますので、改めてフラットアースに感謝。ただの陰謀論者ならば私も引っかかっていたのかもしれません。今回はパンデミックというよい見本が直近でありましたので、医療を謳った対立軸ビジネスモデルを説明したいと思います。

対立軸医療とは、西洋医学の対立軸にあるけれども、ホメオパシーなどのいわゆる自然治療とは異なる医療法のことを指します。代表的なものとしては前述のメタトロン波動測定がありますが、アインシュタインらが浸透させていった神秘科学を利用したニューエイジ系のビジネスモデルのひとつであり、最近だとコロナパンデミックにより生活への不安や西洋医療への疑念が高まっているため「稼ぎどき」の医療分野でもあると言えます。

これらの対立軸医師の多くがフラットアースを到底受け入れられないのは、ただただ宇宙や神秘科学への信仰心が強いからという側面もあるのだとは思いますが、フラットアース（および宇宙がないこと）を認めてしまうと彼らの貴重な収入源となっているニューエイジ医療ビジネスの説得力が一気に下がってしまうため、たとえ薄々フラットだとハートが気づいていても、脳がそれを認めることを止めている状態なのでしょう。

対立軸医療を謳い、YouTubeなどで情報発信する医師の行動を分析していきましょう。

まず、彼らはメインストリームの西洋医療との対立軸に立ち、まだまだ開拓中で成長する余地がある分野に着目し、参入医師が少ないことを利用して市場の寡占を狙います。その分野をあちらこちらに宣伝して人気（＝市場）の拡大をしないといけないため、さまざまな媒体での情報発信を積極的にします。そのため、ニューエイジ対立軸医師は自信家または明るい性格の人が向いていると言えます。

YouTubeなどで情報発信をし、自分の医療行為がカウンターカルチャーであることを強調することで一種のポピュリスト的ポジションを勝ち取っていきます。そしてコンテンツがニューエイジ寄りが故に獲得するファンもニューエイジ気質で埋め尽くされます。ニューエイジは対立軸に立つポピュリストを好むため、医師たちには熱狂的なファン（＝リピーター顧客）がたくさん手に入る仕組みです。

医療において最も効果的な治療方法は「自己暗示」つまりプラセボ療法であると言われていますが、対立軸医師たちはプラセボ効果を利用して、巧みな話術とまめな情報発信（＝潜在意識への洗脳）で効果を信じ込ませることで療法を成功させていきます。彼らの立ち位置はどちらかというと営業マンに近く、話術が最大の必要スキルであるため、コミュニケーション能力の高い人が成功しやすい＝そういう人は情報発信も得意、という無敵の図式が成功への鍵と言えるでしょう。

医師たちは「これはプラセボ治療です」と言えばプラセボ効果は期待できなくなるのでもちろん口が裂けても言いません。実際にやっていることは「波動の効果がありますよ」と顧客に暗示をかけている「プラセボ療法」になりますので、診療行為としては本来は一回数千円が精一杯の価格設定のサービスだと思うのですが、量子力学波動という素人が直接確認できない神秘的な疑似科学の要素を追加することで、その数倍の万単位の料金を取っていることもある、というビジネスモデルになります。

こういう商法にありがちな「プロップ」も欠かせません。つまり、占い師だったら水晶の代わりにメタトロン波動測定機などが用意されているというわけです。アイテムの「説得力」でプラセボ効果も促進するため、余計に治りやすい、余計に信じられる、リピーター続出、そして結果儲かる。ニューエイジ医療は世間の不安が強いほうが受け入れられやすい（＝医療にすがる）ため、コロナパンデミックがずっと終わらなければよいのに、と思っている医師も中にはいるのかもしれませんね……。

最後に公平性を期するために、少しだけ彼らを擁護すると、
（1）本人たちに悪気はそこまでないのかもしれませ

ん。単純に、お金がある状態（＝自己実現しやすい状態）を追求した結果こういう状態になっているだけであり、たとえば意図的ないわゆる工作員の類ではないのだと思います。陰謀論も時々語る対立軸医師たちですが、実際は長期的目線で世界がどうなっていくのかなど考えておらず、心配もしておらず、目の前の金儲けに夢中な状態であるとは言えます。陰謀論も実際は釣りコンテンツとして使っている部分もあるのでしょう。

（２）騙される方も多少悪い。疑似科学の医療行為を提供しているという点では詐欺行為と言えるかもしれませんが、本気で作用があると信じて医療行為を実施している可能性があり、その場合は医師たちは嘘をついているわけではない、ということにはなります。また、受診する方は何も疑わず、鵜呑みで高額を支払って受診するのではなく、受診前に批判的思考を活用して、両方の側面から調べるべきである、とも思います。情報はインターネットにもたくさん転がっていますので、あとは治療を受ける側の判断能力です。

（３）「プラセボ療法」自体は根拠がある確かな療法のひとつです。

一見、医療の闇や世の真相を広めているという利他的な姿勢からやっているように見えて、実は利己的な思惑でやっているということが一番の問題なのかもしれません。（中には真実も含まれている）陰謀論も釣りコンテンツとして使っている可能性が高いため、陰謀論者もこれらの医療行為を信じ込んでしまいやすいのでしょう。対立軸医師たちが、支配層から民衆を救おうという大義名分のもと行動しているわけでは決してなく、パンデミックなどのビジネスチャンスに乗っかっているだけであるという可能性も普通にあると認識してほしいです。だから彼らの医療系の陰謀論コンテンツは基本的に誤誘導のひとつとして認識すべきであり、そのためスルーすべきであるとは思います。対立軸医師たちを熱心に信じてひたすら追いかけても、彼らの「自己実現」のための手段（＝お金を落とす）となって終わりです。世の中は特によくなりませんし、プラセボを発揮できれば治療が成功する、というレベルです。彼らの医療行為の結果、患者の具合がさらに悪くなろうが、だれかが結果として死のうが、彼らがこのおいしい商売をやめることは多分ないでしょう。そういう意味では、資本が入りすぎて目的が純粋な治療から変わってしまっている西洋医療と何も変わらないと言えます。医療業界でのグラコロの法則です。患者の手元には何も残らず、プラセボ療法に付き合わされ、ただただ時間が過ぎ去る。そして終わりです。

保険適用外で高額な対立軸医療ビジネスに勤しむ方々へ。量子力学という分野は博士号を取っているような科学者でもよくわかっていない部分が多いにもかかわらず、波動医療が絶対に量子力学波動です！　と確信している方は、メタトロン「量子力学医療」をご自身で実証をされたのでしょうか？　それとも、とりあえず波動と言われている機器で身体が快調になった！　博士号の科学者もまだ解明できないと言っている量子力学波動に間違いないっ！　と自分がそうであってほしいと思いワクワク結論に辿り着いただけでしょうか？　後者であれば、木星はガスの惑星だ！　NASAが確認したから本当だ！　と主張している球体

量子力学はまだまだ未知の領域である

説信者とあまり変わりありません。

◇プラセボ効果
◇磁気／電気治療

オッカムの剃刀的には真っ先に右記の回答が出るべきです。量子力学波動であるとするならば、それを実証してください。

余談ですがニューエイジの方々は肩書きに弱すぎますね。今回は対立軸「医師」。ニューエイジ気質の人は、本質的には他力本願で自分に自信がないのがよくわかります……。

潜在的な宇宙洗脳の厄介さ

それなりの数の陰謀論系の日本人情報発信者がフラットアースを最近は特に強く否定しています。2020年から散見するようになった、私がずっと注意を呼びかけていた（が全く聞く耳持たずの）ニューエイジ気質によるトンデモフラットアース主張の負の効果が徐々に目に見える形に現れてきたのかな、と思います

（＝フラットアースのトンデモ陰謀論化）。フラットアーサーを含む、日本の陰謀論者と呼ばれる人たちの大半がニューエイジ気質であるが故に起きてしまった「事故」であると言えます。

論理的な根拠を述べずに「こうであったらいいな」という想いや陰謀論チャンネルの視聴者のマジョリティであることが多いニューエイジに媚びる形で陰謀論を感覚的に紹介し適当に広めると、情報発信者本人とファンという小さなエコーチェンバーの中では熱狂的に盛り上がるかもしれません。しかし、マクロでの一般人のその陰謀論に対する印象はかなり悪くなってしまいます。

たとえばフラットアースであれば、受け売りではなく身近な現象として直接的に確認することができる「陰謀論」であるという強みが瞬時に無力化されてしまうレベルのダメージを負う場合もあるでしょう。フラットアースとムー大陸を絡めたり、大地は平らで静止状態ではあるが真空宇宙に住むアシュタール銀河連合やレプティリアンは存在する、という世界標準のフラットアース論を根底から崩す（実際にあった）トンデモ主張がわかりやすい見本です。宇宙が存在していないと思い入れのある宇宙コンテンツが全部嘘になってしまうため、ニューエイジの末端情報発信者は、フラットアースとしつつ無理やり宇宙を肯定することで心理的な安心感を得られるので、根拠の薄い「宇宙があるフラットアース」という主張をお構いなしに発信しだします。自分さえよければお構いなしなのです。

その人の視聴者も宇宙コンテンツを肯定されたことで同じように安心感を得るため、宇宙があるフラットアースという新主張を土台とした、「主観」と「希望」と「願い」だらけの派生主張をSNSなどで自由気ままに発信しはじめ、ニューエイジフラットアーサーの主張の独自性がどんどん増していきました。政府はインチキ、９・11は支配層により仕掛けられ、支配層は数秘術やシンボリズムなどのオカルトに熱心に取り組んでおり、ワクチンは危険でパンデミックは茶番、歴史は嘘が多く、フリーメイソンは支配層の実行部隊、国連は世界統一を目標とした機関。だけれどもＮＡＳＡなどの宇宙機関だけは神聖である、という「謎のＮＡＳＡバイアス」（＝宇宙はあり、宇宙開発は全て本当）がこうして生まれるのです。ニューエイジ気質の陰謀論者は、自分のしている主張が一貫性のない主張であるということに決して気づけないのです。

フラットアースはこれをもって、陰謀論者の間でもどんどんトンデモ陰謀論化していきました。この結果から読み取れるのは、ニューエイジの宇宙への精神的な思い入れは、NASAのみならず政府や製薬会社を信じ切っている、いわゆる羊よりも厄介であると言えるかもしれません。

私の名前はアルベルト・アインシュタイン

こんにちは、諸君。私が科学界の権威のアルベルト・アインシュタインだ。名前を覚えておきたまえ。ほら、相対性理論だ、これで時空曲率と重力を説明している。ほら核分裂も可能だぞ。怖いぞ、爆弾。えっ、核爆弾が質量保存の法則に則っていないって？　気にしないでくれたまえ。君たちは私の説明の先にある神秘的な結論を暗記さえすればよいのだ。間の数式や理論は気にしないでくれたまえ。頭のすこぶるよい私が保証する。信用したまえ。NASAという宇宙機関が君たちの代わりに、直接宇宙空間に飛んで物理的な実験の再現をしてくれる。ニューエイジというムーブメントが、私の数々の科学的な理論をベースにした精神性の部分まで説明してくれる。ありがたい存在だ。諸君は何もしなくてよい、信じればよいのだよ。だって私は天才なのだから……。

相対性理論をもってさえすれば、理論上はなんでも可能なのだよ、諸君。宇宙もテレパシーもタイムマシンも瞬間移動も、私の論理上では可能なのだ。重力という概念も宇宙にはかかせない。全ての星の位置関係を決めるのは重力なのだ。ワクワクしたまえ。世の中は愛だよ、愛。日本は美しい、誇りを持ちたまえ。

稀代の神秘科学者は「仮説」の天才である

歴代最大のニューエイジグルは、ブラヴァツキーでもベイリーでもアブラハムでもデイビッド・アイクでもOSHOでも出口王仁三郎でも大川隆法でもなく、アルベルト・アインシュタインだと思っています。アインシュタインを崇拝し、宇宙をこよなく愛する物理学者も間接的には皆ニューエイジであるとも言えますね。

アインシュタインの汎神論

勘違いされがちですが、球体説の大司祭の一人であるアルベルト・アインシュタインは無神論者ではありません。彼が自分の死に際でも述べたように汎神論者です。ビッグバンを肯定していないのはこの**汎神論**※という信仰が主な理由なのでしょう。

※汎神論とは？（Wikipedia より）
汎神論（はんしんろん、英：pantheism）万有神論とは、現実は神性と同一である、あるいは、すべてのものはすべてを包含する内在的な神を構成しているという信条。神を擬人化した人格神を認めず、一切全てを神と同一視する神学的・宗教的・哲学的立場。創造者（神的存在）と被造物（世界や自然）とに断絶を置かない立場であり、「一にして全（ヘン・カイ・パン）」、「梵我一如（ぼんがいちにょ）」、「神即自然」などが標語として使われる。全ては創造者によって創造された——すなわち、「世界」は「世界の外にある神」によって創造されたとするのが有神論だが、汎神論はそのような対立を否定し、全ては創造者の現れである、または、全ては創造者を内に含んでいる、と実体一元論的に見なす。

自著『99・9%隠された歴史』でより詳細に書いていますが、アインシュタインの役割は本来論理性と客観性に徹しないといけない科学に神秘性を入れ込むことでした。そして神秘科学が世に浸透していき、アインシュタインの相対性理論やニュートンの万有引力の発展系である重力などの仮説が当たり前の既成事実となっていきました。それは言ってしまえば「**科学のニューエイジ化**」が成功したということになります。神聖な物理科学の分野にまでニューエイジを入れ込んだ後で、日本発端の漫画やゲームなどの大衆文化にニューエイジを紛れ込ませるのは、支配層にとっては意図も容易（たやす）かったでしょう。そして、アインシュタインの唱える汎神論こそ現代ニューエイジの原点であるとも言えます。「自分が自分の世界の神様」「人には人の世界がある」「全ての人はワンネスで繋がっている」「この世界は人々の意識が作り出した仮想現実である」などのニューエイジ思想を大衆に植え付けていったと言えます。

そして、時は21世紀。日本であれば3・11以降は山本太郎氏、パンデミック以降は参政党を応援しているようなスピリチュアル系陰謀論者が「アインシュタインの術中にハマった人たち」として大量出現している状況です。支配層は、アインシュタインの宇宙コンテンツを信仰する人たちを手のひらで転がすことなど朝飯前なのです。

アインシュタインと世界連邦運動

世界連邦運動とは?

世界連邦運動とは、国際連合の改革と強化を通じて世界法治共同体の実現を目指すものであり、世界各国が世界連邦政府のもと、公正な世界法に基づき、世界の恒久平和と人類の福祉を築いていこうとする運動です。

近代史においてフラットアースの対立軸に立つ代表的な科学者のアルベルト・アインシュタイン。彼の職業は政治家ではなく、科学者であるにもかかわらず、なぜか世界統一を実現するための政治思想組織としての世界連邦政府の実現を提唱した一人になります。1945年、核兵器を使用した戦争を二度と繰り返して

現段階では、
科学がその正式な説明を発見していない、
ある極めて強力な力がある。

それは他のすべてを含み、かつ支配する力であり、
宇宙で作用しているどんな現象の背後にも存在し、
しかも私たちによってはまだ特定されていない。

この宇宙的な力は、愛だ。

科学者が宇宙の統一理論を予期したとき、
彼らは、この最も強力な見知らぬ力を忘れた。

アインシュタインが娘に送った愛の手紙は強烈なニューエイジ臭を放っている。この手紙は偽物だという説もあるが、重要なのは人々に認知させることであり、世に広まっている時点で効果は発揮されている。(参照サイト https://twospiritsonesoul.com/)

はならないという科学者、文化人の提起から世界連邦運動が胎動しました。アインシュタインは原子力の国際管理を強く主張し、そのためには国際連合の機構および機能を改め、これによって原子力をコントロールする以外になく、また組織的に一切の戦争の主要原因を縮小し、排除するといった建前を主張していました。

ここから結論できることは以下になります。

◎世界中の宗教を寄せ集めてイイとこ取りして、独自の世界宗教のようなものを作ろうとした神智学の流れを汲み、今度は政治をひとつ（世界政府）にしようという神智学からの発展系アイディアであること。

◎ニューエイジとNASAのプレリュード広告塔の役割も果たし、世界的な脅威となる「核爆弾」の開発にも影響を与えたアインシュタインの提唱という設定が、効果的な戦略であると判断されたこと。

◎核爆弾というコンテンツは、核兵器を持った国家対国家が戦争をすれば核爆弾が落とされて世界が滅びる。世界をひとつにして半永久的な戦争のない平和な世界を築いていこう、というヘーゲルの弁証法を最大限に取り入れたものである。また、核分裂や融合の説得力を維持するためにあるのが原子力発電所というコンテンツとの見方もできる。

◎世界連邦政府の実現を可能にするための機関が、第二次世界大戦後に設立された国連である。その国連が神智学の流れを汲むニューエイジやWHO、代替医療（対立軸医療）などに深く関わっているのは必然と言える。

お読みいただいて気づいたかと思いますが、「自分は真実を調べ、伝える陰謀論者だ！」と自負しながらも、アインシュタインの相対性理論などに基づいた神秘科学コンテンツ（異次元、高次元、タイムマシン、パラダイムシフト、マンデラエフェクト、テレパシー、瞬間移動など）を頑（かたく）なに信じているような陰謀論者は、客観的・論理的思考が著しく足りず、真相を伝える人としては、あまり当てにならないという結論に至らざるを得ません。

＊参考サイト
世界連邦運動とは（NPO法人 世界連邦21世紀フォーラム）
http://wfmjapan.com/about_wfm/

「核」を落とした落としどころ

こちらは絶対とまでは決して言いませんが、ある程度の根拠がある考察だと思っています。

2022年、ロシアとウクライナの戦争も徐々にロシアと米国／EU／イギリスとの静かなる対立にシフトしていっているように見えます。今回のロシア軍によるウクライナ侵攻が世界戦争のトリガーになるのか、もう少し未来の戦争から本格的な世界大戦になっていくのかはわかりません。しかし、いずれにしろより明確に新勢力（ロシア／中国）対旧勢力（欧米）という図式になっていくとは思います。

世界戦争は表向き国家対国家や地域対地域のような図式ではあるものの、本質的には世界統一に向けた弁証法的な手段であるということを、本書の読者であれば既に理解されているかと思います。最終的にはどんな結末を迎えると思われるでしょうか？

ここで思い出していただきたいのは、球体説ニューエイジ神秘科学のグルとして有名なアルベルト・アインシュタインの世界連邦宣言。

世界連邦宣言（ラッセル＝アインシュタイン宣言）とは？

第二次大戦後は、核兵器廃絶と世界連邦達成のためにたゆまない努力を続けたアインシュタインが、バートランド・ラッセルとともに発した核兵器廃絶と戦争廃止のための平和声明。

第二次世界大戦のトリをとる一大事として、日本に「原爆」が落とされました。その後、リーグ・オブ・ネーションズ（国際連盟）の進化系として国連が創設され、「世界平和の実現」という目標を掲げて、さまざまな意思決定や活動を実施しています。コロナパンデミックでは国連傘下のWHOがさらに台頭しました。

ビキニ水爆実験→日本の国民的原水爆禁止運動
→科学者の調査→ →ロートブラット博士→
ラッセル博士→アインシュタイン博士

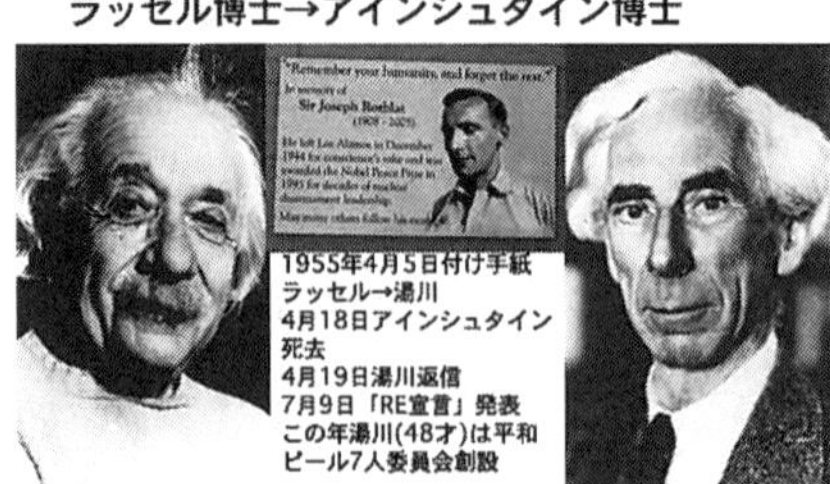

日本贔屓のアインシュタインは核戦争のない平和な世界を訴えていた

プーチンはこのままでは「核戦争」になるぞ、と欧米諸国を何度か脅しています。

ここから読み取れるのは、未来のどこかで行われるであろう世界戦争のトリも「核兵器」ではないかということです。そしてどこかに核兵器が落とされ、核戦争にならないようにその仲介を取り持つ存在として国連が手腕を振るい、結果として国連の影響力がさらに包括的で強固なものになっていくのではないか、という予想になります。

テレビと政府を信じ切っているような一般人は、どこかに落とされる核兵器の破壊力をテレビやネットで見て恐怖に慄（おのの）き、その後「世界平和」を目標とする国連を自ら進んで応援していくでしょう。もちろんニューエイジ気質の野党政党を応援しているタイプの「世の中のおかしさにちょっとだけ気づいた羊」や、既にアインシュタインの理論ベースのコンテンツに夢中なニューエイジ、自然が大好きな意識高い系（オーガニック食品マニアなど）も含まれるでしょう。残された「本質に気づいている人」たちなどマイノリティすぎて歯が立ちません。

個人的には、国連本部があるニューヨークか、最近テスラなどの本社移転が話題になったシリコンバレー（サンフランシスコ）あたりが落とされる筆頭格であると考えてはいます。イルミナティカードで破壊される（ように描かれている）ゴールデンゲートブリッジ、または『猿の惑星』で土に埋もれる自由の女神などが惨劇を伝えるアイコニックな建造物として、世界中のニュースに流れるのではないかと推測しています。何はともあれ、核兵器を落とされた後は、世界統一への世論はさらに追い風となっていくことは間違いありません。

第3章
ニューエイジ気質による大衆支配

第3章では、「**ニューエイジ気質の浸透による支配層の半永久的な支配構造の形成**」という長期的な目標に、より具体的に焦点を当てたいと思います。

本章を読めば、基本的には「感覚」や「主観」で物事を決めて行動する大衆を効率よく支配するためには、ニューエイジはうってつけのツールであるということをご理解いただけるかと思います。

また、宗教から大衆娯楽、陰謀論まで、ニューエイジ思想は現在進行形で多角的に植え付けられています。そのため、世の中のおかしさに少し気づいたくらいでは全く無意味であり、陰謀論を検証する上で批判的／客観的／俯瞰的／論理的な考察を少しでも怠ると、ニューエイジ色が強い根拠の薄い「ワクワク陰謀論」にハマりだし、支配層にとっては痛くもかゆくもない「世の中のおかしさにかなり気づいていると勘違いしている人」になってしまう、という仕組みにも着目しています。このタイプ（D層）の人々は、テレビや教育に一厘（いちりん）の疑問も持たないような羊（B層）と揶揄されているような人たちと本質的にはなんら変わりはなく、まだまだ支配層の手のひらの上で踊らされている状態であるともご理解いただけるかと思います。

むしろ根拠の薄いワクワク陰謀論をSNSや身のまわりで主張しだされると、「陰謀論を言う奴は頭がおかしい」と思われてしまい、情報発信を通じた啓蒙の観点からは逆効果です。率直に言うと、根拠をもって世の中の不都合を伝えようとしているニューエイジ気質でない「陰謀論者」の一人としては、かなりの迷惑行為であるとすら思っています。

本章では、そんな一般大衆が常に墓穴を掘るような「習性」に着目していますので、（私自身ももちろんそうですが）読者の皆様もご自身のこれまでの言動や行動、思考プロセスを振り返ってみてください。

多数決による思考停止を証明する実験

＊参考動画
『THREE EXPERIMENTS THAT EXPLAIN CONFORMITY AND GROUP THINK（適合性と集団思考を説明する三つの実験）』
https://www.bitchute.com/video/2MmTs4o8YZ2n/?fbclid=IwAR1rs0FCEJFJeWaeEnTQCSZsAx9ujzlhfeH68LphQ3JQ7f3LoWHjGmiyji8

こちらの動画では、以下の三つの実験が紹介されています。球体説やマスクが広まる主要な原因が明らかになる実験です。人間の高い社会性や協調性という能力が仇（あだ）となり、大衆はマジョリティの人が言う意見に簡単に流されてしまうのがよくわかります。まさに思考停止状態。動画は英語ですが、英語がわからなくても実験の模様は理解できると思うので、ぜひご覧になってください。

（1）ブザーが鳴ったらまわりが立ち出した

実験参加者を適当に座らせて、特にあらかじめ決められたルールもない状態でブザーが鳴ったら？

仕込みの参加者が最初に立ち上がることで、実験の参加者は立つ理由が見当たらないにもかかわらず、しまいには全員立ち上がってしまうという結果になりました。こちらの実験では特に「同調圧力」の強力さがおわかりいただけるとかと思います。

（2）明らかに間違った回答を選ぶ実験

6人を用意して（5人は仕込み）、この線は右のa、b、cのどの線と長さが同じですか？　という質問をしていく実験になります。

普通に考えれば、見ただけでどの線が同じかという正解が明らかにわかる問題です。しかし、仕込みの5人が間違った長さの共通の線を回答すると、実験対象の一人も彼らにつられて同じ回答をしてしまう、という結果になりました。多数決に属する安心感が絶大である、ということがおわかりいただけるかと思います。

（3）ミルグラムの実験

有名な実験になります。なぜ戦争中は軍人が平気で個人的な恨みもない赤の他人（敵国の兵隊）を殺せるのか、の理由でもあります。人はおおむね「羊」ではありますが、その羊気質（=権力者に弱い）が故に、時にはとても残酷になれることがわかる実験です。

＊参考および引用記事
【アイヒマン実験（ミルグラム実験）とは】実験の詳細をわかりやすく解説（リベラルアーツガイド）
https://liberal-arts-guide.com/milgram-experiment/

ミルグラムは「なぜ人は残虐な行為が指揮できたのだろう?」という疑問を解決するため、人間が状況下によって権威者に対して服従する心理を持っているのではないか、と仮説を立て、それを実証する「社会心理学に関する」実験を行いました。

実験は教師役(指示を出す人。被験者)、アシスタント(電気ショックを浴びせる人。サクラ)、生徒役(電気ショックを浴びる人。サクラ)が参加します。実験の対象である教師役はアシスタントとともに実験室に入りますが、サクラであるということは知りません。

そして教師役が生徒役に問題を次々と出していくのですが、生徒役が間違った解答をする度にアシスタントが窓越しに見える隣の部屋にいる生徒役に強い電気ショックを段階的に与えていきます。実際にはアシスタントがスイッチを押しても電気は流れず、生徒役は苦しむ演技をします(ちなみに教師役にはあらかじめ45ボルトの電気ショックを自分で体験させ、生徒役がどの程度の傷みを感じるのかを認識させています)。

教師役は、「青い　箱」「いい　一日」「野生　あひる」などの単語を二個ずつセットで言っていき、その後、単語をひとつ言って、その単語の対になる単語を生徒に四択から選ばせます。選択を間違えた場合には、電気ショックが与えられる仕組みです。

電気ショックのボタンは、左から15ボルト、右に行くにしたがって15ボルトずつ上がり、最後が450ボルトと強烈な威力を放ちます。スイッチにはボルト数は書かれておらず、軽い電撃/中位の電撃/強い電撃/強烈な電撃/激烈な電撃/超激烈な電撃/危険:過激な電撃と記載があり、最後のスイッチには×××とだけ書かれていて、一目で押してはいけないスイッチであることが直感的にわかるようになっています。生徒役が間違えば間違うほど、強い電気ショックが与えられていく仕組みです。電気ショックを与えるたびにスピーカーからは迫真の演技での叫び声が聞こえるのですが、その叫び声も設定されたボルト数に応じて段階的に強まり、しまいには壁を叩いて実験の中止を懇願するようになります——最終的には無反応になるようにされていました。

生徒役の叫び声がすることで、被験者である教師役の人の心の中では葛藤が起こります。しかし教師役の部屋には冷徹な雰囲気の権威者（サクラ）がもう一人います。

教師役が権威者に「実験をやめたい」と伝えると権威者はこう言います。

うながし1：続けてください、（あるいは）そのまま進めてください。

うながし2：続けてもらわないと実験が成り立ちません。

うながし3：とにかく続けてもらわないと本当に困るんです。

うながし4：他に選択の余地はないんです。絶対に続けてください。

ここまで権威者が言っても中止の申し出がある場合は、実験は中止になります。そうでなければ、最大の電気ショック450ボルトが3回与えられた時点で実験が終了となります。ちなみに、教師役が「生徒に肉体的な障害が長期的に残る心配」を口にした場合は、「電撃は苦痛ではありますが、永続的な肉体への損傷はありません」と答えることになっていました。

通常の倫理観を持つ人なら途中で実験をやめたいと懇願することが考えられますし、実際にスタンレー・ミルグラムは事前にアンケートをとっていました。

自分であればどこまで電気ショックを与えるかという予測をするアンケート

イェール大学の生徒110人へのアンケート

↓　生徒は全員、自分は途中で権威者に歯向かうであろうと回答

職員他一般の人へのアンケート

↓　自分は歯向かう、服従はしないという回答

ところが、実際には、40人の被験者のうち26人が最大の450ボルトまで電気ショックを与え続けるという結果になったのです。おおむね全体の65％の人は権威者に最後まで服従し、生徒役がどれほど悲痛な声を上げても無言になっても、権威者に言われるがままに残酷な罰を与え続けたのです。残りの3分の1の人も

300ボルトよりも低いところで中止した人は皆無で、その後、教師役と生徒が同じ部屋にいる状態でも同様の実験を行いましたが、それでもおよそ4割の人が、最後まで服従し続けました。

以上、大変参考になるブログ記事ですので、ぜひ直接リンクに入り読んでみてください。

まさに「NASAや学校の先生が言うから地球は球体だ」や「海外の平和的なデモ参加者に対する警察の無慈悲な攻撃」など、洗脳のたやすさが全てこの実験に詰まっていると言えるでしょう。

過半数が拷問に加担してしまうという結果でしたので、人間そのものに失望してしまった読者も多いでしょう。人間はとにかく権力や肩書きに弱いというのがよくおわかりいただけたかと思います。これはNASAの科学者を絶対的に信じる一般人と、野党政治家や代替医療の医師の言葉を絶対的に信じるニューエイジに共通の弱みです。

ミルグラムの実験の電気スイッチ

主観という壮絶なるトラップ

ニューエイジ気質の大きな特徴と言えるのが、論理的思考の排除による主観と感情論まみれの、私が個人的に「獣思考」と揶揄している思考回路になります。

主観が客観を大きく勝るわかりやすい現象として、現実に全く即していない（ニューエイジや無神論との関係性が高い）神秘科学コンテンツの「地球球体説」の浸透が挙げられます。現実は、地平線は平らで地球の曲率を考慮した場合にあり得ない対象物が遠くに見えて、自転や公転の遠心力を全く体感することができません。けれども、ほとんどの人が球体説を信じて疑わないのです。

地球の形以外にも、主観はあらゆるところで客観的な現実と向き合わなければならない私たちの足枷となっています。100%客観的になれる人間はもちろん存在しませんが、できるだけ１００％に近づく努力はしていく必要はあります。最低でも主観と客観の切り分けができ、自分が主観で話している部分については、それが主観であると自覚して明記や明言ができる、メタ認知が実践できている情報発信者になる必要があると思っています。

フラットアースという客観的な根拠のある主張を世の中にしていこうと決意した人であれば、なおさらあらゆる局面において、この主観と客観の切り分けを意識してほしいところではあります。

思いついた見本を書きます。

あなたは街を歩く男性です。すれ違いざまに目が合った美しい女性。その女性はあなたにニッコリと笑顔を返し、そして向こうへと歩いて行きました。

◇客観――女性が微笑んだ。

以上です（笑顔ですら視覚的な勘違いかもしれないという１％未満の可能性はここでは考慮しません）。

主観が強く加わると、客観的に合っている場合ももちろんたまにはあるものの、あらぬ方向に思考がいってしまう場合が多いです。

先ほどの例で挙げると、

◇主観――彼女が微笑んだ　↓　きっと俺のことが好きに違いない　↓　また会うことがあればデートに誘おう　↓　そしたらいずれ結婚して家を建てよう。

客観的な正解は「彼女が微笑んだ」までであり、その先の思考は主観に基づいた妄想です。「俺のことを好きに違いない」という前提が間違っている時点で、その先の思考もたとえ（一般的には）客観的な要素が高い結論であろうと、前提が間違っている限りはどのみち間違っている、ということを意味します。地球球体説で言うと、重力加速度を証明したいのであれば、まずはその加速度が重力という「力」によるものであると先に証明しなければならないのと同じ理屈です。

これをフラットアースからわかる世界観に置き換えてたとえましょう。

◇大地は平らで静止していて、天蓋に覆われており、生命と自然が規則的に相互補完をする規則性の高い世界である　↓　この世界は、無から有が生まれ、混沌から秩序が生まれた〝偶然の産物〟ではない。

ここまでは、客観的に辿り着ける可能性が一番高い（もちろんあくまでも理論上の可能性）結論であり、その先は主観になります。いわゆる「神」の話であることから、次の見本は宗教的な主観であるとも言えます。せっかくなので、ニューエイジ風の主観的な解釈をしてみましょう。

◇大地は平ら　↓　偶然の産物ではない　↓　（ここから主観）きっとマトリックスだ　↓　物質は本質的には存在せず、全ては仮想現実　↓　レプティリアンがこの世界をコンピュータでプログラミングした。

これを主観だとわかっていて、一種の宗教信仰のように控えめに語るならまだしも、科学風の要素が取り入れられているが故に客観的な現実と言い切ってしまうニューエイジは、主観にまみれた思考回路であると言わざるを得ません。

次にキリスト教の見本。聖書と一語一句でも違うことを言ったり、キリストという神／人物を絶対的な存在として崇拝／信仰しない人は必ず地獄に堕ちる！といった強烈な思想を他人に押しつけるタイプの「信仰心が健康的なレベルを著しく超えてしまった」過激なクリスチャンがたまにいます。個人的な信仰に基づく考え方として発表するのはその人の自由ですが、他人にゴリ押しの言い切りで決して押しつけてはなりません（信仰＝主観の押しつけである）。

この主観的なマインドセットをある程度減らすために、誰でも実践できる行為が「議論」であると思っています。支配層が、議論という本来は高尚な行為を、小さな洗脳の積み重ねにより、私たち大衆から徐々に奪い去っている罪は大きいと思います。学校でも議論は教えません。また、大衆娯楽は、「反対意見を悪意のある批判と捉える」ニューエイジコンテンツが多いのです。『少年ジャンプ』風の価値観で言えば、「友情、努力、勝利の精神で仲間は問答無用で救え！　だって仲間だから！」です。

議論がうまくなることこそ、家畜の最大の武器となるスキルの習得です。他人との議論をしていく中で、さまざまな閃（ひらめ）きや仮説が新たに浮かび、思いがけないアイディアや思考の急速的な発展が望めますので、ぜひとも積極的に議論していただけたら嬉しく思います。客観的な根拠が薄い主観的な発想が、その人の思考プロセスの大半を占めるようになると、その人の思考の成長や発展はほとんど望めなくなります。つまり主観まみれになってしまった時点で「その家畜の思考の無力化」という支配層の目的が達成されます。

皮肉でも意地悪でもなく本心を書きますと、自分がこの5~6年間啓蒙をして感じたのは、主観が既にあまりにも強すぎる人間には、私たちが死ぬまで毎日客観性の高い主張を訴え続けても、一生響くことがないのではないかということ。客観性や議論の部分で成長してほしいと思うところです。正直ここまで議論だ、クリティカルシンキングだ、オッカムの剃刀だ、と私が何回も繰り返しSNSなどで重要さを伝えているにもかかわらず、何ひとつ学ばず、自分の「主観にまみれた」殻からは決して出ない多くの「陰謀論者」を見ると虚しさが募るばかりです。

真相を破壊するニューエイジ畑

支配層は、表向きのシステムの嘘に気づいた大衆がある程度出てきても、ニューエイジという強烈な保険を持っているため、実際のところは痛くも痒（かゆ）くもないでしょう＝磐石な支配体制です。

フラットアースをはじめ、ほぼ全ての陰謀論がニューエイジの身勝手な言動や行動により無力化されていき、結果、大規模な家畜の草の根ムーブメントは基本的に成功しないようになっています。以下の見本が特にわかりやすいかと思いますが、きちんとした根拠のある主張をもって陰謀論を訴えている人がニューエイジの巻き添えを喰らう形で一般人から頭のおかしな人扱いを受けて、その真相がほとんど広まらないのです。

〈陰謀論を無力化させるニューエイジの飛躍した主張の見本〉

◎利子とインフレの金融詐欺システム
↓　現代の金融システムを一から構築したロスチャイルド一族は、宇宙からやってきてシェイプシフト可能なレプティリアンである

◎石油化学とプラスチックによる依存支配システム
↓　石油利権をかなり牛耳（ぎゅうじ）っているロックフェラー一族は、宇宙からやってきてシェイプシフト可能なレプティリアンである

◎政治の腐敗と幻想
↓　光の戦士トランプがディープステートなる闇組織の退治と逮捕と処刑をしてくれている

◎我々は何かに創られた存在である
↓　人間は宇宙人が地球に生み落とした生物、またはこの世界は仮想現実マトリックス

◎戦争は、本質的には常に支配層対家畜という構図である
↓　片側の国（大抵マスメディアの対立軸。2022年であればロシア）に肩入れをする

◎歴史は勝者により書き換えられる
↓　200年前に泥洪水が世界中を破壊し歴史の普遍的なリセットが起きた

◎利他的な精神を持つ人間になる、という正しい精神性
↓　量子力学波動の想いの力でポジティブを引き寄せて、個人個人が自己実現を叶えていきましょう

◎古典的な数秘術でイベントが事前に計画されている
↓　独自に作ったなんちゃって数秘術占いや、ポップでポジティブなエンジェルナンバー。星と星が重なり合い、あなたの運命は切り開かれる

◎大地は観測的に平らである。真空宇宙は物理的に存在できない

↓　羊以上に球体説（＝真空宇宙論）支持である場合が少なくない。または大地は平らだが宇宙もある、という独自解釈

〈まとめ〉

超長期的に支配体制を築いてきた支配層はニューエイジという保険を導入して、世の中に疑問を持ちはじめた家畜をも手のひらで簡単に転がす。その用意周到ぶりは実に知性的です。

また、「光の戦士が悪のDSを成敗してくれる」といった発想を持ってしまうようなニューエイジ気質の方々は、この支配層の実力を明らかに舐めすぎています。光の戦士など存在しませんし、このままでは支配層は決して負けない構図を今後も強めていくだけでしょう。ニューエイジという保険が効いているうちは、真相はいつまで経っても「トンデモ陰謀論」止まりです。

映画『マトリックス』にたとえると、論理的／客観的思考ができ、まともなことを言うネオが現れても、一瞬にしてエージェント・スミスの大群（ニューエイジ陰謀論者）が押し寄せる図式であると言えます。現代の通貨制度を作り、資本主義社会において権力を維持できる実力のある人間たちの知性を侮ってはいけません。

思考の獣化と666

私たちは感情、思考、体の「三位一体※」でできているという古代からの概念があります。

真面目に世のおかしさを訴える人の邪魔をするという意味では、ニューエイジ陰謀論者は（意図せずして）エージェント・スミスのような役割を果たしてしまっている

人間をこの三つの構成要素で考えると、人間と動物（獣）は似て非なるものであるということが言えます。獣は本能に忠実に行動し、その場その場で状況に応じてリアクションをして生きています。人間だけは、何かを創造する、文明を切り開く、哲学を語る、長期的な予測をする、批判的思考をするなどの高度な思考プロセスが可能です。人間と獣を分ける一番の違いです。逆に言ってしまえば、これらの高尚な思考プロセスができない人間は獣とほとんど変わらないということが言えるため、私は支配層によるニューエイジ気質促進の最大の目的がこの**「思考の獣化」**であるという結論に達しています。

「思考の獣化」の進化形（見方によっては完全なる対立軸）が、人間の真似（その場にリアクションをしての模擬）をするだけのＡＩであるとも言えます。**トランスヒューマニズムの本質は人間とＡＩの曖昧化**であるため、言わば**人間と獣の曖昧化**でもある、と言えるのかもしれません。

獣思考の人間が多い状態は支配層にとっては理想の支配体制であり、支配層がトランスヒューマニズム社会の実現に躍起になっているのも頷（うなず）けます。そして、ナルシシズムと主観を促進させるニューエイジルーツのコンテンツやムーブメント、リアクション機能がついているＳＮＳなどの浸透により、大衆はその場その場でインスタントにリアクションするなど、言わば高尚な思考プロセスにかかせない人間の「**思考**」の部分が徐々に削ぎ落とされてしまっています。そのため、支配層に「獣（６６６）」と揶揄されても仕方がない部分があると言えるでしょう。支配層は、確かな意識をもって物事を考えられる高尚な人間よりも、牧場の家畜に代表されるような獣をコントロールするほうが何倍も楽であることは言うまでもありません。

ただし、この**思考**の部分だけを重視するのも実は適切ではなく、**感情、思考、体**のどれもが欠けてはならないとは思っています。生きている人間らしさを失った「ＡＩのような」状態になるのも問題のため、三位一体の

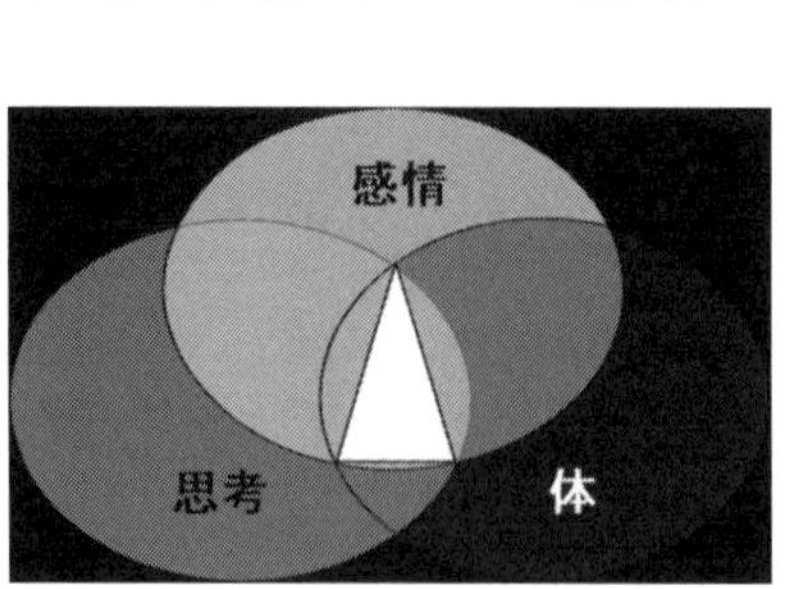

感情と思考と体の三位一体を極めてこそ「人」と言える

どの要素も同じくらい大切なのです。三つが等しく33・3％の価値があり、「思考の獣化」が「思考の部分がない状態」であるとするならば、感情（33・3％）と体（33・3％）のみの状態は合計66・6％であり、獣＝666である。という比喩的な表現が支配層により使われているように感じてしまいます。

※三位一体
聖書のエデンの花園はこの「三位一体」のバランスが完璧に整った状態を比喩したユートピア（＝調和がとれた人間が集まる場所）であるとする説もあります。

スターは支配層のバックボーンがあってこそ

大衆はどこまでいっても羊です。メディアが新しいタレントを積極的にポジティブな雰囲気で宣伝したり取り扱えば、大衆の多くはすぐにその人物やグループのファン（＝その人物やグループを偶像崇拝する人）になってしまうのです。だから支配層は自分たちの意向に沿うタレント（＝偶像）をメディアで強くプッシュするのですが、言い換えれば、メディアにプッシュされている人やものは、多くの場合、メディアの株主でもあったりする支配層のバックボーン（＝意向に沿っている）が必ずあるということ。そうでないとその人物やグループは干される、またはメディアに相手にされなくなります（テレビ局の現場スタッフがこのマクロ現象を意図的に仕掛けているわけではありません）。

理論整然とした天才集団の支配層が、バックボーンのない人物やグループが猛プッシュされるというアノマリーを許す理由が基本的にはないのです。プッシュされている方がどこまでわかっていて加担しているのかはわかりません。お金や注目されるという自己実現を叶えるためになんとなくやっている場合がほとんどでしょう。

プッシュされるコンテンツは以下の2種類に分けられると推測しています。

（1）最初から「用意」された人やもの

（2）自力で売れてきた人であれば、お金、名声（時には強引に？）で引き込む。ものならば買収したり出資と称した断れないオファーを出して手中に収めて、利用したいように利用する

どちらにしろ人気が出る何かをプロデュースするには、莫大な予算と現場要員の時間が必要であり、その時に一番効率よく使えるリソースは、場合によってはボランティア（＝タダ働き）を自ら買って出る、宗教団体の命令を強い忠誠心で貫く新興宗教の信者であると言えます。だからこそかもしれませんが、特に日本においては支配層が用意した多くの偶像の背景には宗教の影が潜んでいると言えます。内閣総理大臣をはじめとする政治家でも、テレビの人気演者でも、対立軸の陰謀論者でもこの図式は変わりません。有名どころでは（旧）統一教会、幸福の科学、創価学会あたりが該当するかと思いますが、これらの宗教のバックアップを受けている可能性がある偶像のひとつ、サザンオールスターズを見ていきましょう。

サザンオールスターズのメンバーが幸福の科学の信者かはわかりませんが、マクロで幸福の科学が打ち出す快楽的でポジティブハッピーなコンテンツと類似した思想の拡散に貢献していることだけは確かです。サザンオールスターズは、音楽グループが売れるための伝統的な要素（歌がうまい、見た目がすこぶるよい、一目で鮮烈に記憶に残る派手な恰好）がほとんどないにもかかわらず、なぜこんなにもトップ級のロングセラーバンドなのだろうか？　と昔から不思議でした。

以前、グループを脱退した人物がいるのですが、この人の妻が創価専属の通訳師を務めていたくらいの筋金入りの創価会員だったそうです。そのコネクションを利用したかったのでしょうか、サザンのアルバムジャケットには創価カラー（赤黄青）のものがあります。その彼は途中でサザンオールスターズを脱退するのですが、近年のサザンをみていくと、創価学会のある程度戒律的な教えとは乖離した、幸せやハッピーを前面に出した歌詞やタイトルがとても多いようです。

どこかで読んだ話ではありますが、彼が辞めた時はかなり揉めたそうです。この時、彼が所属していた創価学会から幸福の科学に「移籍」した可能性があるかもしれません。考えてみれば当たり前のことですが、サザンの歌で宣伝しているものは、快楽的でポジティブハッピーな幸福の科学的ニューエイジの歌であるた

め、思想的にも幸福の科学のほうが創価学会よりも相性がよいのです。

サザンの歌には以下の要素がよく入っています。

◎サーフィンや海のパリピ、夏フェス
◎あまり深く考えずにハッピーに生きよう
◎フリーセックスと物理的な性の快感

サザンはまるでヒッピーのような退廃的な歌詞が多いです。夏の海岸で性に溺れて青春を謳歌しようといった歌詞が多く、ポップ音楽を通してニューエイジ気質をより浸透させる役割を（意識してか知らずか）担ったグループになります。メンバーは、カラフルなアロハシャツやチノの短パンなど、ヒップスターとヒッピーの間くらいの「普段着」の出で立ちであり、サザンのファンは当然彼らの影響を受け、時間とともにすっかりニューエイジになっていくシステムの完成です。

しかも困ったことに直接的なニューエイジコンテンツを発信しているわけではないため、ファンは自分がいつのまにかニューエイジ気質になってしまっていることには全く気づかないという厄介な図式です。そのため、サザンのファンはよりド直球なスピリチュアル系の宇宙異次元アセンションなどをあり得ないトンデモ精神論コンテンツと普通に考えている人も多いのでしょう。自分とは似て非なるものである、と考えます。無自覚であるが故に、支配層による完全犯罪的で知的な洗脳方法であると言えます。

いわゆる創価カラーの入ったデザイン

快楽主義を促進させるニューエイジバンドのサザンオールスターズ

その陰謀論者が見るに値する人物かを簡単に見極める方法

表面的に考えてしまうと気づきにくいのですが、世の中の陰謀論者は、利他的な精神で正しい知識を人々におすそ分けしたいという動機で情報発信をしている、「善良」な人ばかりではないという事実があります。

手段をあまり選ばず、注目されてスターになりたいだけの人、ビジネスとして割り切って〝陰謀論〟コンテンツを発信する人、宗教や政治などのなんらかの思想を植え付けたり、勧誘するといった裏の目的で情報発信をする人など、利己的な個人の思惑が渦巻いていたりします。こうしたハーメルンの笛吹きとも揶揄できる偽物を見極めるポイントを記載したいと思います。

世の中から新たな宗教やマルチ商法などが一向になくなる気配がない理由は、こういう人の思惑を見極められず、表面的にはよいことを言っている人をすぐに信じ込んでしまう「嘘耐性の低い見込顧客」の多さにあります。時間とともにズルズルとハマってしまい、あれ、言っていることがちょっとおかしい？　と少なくとも潜在意識レベルでは途中の過程で薄々気づいても、埋没費用（サンクコスト）の概念をもって、その何かを応援／信仰しなくなるという選択ができず、金と時間を落とし続ける「カモ」がたくさんいるからです。需要があるから供給があるのです。こういうカモが実に多いので、偽物を見極めるためのアドバイスは非常に大切です。

(1) 根拠が乏しいコンテンツばかりである

論理的／客観的な根拠が乏しく、非ファン（＝非信仰者）に簡単に突っ込まれてしまうような内容を、「絶対」「間違いなく」「100％」「全て」「保証します」などと言い切りの極論で発信してしまう人は赤信号であると言えます。ひどい場合には、ただの妄想コンテンツを平気で当然の事実のように適当に垂れ流したり、狂信的なファンの同調圧力を間接的に利用する方法（＝自分に批判的なコメントに徒党を組んで猛攻撃してもらうなど）で、半強制的に自分のエコーチェンバー内で自分の主張を否定禁止行為として植え付けたりするのです。

これが行き過ぎると当然カルト化していきます。陰謀論の場合には、陰謀論者は頭がおかしいという印象をエコーチェンバー外の一般人に与えてしまうため、陰謀論というくくりへのマクロダメージが大きく、かなり罪深い情報発信者であると言えます。場合によっては、根拠が乏しいにもかかわらず平然と「注目や金儲けといった利己的な理由のために情報発信しています！」と開き直りながら活動してしまう人間性も褒められたものではありません。自分の銀行口座さえ満たされれば、真実はどうでもよいと考える人すら存在するのではないでしょうか。

（2）何を長期的に成し遂げたいのかが見えない

陰謀論者とは、本来、世界の在り様や動向を俯瞰的に分析して、揺るがない信念をもって利他的な精神で短中長期的な予測を交えながら世間に情報を伝えていく高い志の者のことを指すはずです。しかし実際は、大した分析力があるわけでもなく、物事を深く考えもせず、ファン／信者の反応をその時々で伺いながら、どのコンテンツの受けがよりよいか、よりお金を運んでくれるのかを「市場調査」しているのです。そして、受けが悪いと感じたコンテンツを自身の発信から徐々にフェードアウトさせるなどして、主張のコロコロ変わる「陰謀論のビュッフェ状態」になりがちです。このため、紹介している複数の異なる陰謀論で論理的に大きな食い違いも起きてしまいますし、一年前と全く異なる主張をしていることもしばしばです。この整合性のない情報発信は、フォローするに値しない人物として認定できる決定的な要素のひとつであると言えます。

（3）世の中のマクロ的な出来事ではなく、自分自身の身のまわりや宣伝コンテンツが多い

読み手の勉強になるような情報やマクロ視点での俯瞰的な情報発信に徹しているコンテンツが少ないのもひとつの特徴です。場合によっては、表面的には陰謀論のように見える情報を発信しつつ、本質的には自分を売り込むコンテンツを発信している人も存在します。

熱狂的なファンは強いバイアスにより、どのコンテンツが利他的な要素が強く、どのコンテンツが利己的な要素が強いのかの判別がつかなくなってしまいます。好きな人が発信しているのであれば、それだけでそのコンテンツを好きになってしまうのです。

冷静にコンテンツを吟味さえできれば、ある程度洗

脳が強くても違和感を持てるくらい判別しやすいはずです。ぜひひいきにしている情報発信者のコンテンツを再精査してみるのはいかがでしょうか？

また、このタイプの情報発信者は、海外の陰謀論系のエンタメ要素のない世知辛い主張については対岸の火事という感覚であったり、どうせ視聴者の受けがイマイチだろうという諦めからか、ほとんど扱わない場合が多いです。「海外の有益な情報もほとんど共有しない」という状態もひとつの指標になるのではないでしょうか。

（4）自分自身を客観視できていない

自身を客観視できず（メタ認知の不足）、主観と歪んだ正義感で思いのままに行動を取ることも特徴となります。そのため、言動や行動に一貫性がないことが実に多いのです。

自分は高尚な正義感のもと活動をしていると錯覚してしまっている情報発信者もそれなりにいるため、〝情熱的に発信する〟という雰囲気だけが出ている場合が多く、「感動のスピーチでした！」「情熱が届きました！」「あなたこそ救世主！」と熱烈なファンからの〝感情に基づいた〟支持を得られてしまうという悪循環があります——情報の独自性が時間とともに増していく、というニューエイジの特徴にも拍車をかけてしまいます。

そして、ほぼ無条件でコンテンツにハートマークをつけてしまうような熱烈なファンからは、情報の一貫性のなさに気づく視聴者は嫌われます。否定的なコメントを寄せようものなら、ファンと、彼らの目からは〝アンチと化した〟視聴者の間で分断が起きてしまうのです。

こうして、家畜同士がいがみ合っている間に、支配層は目標達成に向けてさらにアジェンダを進めていきます。これの繰り返しです。

（5）基本的に一年前と同じようなレベルで主張をしている

一年前と言っていることがほぼ変わらないということは、その間の成長が全く見られないということにもなるため、一年間のうちの自由時間を真相の追究や思考の発展に使っておらず、自己プロデュースや人気とりにほとんどの時間を費やしてきたというある程度の根拠となるかと思います。

　人によってではありますが、主観に侵されたニューエイジ然り、金儲けに取りつかれた俗物然り、メッキを剝（は）がせば簡単に見えてしまう知性と利他性の低さにより、情報のバラエティの限界に（かなり早く）辿り着いてしまうため、一年前の主張に少しだけ色を付け足した「焼き直し」をせざるを得ない場合も多いのです。もちろん「大地が平らである根拠」のような論理的、物理的に説明できる主張は、新たな根拠が登場しない限りはむしろ変えるべきではありませんので、主観にまみれた主張に限定して考察すべきではあります。

（6）ファンのレベル

　その情報発信者の投稿や配信への視聴者コメントや、情報発信者の実世界での活動界隈にいる人たちを観察すれば、おおむね判明するのが、その情報発信者のファンのレベルです。情報発信者よりも賢い人間は、別のより有益な情報を発信する人に徐々になびいていってしまうため、その情報発信者のコミュニティで一番「賢い」のがその情報発信者ということが多いのです。つまり情報発信者コミュニティの知性の限界は多くの場合、その情報発信者本人の知性の限界であるという結論になります。YouTubeチャンネルについては、各動画のコメント欄を見るだけで、ある程度そのチャンネルの質がわかります。

　少し厳しい言い方をすれば、発信者が既出の5項目の多くに当てはまっている場合には、ファンはそれ以下、またはよくても同程度の思考と知性レベルであり、今後の発展も、陰謀論のブレイクスルーとなるような優れた発想も、何も期待できないということを意味します。観るだけ、関わるだけ、時間の無駄なのです。ニューエイジは時間とともに独自性が増すという性質もありますので、その情報発信者が主張する陰謀論を共有するなか、ただただファンが情報発信者に同調したり、慰めたり、肯定をしたりしてエゴを撫（な）でつけるようなコミュニティに成り下がっていくことが実に多いのです。

　マルコムXのような歴史上のムーブメントを起こした人物からその辺のタブロイド風の陰謀論YouTuberまで、〝支持者を観察する〟というポイントは、読者の真相追究に大いに役に立つと思ったため説明させていただきました。私たちが知性を養うための旅は、生きている限り終わることはないので、これらの点を全て踏まえて、明日からまた頑張っていきましょう。

陰謀論のエンタメ化

こちらは10年以上お付き合いをしている、日本にはほとんど存在しない良質の陰謀論者であると個人的に評価している友人との議論で達した見解になります。(時には批判的なことも言われる可能性がある)議論という行為は「波動を下げる」ため、してはならないという謎の信仰に囚われた日本に掃いて捨てるほどいるニューエイジ陰謀論者には、こちらの友人の爪の垢を煎じて呑ませたいくらいです(ちなみに議論をしていきましょう! 批判はよくない! と続けざまに言ってしまうトンチンカンなニューエイジ陰謀論者もたまにいます)。

日本でまともな「陰謀論」を伝えられている人は、その数の少なさから統計学的には相対的に「天才」であると言えるのではないでしょうか。それだけ少ないとは思います。日本では、論理的に整合性の高い情報を伝えることもなく、陰謀論をエンタメ感覚で楽しんで発信してしまっている人があまりにも多いので、まともな情報発信者は本当に貴重な存在です。

少し前に、「フラットアースというどうでもよいことを考えられるのは贅沢である」といった意見を述べたフラットアース情報発信者が一人いましたが、日本はまさにこういう退廃的な思考の情報発信者で溢れていると言っても過言ではありません。

それでは本題に移りましょう。

世の中の人々の9割以上は政府とマスコミが言っていること、教育で学んだことを基本的には疑わない、いわゆる羊と呼ばれるカテゴリーに分類できます。残りの1割以下の人はある程度世の不条理に気づけたものの、以下のどちらか(または両方)に流れる可能性が非常に高いです。

(1) 支配層に首根っこをガッツリ摑まれているただの奴隷であるという世知辛い現実を受け入れられず、真実を伝える風の陰謀論を、現実逃避をするためのエンタメコンテンツとして楽しみだす。ワクワクしないものは基本的にスルー。

(2) 支配層に首根っこをガッツリ摑まれているただの奴隷であるという世知辛い現実を受け入れられず、現実逃避の手段として論理度外視で何かを強く信仰しはじめる（特定の宗教、政治団体、ムーブメントなど）。

本書の読者も例外ではないかもしれません。

たとえば、（曲率の観測が全くできないことから論理的に導き出せる）大地が球体ではなく平らであるという結論や、（遠心力の影響が全く感じられないことから論理的に導き出せる）大地が静止状態であるという結論が根底にあるフラットアースという「陰謀論」。宇宙もない、宇宙人もいない。奴隷層は完膚なきまでに数百年かけて球体説を刷り込まれてきたという現実を認めることは世知辛いです。重力の根拠のひとつになっている相対性理論などの神秘科学も空想。次元もない、時間も巻き戻せない、アンドロメダ大星雲にワープもできない。フラットアースは、実にシンプルで「ワクワクしない」世界の実像を我々に突きつけます。多くの（非ニューエイジの）フラットアーサーは、欲を出さず、地に足がついた状態で小さなことにも感謝や感動をするような生き方を選択するようになります。

この謙虚になれる要素が多い、天蓋という閉鎖空間の中でほぼ完結しているシンプルな世界観を認めてしまうのが嫌だから、大地が平らであるという主張を意地でも認めない人が多いのです。自分が自分の世界の神様なのに、自分の世界を別の何かが創ったという可能性を強く提示するフラットアースを認めたくない人も多いでしょう。また結論がシンプルに出てしまうことが多いフラットアースを、ワクワク不足として受け付けない人もいるでしょう。

たとえフラットアースを認めても、ニューエイジ気質の人であれば、天蓋の「外の世界」の未知の大陸の数々、という論理的な根拠が薄い「まるで『少年ジャンプ』の漫画のように開放的で冒険感たっぷりのワクワク」陰謀論に熱中してしまうのです。ムフフと妄想を膨らませながら、答えに永遠に辿り着けない宙ぶらりんな状態こそ、ニューエイジ気質のワクワク陰謀論者の理想の状態であると言えるためです。陰謀論はワンランク上の高尚なエンタメコンテンツ——ニューエイジにとっては、それくらいの感覚なのです。

陰謀論者のイエローフラグ単語

これらの単語をその情報発信者が一回でも言ったらアウトとはいかないまでも、その人物は要注意の経過観察をする必要がある「イエローフラグ（黄信号）」が立つ単語を紹介します。これらの単語をいくつも複数回使っているような陰謀論者は、信用に足らない、と結論づけることができるでしょう。

理由としては、陰謀論者は自分自身が参考にしているコンテンツの影響を多大に受けるため、イエローフラグ単語を使っているコンテンツばかりを普段から参考にしている、と言い切ってしまっても差し支えないからです。これらの単語を繰り返し使う情報ソースは基本的には信用ができないため、それらのコンテンツの影響を受けてしまった陰謀論者も残念ながら信用に足りない、というシンプルな論理的帰結となります。

それではいくつか単語の例を見ていきましょう。

◆気候変動、地球温暖化、Black Lives Matter、LGBTQ

海外では“Woke”と言われる人たち。日本であれば「意識高い系」の一部の人たちが当てはまります。ポリコレを意識したいわゆる行き過ぎたリベラル思考。ただの「少し尖った羊」とも揶揄することができます。行き過ぎたリベラル思考は、ニューエイジとの相性が非常によいことから、おそらくはニューエイジ気質の人であるという判断ができます。

◆ディープステート（DS）またはカバール

カバールに関してはややグレーゾーンかなとは思いますが、闇政府や闇国家を意味する**DS**については、とにかくニューエイジ陰謀論者界隈で普遍的に登場する単語です。

そもそもマクロ的に考えると、支配層にとっては自分たちの世界こそが表の世界であり、我々を人間牧場で飼っているような感覚であることかから、「裏」を意味する**ディープ**という表現は不適切に感じます。

またステートという単語は〝国家〟を意味します。支配層の間で細かい小競り合いはあるかもしれませんが、俯瞰的に見るとバイデンとプーチンと習近平のような本気でいがみ合って敵対する国家的派閥がピラミッドの頂点に君臨しているわけではありません。彼らは皆、世界経済フォーラムの目標であるグレートリセットの実現に向けて、最も富と権力を持った層の思惑通りに動かされているのが明白です。〝国家〟がそもそも「家畜の分断統治を行うためのシステム」であることを考えると、ステートという分断を臭わせる単語も不適切です。

◆次元、時空、マンデラ・エフェクト、ワープ、テレパシー、スターシード

これらの概念は全て量子力学やアインシュタインの相対性理論、ビッグバン理論といったフラットアースの対立軸にある神秘科学の要素を含むものになります。ニューエイジ陰謀論者は非ニューエイジ陰謀論者よりも宇宙という概念への思い入れが強いため、宇宙コンテンツを前面に出した陰謀論を唱えることが実に多いのです。宇宙好きが高じすぎて、気が重くなることを指して「心の重力」といった宇宙の概念を無理やり押し込んだような表現をわざわざ使う情報発信者もいるくらいです。

◆「地球平面説を〝信じている〟人たち」というフレーズ

大地が平らである、という可能性すら全く探っていない人たちが使うフレーズになります。大地が平らであるという物理科学に基づいた論理的な帰結が、なんらかの信仰心の類で辿り着いた結論であると勘違いして決めつけているあたりが、このフレーズを言っている人が普段から主観や自身の信仰心で物事を「決めつけている」裏返しであるとも言えます。

正直なところ、世の中の真相にある程度気づいていながらもフラットアースだけは受け付けない人はニューエイジ気質である可能性が高いという印象ですし、実際に蓋を開けたらニューエイジ気質だった人が多かった記憶です。フラットアーサーの科学的な主張を聞いて、それでも自分は球体派だ、と思うこと自体は自由です。しかし、少なくともそれなりの論理的な整合性が高い大地は平面であるという主張を、「なるほど。一理はあるね！」とはならず、「いやいや、そんなはずは絶対ない。間違いなく球体だ！」とすぐに結論づけてしまうタイプの陰謀論者は、他の陰謀論でもあま

り論理性の高い主張は期待できないでしょう。

◆この政治家が！　あの政治家が！

用意周到な支配層が、民意ひとつで既存の体制がひっくり返る可能性のある、数年に一度の投票制度を誠心誠意で導入するはずがない。ということに気づけない人たちが陥りがちな政治傾倒であります。物事を俯瞰的に見られず、まだまだミクロ思考の（テレビやSNSを見て即座に反応してしまう）リアクション脳が抜け切れていないことがわかります。

政治は、一般国民（奴隷階層）に国の未来を決める際の裁量権が一般国民にあるかのように見せかけるためのガス抜きコンテンツでしかありません。まともなことを言う人が政治の世界に転身しても、そもそも国会議員に当選することもできず、奇跡的に国会議員になれたとしてもある一定のレベルより上には決していけず、基本的には成果が報われない「無駄な時間をひたすら浪費する」行為になります。

セレブリティ（芸能人など）と同様、ある一定のレベルに達すると支配層からのさまざまなお誘いや多くの人が断れないようなおいしいオファーがよくあるでしょうし、それを断ると干されるため、「まとも」を保ったまま上には決していくことができない仕組みができあがってしまっています。言うなれば「政治＝（国政に関心があり）インテリ（であると勘違いしている人たち）向けの時間浪費エンタメ」であるとして差し支えないでしょう。政治バイアスのある陰謀論者は、結局は支配層が用意した箱庭の中でいわゆる羊よりも少し大きく叫んでいるだけであり、本質的には羊とあまり変わらないと言わざるを得ません。

新たな陰謀論者に出会った際には、ぜひともこれらの言葉を使っているか確認してもらえたら嬉しく思います。

デイビッド・アイクの存在意義

世界的に有名な英国人ニューエイジ陰謀論者のデイビッド・アイク。本書の読者ならば、少なくとも名前くらいは聞いたことがあるでしょう。アイクはニューエイジ気質が故に、（当然？）フラットアースを否定している筆頭格の陰謀論者です。そのため、Facebook

グループ「フラットアースジャパン」でもたびたび取り上げさせてもらっている人物でもあります。

デイビッド・アイクの存在意義とは何か？

「羊であったがコロナパンデミックなどの世の中の出来事に疑問を持ちはじめ、真相に目覚めつつあるような人」をすくい上げる役割を果たしているという意味では、対象オーディエンスがやや異なるだけで、本質的にはQアノンと類似していると言えるでしょう（本人がわかっていてやっているのかはわかりません。あくまでも結果としての考察になります）。

　Qアノンは、目覚めつつある一般人の中でも、論理よりも感情や主観を優先し、思考が既に獣化している〝陰謀論B層〟とも呼べる人たちをすかさず袋小路へと誘うコンテンツです。また、〝子供救出劇〟、〝大量逮捕〟、〝光の勝利〟などのゴシップ新聞記事の見出しのような、ポップで二元論的なキャッチフレーズを巧みに使うことで、現状に不満を覚え、真相に目覚めつつある人々をも抱きこんでいるコンテンツになります。それまでニューエイジの主流であった「スピリチュアル系」が「陰謀論カルト」へと進化している起爆剤のコンテンツであると言えるでしょう。

　そしてアイクのコンテンツは、二元論的な思考回路のQアノン信者よりも、論理的思考などの知性を伴う思考がある程度できる目覚めつつある人々が対象となります（＝ややニューエイジ気質の〝インテリ〟陰謀論者）。古代宗教から歴史、世界情勢といったトピックをある程度自分で既に調べていて、批判的思考もある程度できる陰謀論者が対象なのです。そのため、実現したためしがない大量逮捕などのデマに次ぐデマを発信し続けるQアノンとは異なり、（対象者のインテリ層が離れていかないように）論理的な整合性のより高い情報をニューエイジコンテンツに織り交ぜたスタイルが採用されています。

　アイクの位置づけは実に巧妙であると言えます。まず陰謀論者として30年ほど前に登場した際、BBCの番組のインタビューで「俺はキリストの生まれ変わり」といった主張をし、番組後に視聴者やメディアからかなりの頭がおかしい人扱いを受けてしまいます。また、彼の書籍を読んだことがある方ならばご存じかと思いますが、アイク書籍の基本フォーマットは、論理的な整合性が低い主観や信仰がかなり介入してしまうようなニューエイジスピリチュアル系の主張を冒頭に掲載するスタイルとなっています。はじめに、レプティリアン（体型や肌の色を自由自在に変化させられる宇宙からやってきたトカゲ族）や、ワンネス（量子力学に基づいた人間は皆量子で繋がっていて、本質的には一体である）などの、わけのわからないニューエイジコンテンツをひと通り紹介し、その後で、金融や（ワクチンなどの）医療、政治などのより現実性の高い身近なトピックを配置しているのです。

私も本を書く時はかなり紹介トピックの順番に気をつけているのですが、普通は先に論理的な整合性の高いコンテンツ（たとえば観察や物理的に説明できるフラットアース）を掲載してから、意見が分かれそうな主観や信仰に関わる部分を掲載します。理由は信仰の部分で著者と同意しない、という理由でその先の箇所を読まなくなる人が出てしまうのをできるだけ防ぐためです。

先にレプティリアンを持ってきてしまうと、それを受け入れられない読者は、その後に用意されている客観的な検証や根拠に基づいた主張を読んですらくれなくなります。たとえ読んでくれることはあっても、レプティリアンの印象が強いため、その読者に対するアイクの説得力が確実に減ってしまいます。熟練の陰謀論者であり、頭もかなりよさそうなアイクがこの現象を想定すらできないのは論理的に無理があり、意図的にそういうフォーマットにしている可能性が高いと言わざるを得ません。つまり陰謀論界を代表するような立場のデイビッド・アイクは、彼の書籍を初めて手に取ったような一般人に、「アイクは頭がおかしい」という印象を与えてしまい、陰謀論というカテゴリー自体も道連れの形で一般人にトンデモ扱いされてしまうという図式のできあがりです。

アイクの存在意義について。彼がなぜ30年間もずっと陰謀論者という「仕事」をしてきたかについて考えてみましたが、アイクが今回のパンデミック終焉（しゅうえん）からのグレートリセットのために存在する重要人物の一人だという結論に辿り着きました。

彼の役割は、いずれある程度は加熱してくる可能性が高い、メディアによるコロナワクチンのスケープゴート化（副反応の危険性などについてある程度の開示と批判）における、インテリ陰謀論者層に説得力のある形での「大衆の勝ち」という結果の演出を先導することではないでしょうか。新たに真実に目覚めつつある人が、トランプやＱアノンに引っかからないのであればアイクで釣る、という寸法です。

その兆候として、アイクは反ワクチン運動のインフルエンサーであるロバート・ケネディjr（RFK jr）や有名な（代替医療を主戦場とする）対立軸医師たちが作った団体を応援した発言を複数回しています。この団体は、今後もワクチンのスケープゴート化を率先してやっていくでしょう。

そしてアイクは年齢からして今後も活動をずっとできないところから、アイクの後釜にもう少し若いジョー・ローガンやニューエイジ気質のラッセル・ブランドが、今後アイクの役割を引き継いでいくでしょう。アイクはグレートリセット後のメタバース黎明期には半分引退のような状態になることが予想されるため、支配層はアイクをコロナパンデミックあたりまでの捨て駒として捉えているのかもしれません。

アインシュタインの娘に宛てた愛の手紙にも通じるものがあるデイビッド・アイクの「この世界の真実は愛のみであり、その他は全てイリュージョンである」という考え方。これからもわかるように、家畜が湾曲して捉えているように思える「愛」という価値観を主軸に置き、〝ある程度目覚めた〟家畜の思考を退廃させるために転がされた人物なのではないでしょうか。そんなアイクが、RFK jrなどとともに、説得力のある〝愛と団結による家畜の勝利〟のストーリーをこれからも引っ張っていくでしょう。

たとえば、「愛のある」理念のもとでストライキを起こした（２０２２年）カナダのトラック運転手の行為は、愛に重きを置くアイク好きのニューエイジ陰謀論者からはヒーロー扱いを受けているのがよい見本と言えるでしょう（トラック運転手の行為を否定しているわけではありません。アイクファンと相性がよいという指摘をしているだけです）。

そして第二次世界大戦後の（資本主義や民主主義、世界平和を目標とする国連の創設などの）「家畜の勝利」のように、裏側で支配層はさまざまな法整備や世論の誘導を既に進めています。残念ながら、支配層のほぼ思惑通りです。

デイビッド・アイクの「全ては主観」

「全ては主観であり、この世界は我々の主観意識のワンネスでできている。仮想現実なのだ」

というアイクのニューエイジ気質に起因した主張があるのですが、アイクに限らず、この考えを信仰する人は思考プロセスがかなり破壊されてしまうと言わざるを得ません。特にデイビッド・アイクの書籍を読まれる方は、この主張による影響を受けないように気をつけていただきたいところです。

「全ては主観」は、極論や言い切りで自論を主張してしまいがちなニューエイジ気質らしい表現です。そもそも、全てが「主観」であるならば、対立概念／反対語の「客観」は世の中には存在しない、ということになります。それはもはや「主観」という概念ではなく「普遍」となってしまう論理的破綻の発想になります。

そして、この「全ては主観」というニューエイジ気質の人の多くが持つ価値観は、彼らが陰謀論を発信するスタンスにも影響を与えています。フラットアースを見本に取ると、以下のような視点になりがちです。

（1）俺には俺のフラットアース、お前にはお前のフラットアースがある。
↓ 自分が自分の世界の神様なのだから、どんなフラットアース理論でもよい

（2）大地が平らだろうが球体だろうがどっちでもよい。
↓ 自分のこと以外は無関心

（3）この世界は仮想現実（意識の集合体）だから、大地は平らにでも球体にでもなりうる。
↓ ワンネス信仰

「全ては主観」という価値観の浸透の狙いは、ずばり前述の「思考の獣化」になります。高尚な陰謀論を追究している、という一種の錯覚をニューエイジに与えつつ、（全ては自分次第であるため）陰謀論を娯楽として楽しむ、という状態に持っていく効果があります。

全ては主観なのだから、自分がワクワクするこの（論理的根拠の薄い）〇〇陰謀論が事実であるという

情報発信をしてもよいのだ、という開き直り状態になりやすく、この状態ではその人の思考の発展は到底望めず、思考そのものの退廃（＝思考停止）を意味します。そして、彼らは同じ陰謀論に関する他の人のより論理的に整合性が高い主張を聞き入れなくなります。自分の解釈のほうがよりワクワクするんだから、自分の世界観としては「あり」でよいではないか？　という客観性のかけらもない思考回路です。

フラットアースを再度見本に出しますが、たとえば、フラットアーサーがたまにやる、まっすぐな定規を水平線に重ねて平らであることを紹介する行為。これについても、その定規がまっすぐなのは観測者の主観かもしれないし、友人と一緒に定規を重ねて、二人とも明らかに水平線が水平であると客観的に確認できても、その場にいなかった人にとっては、その確認は「主観」であるため正解ではない、といった極端な意見になることもあります。

「観測者の主観」という発想は、おそらく量子力学における〝二重スリット実験〟の結果を疑似科学的に拡大解釈したものだと思います。ニューエイジの突飛な極論的主張は、メディアに出る時や現実世界で啓蒙活動をする際に、いわゆる合理主義のインテリ層にも簡単に論破されてしまうのです（＝「陰謀論のトンデモ化」が進んでしまう）。

また、そもそも「全ては主観」とするならば、陰謀論を通して真実を追究する行為自体が意味のないもの、ということになります。陰謀論を現実世界で情報発信する活動すら全くの無意味である、という矛盾も生まれてしまいます（＝だって全ては主観なのだから……）。

自分の腕を自分で切り落としたら、その人が実は超ドMで、どんなに主観で「気持ちいい」と思っていても、客観的にその行為は激痛が伴うため「痛い」のですが、「痛い」という意見も見ている人の主観である、ということになってしまいます（＝救急車を呼ぶ必要がないという判断にもなるのだろうか……）。これは極論ではありますが、「全ては主観」という価値観は、このような命取りレベルの考えに至ってしまうポテンシャルを秘めているということです。

個人的な経験を言うと、現実世界でたまに会っていたニューエイジ気質の方々が一年前から成長が全く感じられなかった（どころか退化していく）という現状を見てきたのですが、彼らにもこういう「全ては主観」のようなニューエイジ的な価値観があるからだったんだ、と今ではしみじみ思います。

彼らにとっては、「全ては主観」しかり、ニューエイジ気質をベースにしたさまざまな論理的な整合性の低い価値観が全て「正」である。そして、内心では、全ての人が同じように「全ては主観」と捉えるべきであり、そうでない人はイケておらず（＝ダサい）、逆にそれらの「高尚」な価値観を持っている自分はカッコいい、というふうに考えている節すらある。そう感じることが多々ありました。

我々の意識はワンネス（ひとつの集合体）であり、意識次第で自由自在に変化させられるというニューエイジ主張

ニューエイジのわかりやすい見本のひとつである、ヒッピーの浮世離れした価値観や生活模様を思い浮かべてもらうとわかりやすいかと思います。ニューエイジ陰謀論者は、〝都会に降りてきて社会により溶け込める装いをしたヒッピー〟と揶揄できるような価値観の数々を掲げていると表現しても差し支えないでしょう。

デイビッド・アイクに限らずですが、ニューエイジ

世界一有名なニューエイジ陰謀論者と言われるデイビッド・アイク

陰謀論者の多くは、一見知識を与えているようで、実は思考の獣化を促してしまっているのです。世界からガラパゴス化してしまった日本のニューエイジフラットアーサーも例外ではなく、世界のフラットアース主張からかなり乖離してしまっているのももったいない話です。何度でも書きますが、ニューエイジはNASAと並ぶフラットアース最大の対立軸であることを彼らにも読者にも理解してもらいたいのです。

また、ニューエイジは、トランスヒューマニズム社会を浸透させるために支配層が世に放った最強の武器です。メタバースでは、「マイク・タイソンを倒せる実装パッケージを購入し、ゲーム感覚でメタバースタイソンを倒す」であったり、「バーチャル宇宙旅行の切符が抽選で当たる」など、彼らがワクワクするようなことがたくさん用意されるでしょう。そのため、主観に侵されたニューエイジ気質の人間をできるだけ増やすことは、メタバースの大々的な普及にもかかせない戦略なのです。

第4章
思考の獣化という
メタバース慣らし

普遍的なデジタル管理による人間牧場の構築、そして半永久的な支配体制の実現。本章では、そのために不可欠な、支配層にとって「**理想の状態の家畜**」を考察しています。

　筆頭格は、支配層目線でたとえると、人間牧場の「**家畜**」という底辺身分の生き物にふさわしい「**思考の獣化**」です。

　思考の獣化とはなんでしょうか？

　前述の説明よりもさらに一歩踏み込んで説明します。本章を読めば、ニューエイジ気質と超デジタル管理社会の相性のよさが、読者の皆様の頭の中でも浮き彫りになっていくのではないでしょうか。

思考の獣化を改めて説明

　論理性ではなく、とにかく感性である。客観性ではなく、主観である。

　論理と感性、客観と主観――対立する思考プロセスをバランスよく両立できる人間は支配層にとっては脅威でしかありません。反対に、まるで動物（獣）であるかのように感情／感覚／主観だけで生きる人間は、牧場の家畜のように簡単にコントロールできます。テレビで少し恐怖を煽れば、感情が悪い方向に揺さぶられて、雷が怖くてパニック状態になる野生動物のように、すぐ思惑通りの行動（＝インスタント・リアクション）をとってくれます。私たちが自然から与えられた、人間だけができる高度な思考の形態である「論理性」「批判的思考」「哲学」「計算」「長期的な視野」を放棄するということは、「人間であるということそのものを放棄する」に等しく、支配層の言い分としては「そんな獣のような思考回路の人間はもはや人間ではなく、管理されて当たり前の家畜である」となります。

　コロナワクチンが「獣の刻印」と多くの陰謀論者に揶揄されている所以も、支配層のこの価値観に多くの陰謀論者が少なくとも薄々は気づいているからではないでしょうか。コロナワクチンについても、「論理的に考えられず、マスメディア情報を妄信して長期的な安全試験が完了していないワクチンを射ってしまうような人間は死んでも文句を言うな、だって獣なんだから……」という考え方なのでしょう。「今を生きる」や「批判を嫌う」をはじめとするニューエイジ気質は、まさにこの**思考の獣化**を体現した価値観であるということはご理解いただけたかと思います。

　動物は自分が嫌なことはしません。生まれてから死ぬまで、餌と快楽と安心感を求めているだけです。生まれる、求める、そして死ぬ。皮肉ながらも感性だけで生きている人間は本章を読んでも「気持ちがよくなれない文章だ」であったり「論理性とか言われても難しくてよくわからない」とそのままスルーし、今後も何も変わらない人が多いのが歯がゆいところではあります。

　ニューエイジ気質は、「人間牧場に適切な」人間が大量生産される体制を構築するために、支配層により100年以上も前から徐々に浸透させられてきたのです。本章では、思考の獣化をはじめ、ニューエイジ気質の特徴がもたらす一般社会への影響や、さらに盤石な支配体制の構築にニューエイジ気質がどのように貢献するのかを分析しています。

いわゆる「悪魔に魂を売る」という状態とは？

「悪魔に魂を売るとは、利己性を優先してしまっている状態を指しているものであり、非常に繊細な概念が故に、本人が気づいていることもほぼ皆無である」

　こちらは人間を心理学的に知り尽くしている支配層が導入している戦略について分析した考察になります。「悪魔に魂を売り渡す」ように支配層が一般人を誘導していく行為は、家畜（＝一般人）が愚かなひとりよがりの生物であるという本質を見抜いた、実に狡猾かつ効果の高い戦略であると言えます。特に音楽アーティストやプロスポーツ選手といった大衆娯楽で成功している人たちをコントロール下に置く際に使われている手法です。

　あの有名人は悪魔に魂を売っているよ！　という陰謀論者の意見を耳にしたことがある人は多いかと思います。おそらくその有名人が「悪魔への忠誠」の証として、片目を隠したフォトショットや手を使った666や悪魔の角のサインなど、わかりやすい形で忠誠を誓っている（または誓わさせられている）ように見えたから出た意見なのでしょう。サインをさせる、などのわかりやすい「マーキング」も悪魔に魂を売り渡してもらうための一環なのですが、こういう気づかれやすいことを著名人にさせることで、私たちが持つ「悪魔に魂を売った状態」に対するイメージへの心理的な印象操作を実は仕掛けています。

「悪魔に魂を売った」状態とは、ディストピア映画や陰謀論系の動画をたくさん観てしまうと、サタンという角の生えた悪魔生物を崇拝し、生贄(いけにえ)儀式と称して山羊の首を切り落としてその血を飲んだり、お金のためにと罪悪感を持たずに悪事を働いてしまう人間を想像してしまいがちではありません。もしかしたら国家スパイとして知能的に工作作戦を遂行する人物を想像してしまう人もいるかもしれません。しかし現実でそのような「悪魔崇拝者」は、一種の用意された風刺でしかありません。

実際は、わかってやっているタイプの人間（英語でControlled Opposition）がごく少数存在しているだけで、基本的には一般人（英語でUseful Idiot）が支配層のマリオネットとして糸を引かれた状態で無自覚に行動している状態であるのです。Useful Idiotたちは、むしろ自分なりの正義感で行動している場合が多いです。支配層は彼らの屈折した正義感を利用するために、彼らのエゴを撫で、簡単に思い通りに動いてくれる駒に変身させていきます。


そんな簡単に操れてしまうUseful Idiotを操作するControlled Oppositionは少数でよいのです。一般論として、嘘が嘘であるとバレないようにするには、その嘘をわかっている人の人数を最小限にする、という法則があります。その観点からもControlled Oppositionの数が少ないのは、実に合理的な判断であると言えます。工作活動の実行部隊が、目的を知っていて行動している意図的な工作員ばかりであれば、人数の多さにより、嘘がそれだけバレやすいということではありますから、嘘だともわかっていない人が多い体制のほうが、工作の本質を隠しやすいのです。

日本には「風が吹けば桶屋(おけや)が儲(もう)かる」ということわざがありますが、まさに支配層は風を少しだけ吹かせば、あとは愚かな家畜たちが勝手に自分たちの墓穴を掘ってしまうのです――シンプルに言ってしまうと、お金や知名度がたくさん手に入る手段を間接的に提示するだけで、人々は簡単に「自分や家族のより豊かな生活」のために正義感をもって行動するようになるということです。動かされている本人たちは当然気づけません。

情報発信者や政治家の中で、世の不都合な真相を広めることで一人でも多くの大衆の生活が改善されてほしい、という純粋な利他性で情報発信をしている人は実際にはあまりいません。注目されることであったり、大きな収入を得ることであったり、ひたすら好きなことをして生きたいであったり、利己的な思惑がそれなりの動機となっていることが多いのではないでしょうか。

こういうタイプの大多数には利他的な気持ちが一切ないとは言いませんが、こうした個人個人の利己的なエゴを撫でることは、大衆心理学にも精通している支配層からしたら朝飯前なのです。フリーメイソンリー（および多くのニューエイジコンテンツ）でもそうですが、やり方としては利己性自体が美しいものである（または正義である）とその人にポジティブ変換をして説得します。あなたとあなたの家族に物質的な豊かさをもたらすのは何が悪い？　あなたのやっていることはこの世界に秩序という平和をもたらしますよ、人生は一度しかないのだからできるだけ注目されてスターとなって人々の記憶に残る生き方をしたほうがよいですよ、といった切り口が使用されます。

プロスポーツ選手が一番わかりやすい見本でしょう。「（選手になるという）子供の頃からの夢の実現」「高い収入による物質的豊かさの実現」「チヤホヤされる注目の選手になる生活」といったポジティブに変換された利己性を交換条件として、支配層の思惑に（本人にも気づかれず）なし崩し的に加担をさせて、その加担がまるで当然の正義であるかのように選手たちを説得し、丸め込んでしまうのです。当の選手たちはなんの悪気もなく、「自己実現」を叶えられるプロスポーツを、自分や家族に物質的な豊かさなどをもたらすありがたい仕事、としか捉えません。それ以上深く考える選手はほとんどいないでしょう。血の滴る山羊の頭をむしゃむしゃと食べるどころか、会ってみたら高級車とブランド服とスイス製の腕時計が好きな（表面的には）ナイスガイといった印象の人がほとんどではないでしょうか。

悪魔に魂を売った状態とは、こうした利他性よりも利己性を優先した状態であるため、スポーツ選手ならずとも世の中の誰でも陥る可能性がある「よくある状態」でしかないのです（写真撮影の際に666ポーズを取らされる有名人の中には、それが〝忠誠の証〟とは考えずに、現場のディレクターにそのポーズを取ってくださいと言われたから、〝日常の仕事〟として何も疑問に思わずやっているだけの人が多いのが実情ではないでしょうか）。

　普通に家族を愛し、街中でファンにサインを求められたら笑顔で応じ、友人を集めて自宅で美味しいご飯を振る舞うこともあるでしょう。こういう人たちの多くは、悪魔崇拝儀式に定期的に参加しているわけではありません。世の中の役に立つための利他性よりも、自分の自己実現を達成するために必要な利己性を優先しているだけです。「**自己実現**」という正義感で「自分を正当化」している状態なのです。

　スポーツ選手というよりは特にニューエイジ陰謀論者に当てはまることですが、自分勝手な情報発信をやめるべきだ、と誰かが指摘しても、彼らは「正義感でやっているんだ！」と開き直ったり、怒り出すだけです。正義感を否定されたと憤慨し、指摘を受ける以前よりもさらに利己的に振る舞ってしまう場合もあるため、実に厄介な「薄っぺらな正義感」なのです。そして己の幸福を引き続き追求していくだけです。陰謀論の情報発信者たちは、こうしてどんどん利己的な状態へと堕ちていきます。彼らがトンデモ陰謀論を発信することで、陰謀論というジャンル自体が全てトンデモであるという印象を一般大衆に植え付けてしまうため、利他的な思いで情報発信している人の足枷でしかありません。

利己性＝自分（ミクロ）さえよければ、全体（マクロ）がある程度犠牲になるのは仕方がない

利他性＝自分個人（ミクロ）のことはさておき、全体（マクロ）がよりよい状態になるように努力している

　利己性が勝っている状態が、比喩的（宗教的）な解釈としての「悪魔に魂を売る」となります。

たとえば、新約聖書は基本的に「利他性（キリスト）」と「利己性（サタン）」を比喩的に対比させた書物であり、キリストが荒野にしばらくいた時にサタン（悪魔）に「私を拝んでみよ。そうすれば、この世の王国と栄華をあげよう」と誘惑される場面があるのですが、まさに利己性（サタン）への誘いであると言えます。イエスキリストは利他性の象徴であるため、当然その誘惑を撥ね除けますが、利己性を重視する（＝サタンに付け入られる隙のある）人間が誘惑されたのであれば、そのままサタンとの契約を結んでしまっていたでしょう（＝利己的に生きる）。

〈まとめ〉

あの有名陰謀論者が「悪魔に魂を売った」だなんて信じられない！　実際に会ったことあるけどよい人だったしニコニコしていた、という感想は、その人物に対する評価を下すための指標にはなりません。ぜひこのことを踏まえて、今後は悪魔に魂を気軽な気持ちで売ってしまった方々を観察していっていただけたらと思います。

なかなか見抜けない場合もあるでしょう、また利己性を追求しているので、彼らは（注目してくれる、お金をもたらせてくれるプロップであるという部分を除いて）ファンのことは本質的にはどうでもよいため、あまり熱烈に支持をしても有意義ではありません。ファンは自己実現のためのひとつのツールでしかなく、長く直接関わったりすると、ただただ自己実現に付き合わされて疲れるだけでしょう。

「悪魔に魂を売ってしまった人」は基本的には有名人のことだ、と考えてしまう読者もいるかと思いますが、その辺の一般人でも、虚栄心やエゴをうまく撫でれば、わりと簡単に悪魔側（＝利己性）になびいてしまう人がマジョリティなのではないでしょうか？

政治家を志す一般人にたとえれば、最初は世直しのために政治活動をしていたのに、いつの間にか国会議員になるという自己実現のための票集め、といった利己的な目標が主目的として置き換わってしまった人も実際にいると思います。「まさか自分がそんな悪魔の罠に引っかかるはずがない！」と個人を勘違いさせた状態で悪魔側に加担させるという、支配層の巧妙かつ高度な戦略にほかなりません。

ニューエイジのキーワード警鐘

こういうキーワードが入ったコンテンツは、一見ニューエイジ・スピリチュアル系には思えなくても、実はニューエイジだった、というコンテンツが多いのでお気をつけください。それがわかる、Facebookグループ「フラットアースジャパン」のメンバーからの鋭いコメントを掲載します。

ニューエイジのキーワードを挙げてみました。多岐にわたるため、全てを把握できず網羅できてないとは思いますが。

New Age とは「新しい時代」です。

◎新しい（〝新しい〟は、新しい生活様式、ニュー・ノーマル、ニュー・ワールド・オーダーへの誘導であり、要注意キーワードと思います。例：〝新世界〟〝新地球〟）

◎波動（波動が上がる・下がる　→　存在しないものをあると思わせる）

◎光と闇（光の勝利：闇の勢力と戦い、光側が勝利する　→　妄想ストーリー）

◎幸せ（新興宗教組織の介入の可能性が高い）

◎全てはひとつ、ワンネス（世界統一政府を受け入れさせる戦略）

◎現実は自分で創るもの（一人一人が神様であると錯覚させる）

◎自由、解放（ムーンショット計画へのマインドセット）

◎手放す（片づけを入り口に、断捨離ブーム、全捨離、ミニマリスト　→　グレートリセットの〝何も所有しないが幸せ〟へのマインドセット）

◎次元、高次元（存在しないものをあると思わせ、複雑化させる）

◎愛（愛が全て：利他的に思わせて、実は、自分を愛するナルシスト・利己的なフリーメイソンリーへ）

◎批判しない、考えない（思考力や批判的思考を削ぎ取り、支配しやすい家畜にさせる）

◎客観的なものは存在しない（主観が全て　→　主観でどうにでもできる妄想）

その他諸々、

◎ポジティブとネガティブ

サタニズム（悪魔崇拝）とニューエイジの共通認識は「自分が自分の世界の神様」であるということ

◎宇宙
◎チャネリング（メッセージ）
◎思考の現実化
◎超越する
◎今
◎ＵＦＯ
◎銀河
◎量子力学
◎引き寄せ
◎リーディング
◎オーラ
◎開運
◎ワクワクする
◎ヒーリング
◎世界同時瞑想
◎水瓶座の時代
◎風の時代
◎タイムトラベル
◎自動書記
◎エンジェルナンバー
など。

ニューエイジ陰謀論の中長期的な予測

過去１００年強における支配層の最大の武器は、戦争でも独裁政権でもなく、アニメ、漫画、ゲーム、ＳＮＳ、新興宗教、スピリチュアル系などの娯楽コンテンツによる、ニューエイジ思想や気質の植え付けです。

そして、「快楽主義」と「思考の獣化」を促進させるニューエイジ気質の浸透の目的は、支配しやすい「トランスヒューマニズム社会を少なくとも潜在的にポジティブに待ち望んでいる人間」を大量生産することにある。ということを念頭に置きながらこちらを読みすすめてください。

それでは、ニューエイジの特徴と併せて、陰謀論の今後数年間の未来を予測してみましょう。

ニューエイジの特徴ごとに分けて、相性のよい／悪い陰謀論のジャンルについて説明していきます。

ⓐ独自性が増す
ⓑ自分が自分の世界の神様

ⓒなりたい自分になれる
←メタバースで自由自在

メタバースでは、自分の見た目をアニメ調のアバターに変身させるなど、ルックスに対するコンプレックスを「ひとつの個性」や「自分のカワイイ分身」というポジティブ概念に変換したり、性別や生物（人間↓動物のキャラクター）を変えたりすることができます。快楽主義の俗っぽい人間であれば、どんな人ともバーチャルセックスができたり、個人スペースをまるでゲームのようにバーチャルなファニチャーやアイテムで自由自在に装飾したりできることに多大な魅力を感じるでしょう。デジタルアイテムやパッケージを購入して「身体能力をブースト」すれば、メタバース内のスポーツゲームでも大活躍でしょう。マイケル・ジョーダン並みのジャンプ力を与えてくれるバスケットシューズあたりは人気アイテムになるのではないでしょうか？

メタバースで実現できる世界とニューエイジ気質の相性は抜群であり（＝相性がよくなるよう長年慣らされた）、ニューエイジ陰謀論者がメタバースをネガティブに捉えることはあまり考えられません。実際、今のところメタバースを問題視しているニューエイジ陰謀論者を私はまだ見たことがありません。

ニューエイジ気質の人は、映画『マトリックス』を観ても比喩的に捉えずに、「ゲームのようにカンフーができる」世界観にあこがれる人が少なくなかったと思います。ニューエイジの中でもとりわけ論理的思考が削り取られた「Qアノンを信じるようなタイプ」のニューエイジ陰謀論者は、むしろメタバースを（その設定に基づく課金の数々さえ怠らなければ）「光の軍団が闇に打ち勝つ設定もある世界」として奨励するのではないでしょうか。トランプが世界大統領となり世直しをする設定も購入できたりして……。

メタバースは、とにかくワクワク依存症のニューエイジ気質にはたまらない世界観となるでしょう（メタバース系の情報は、非ニューエイジの情報発信者を参考にしましょう）。

ⓓ今を生きる

ニューエイジは長期的に物事を考えるのがかなり苦手なため、トランスヒューマニズムを「未来すぎてよくわからない」として、少なくとも今後数年間はあまり取り扱わないでしょう。目に見える未来でもしばらく先の話（ムーンショット計画完了は2050年の予定）であるため、未来を「今の連続におけるポジティブの積み重ねで引き寄せればよい」と考えているニューエイジには、むしろ敬遠されるトピックであると言えます。20年先に起き、ましてやワクワクしない陰謀論など、突き詰めて調べてもしょうがない、とすら思っているのではないでしょうか。

トランスヒューマニズムは、支配層が持つ支配力の増強のために推し進められているという実情に、潜在的には気づいているニューエイジ陰謀論者もさすがに一定数出てくるとは思いますが、彼らはとにかく先のことが考えられない（＝考えたくない）のです。ニューエイジは包括的に物事を考えるのも苦手のため、今起きているさまざまな思想の誘導や社会的な慣らしが、トランスヒューマニズムと実は繋がっていることにも気づけません。トランスヒューマニズムは、とにかくニューエイジが苦手とする思考プロセスやものの見方がふんだんに必要なトピックなのです。

そう言えば、しばらく前に某スピリチュアル系陰謀論の情報発信者がトランスヒューマニズムを一瞬取り上げていました。もしその後にもその人が鋭いトランスヒューマニズム未来予測を発信しているのであれば、個人的には驚愕（きょうがく）するレベルです（多分ほとんど扱っていないでしょう）。

ⓔ熱しやすく冷めやすい
ⓕ過去に囚われない

少し前から兆候が見られるのですが、ニューエイジの旗艦コンテンツとしてここ数年人気を博していた、いわゆるスピリチュアル系が斜陽コンテンツ（徐々に消えるコンテンツ）となりつつあります。スピリチュアル系は（新興宗教ほどではないにしろ）いささか「宗教色」が強いため、支配層からすれば、ニューエイジの熱しやすく冷めやすい性質（＝流行（はや）りものの対立軸陰謀論的なコンテンツに次々と目移りしていく性質）をうまく利用しながら、今後は今以上に宗教っぽさを打ち消していくのが効率的な戦略になります。

特に、好きな対立軸医療の情報発信者からの受け売り情報を暗記しただけで、なんとなく（疑似）インテリになった気分を味わえる対立軸医療（代替医療やワクチン副反応の軽減方法など)、疑似科学(マッドフラッドや宇宙人など)、疑似歴史(歴史は全て捏造論)の存在感がますます大きくなっていくと予想されます。
金儲けや、ワクワクコンテンツ発信で注目されるといった自己実現に余念がないニューエイジ情報発信者の多くは、この「スピ離れ」の傾向に既になんとなく気づいて陰謀論カルトと呼べるコンテンツの発信をしています。そして、彼らのトンデモ主張をほぼ無条件に信じ込み、すぐに他人に拡散してしまうファンがかなり多いことから、疑似科学や医療を取り扱う陰謀論がスピリチュアル系に代わるニューエイジの主流思想になるのも時間の問題と言えるでしょう。

ⓖジャスティン・ビーバー最強説

ニューエイジは、(自分の)思考や頭脳への潜在的な自信のなさが故に、SNSなどで量や数を過度に重要視する傾向(多くの人が賛同しているならば、きっと自分は正しいという他責の考え)があります。それを、特にためになる情報を発信はしていないが、SNSのフォロワー数が相当に多い人気歌手のジャスティン・ビーバーにたとえて、この表現を使っています。

この傾向により、リアクション数やチャンネル登録者数がある程度増えると、逆に行き過ぎた自信をその情報発信者に与えてしまいます。時間とともに独自性が増す現象も、この「根拠のない自信をすぐに持ってしまう」傾向に起因しているでしょう。陰謀論の説得力がある程度高くなる(感染症や大恐慌などにより)世の中が世知辛い状況であり続ければ、これらのニューエイジ陰謀論のうちのいくつかは、人気が加速度的に上がる可能性もあります。

ニューエイジ情報発信者は、ニューエイジが故に、他のニューエイジに好まれる主張をし、ニューエイジ気質のフォロワーに多くのリアクションをしてもらえることで、自分の言っていることは正しいんだ！と勘違いしてしまうという悪循環に陥(おちい)ります。こうして論理的な整合性が著しく低い陰謀論が世を埋め尽くし、一般人にはいつまでも「陰謀論は全てトンデモ論」であるという印象を与え続ける永遠のループのできあがりです。

ニューエイジ気質は、真相をきちんと伝えたい人の足枷でしかありません。ニューエイジフォロワーからのリアクションが多いのは、情報の正しさの証明にはならず、日本の陰謀論界には、ニューエイジ気質が蔓延っているということの裏づけにしかなりません。今後も人気上昇傾向にある流行りの陰謀論を、もう一度冷静に捉えてみてほしいところです。

（支持者にフラットアーサーが多いことが歯がゆい）「マッドフラッド」という人気が少しずつ上がってきた陰謀論について紹介します。

マッドフラッド＝200年ほど前に世界的な泥洪水が起きて、世界人口が一度リセットされ、歴史が全て改ざんされた、とするニューエイジ界隈限定で人気の、疑似科学／疑似歴史的な陰謀論になります。

この疑似科学／疑似歴史ニューエイジ陰謀論の虜になっている人たちが日本にも一定数存在するのですが、彼らがやっていることは、「フィールドワーク」と称して全国各地の〝なんかちょっと古そう〟な建築物を巡る遠足であったり、「ディスカッション」と称したワクワク陰謀論を仲間と語り合うオフ会を定期的に開催したりしているだけです。

どれだけマッドフラッドは、論理的な根拠に著しく乏しい、と根拠とともに説明しても、「マッドフラッドはれっきとした科学的な考察だ！　何を言っている！」と、時には怒りとともに反論しかしないニューエイジ陰謀論者が多いのが、個人的には非常に残念ではあります。

（マッドフラッドが）あってほしかった、という個人的な願望と、実際にそうだったか、という「ファンタジー」と「現実」の区別がほとんどついていない点では、心が既に（なりたい自分になれる自由自在な）メタバースの中にあるとも言えます。また、「まわりのニューエイジのウケがよい＝事実に基づいた整合性の高い主張に違いない」という勘違いを起こさせる、このジャスティン・ビーバー最強説に起因した陰謀論の既成事実化により、マッドフラッドにハマっている人は今後もしばらくは（カルトのように）ますますハマっていくのだと思います。メタバースでは、「泥洪水設定」パッケージを電子通貨で購入して、「本当」のことにもできるようになるため、その前に熱しやすく冷めやすい子供のような性質のニューエイジたちがマッドフラッドに飽きてくれることに望みを託したいところではあります。

また、時間とともに独自性が増すの法則で言えば、最近は、マッドフラッド以前の前文明ではテレパシーが普通に使われていた、10m級の巨人がいた、マッドフラッドによりムー大陸やレムリア大陸が沈んだ、前文明では（狼人間など）人間と動物の混合種が普遍的に生息していた、といった「全世界同時泥洪水よりもさらに〝頭がおかしい〟と思われる」主張の数々が登場しだしています。

ⓗ対立軸に立つのが好き

ニューエイジはポピュリスト思考（＝メジャー軸の対立軸に立つのがとにかく好き）が強く、カウンターカルチャーへの傾倒が顕著です。そのため、自分に自信がないニューエイジに根拠なき自信をつけてしまう「インテリっぽい」政治や対立軸医療のコンテンツが、引き続き人気の高いニューエイジ陰謀論として君臨するでしょう。

政治については、YouTubeというコストがあまりかからない活動もできるようになったため、参政党のようなぽっと出の弱小政党の数がさらに増えるのではないでしょうか。ニューエイジが応援したい対立軸として検討する弱小政党が供給過多気味になれば、票数が分散されるため、結局はいつもの如（ごと）し、惰性で毎回投票をしているような羊たちによる圧倒的な投票数により、与党の自民党が磐石な体制を維持するのが目に見えます。民衆の分断こそ支配層の最大の武器のひとつだということです。

対立軸医療については、引き続きいろいろな「科学的にはよくわからないけど、なんとなくポジティブな感じがする」ニューエイジ疑似科学の医療機器が人気を維持するでしょう。メジャー軸の西洋医療から「一線を画す」、なんだかすごそうな「代替医療の説」が登場して、今後も何が本当に効くのかもよくわからない状態が続き、よくわからない医療機器が蔓延（まんえん）していくでしょう。ニューエイジ対立軸医療に取りつかれた「患者」たちは、保険適用外の代替医療に高額な医療費をつぎ込み、まわりのニューエイジにもどんどんすすめてしまうため、まわりからの「○○さんも試してみなよぉ～」という同調圧力も手伝ってか、なかなか抜けられない人が多いでしょう。儲かる商売はなくならない、の法則で根強く残っていくのが代替医療です。

ⓘ自分の体を労るものに目がなく、侵すものは大嫌い

ニューエイジは、体の中に何を入れるかで「波動が上がる／下がる」という疑似科学を少なくとも潜在的には信じているため、製薬やワクチン、フッ素、重金、農薬に多大な関心と反発心を示すところは今後も変わらずだとは思います。

支配層が今後さらに仕掛けてくるであろう、虫を寄せつけない遺伝子組み換えの農薬いらずのオーガニック野菜など、「オーガニックって書いてあるし、なんとなく体によさそう」な宣伝文句をそのままポジティブに受け入れるのではないでしょうか。

仕掛け人のマーケティング次第ではあるかもしれませんが、無農薬！　オーガニック！　健康になれます！　地球に優しい！　サステナブル！　と謳うだけで、多くの（意識高い系を含む）ニューエイジは目がハートマークになるので、ある意味楽勝な商売ではあります。「波動が上がる野菜」みたいなキャッチコピーを採用する商品も、ニューエイジ発信者たちから発売されるかもしれません――波動の上がる野菜を購入するのは、高額なサブスクリプションモデル限定の可能性もあるでしょう。

昆虫食については、意識高い系のニューエイジは「地球に優しい昆虫食」を好意的に受け入れそうではありますが、見た目が気持ち悪い（＝食べたら波動が下がる）という理由で抵抗を示すニューエイジも多いのではないでしょうか。

あるいは、高級食になっていってしまうことでなかなか食べられない赤肉を時々「ご褒美」として食べるが普段は昆虫食を仕方なく食べている「収入が平均よりも低めな家庭」を、「貧乏なあなたは波動が低いから虫を食べる日常なのよ！」とただただ見下す可能性もあります（こういう主張をする重度なニューエイジは、昆虫食を実は時々食べていても、ＳＮＳでは豪華な赤肉の写真しか上げないと思われる……）。

ちなみに少し前に突如として表舞台へと躍り出た参政党が一部のニューエイジに熱烈に支持されるのは、もともと支持者として予め想定していたニューエイジの性質を参政党の党員がよく理解しており、反ワクチンやグルテンフリーなどの「体に害のあるものを入れない」情報発信をして、想定支持者に媚びたからなのではないかと推測しています。

〈まとめ〉

トランスヒューマニズムなどの長期的な未来にはほとんど触れず、メタバースはむしろポジティブに捉え、人気が出はじめた疑似科学や代替医療も取り入れたワクワク陰謀論は、時間とともに独自性がどんどん増す。さらに人気が出れば出るほど「お金の匂いがする」として、多くの情報発信者が取り上げ、独自の解釈をどんどん入れ込んでいく。そして、部外者からは頭がおかしいと思われるコンテンツが蔓延る、という図式のできあがりです。

本書でも後ほど触れますが、神智学が登場した頃から唱えられ、支配層の大きな目標のひとつである、**世界の宗教を統一することによる世界的な思想の統一。その最終的な形である「大地教」**の思想に則ったコンテンツが、今後徐々に増えてくるのではないかと考えています。

読者の皆様が、世の中に普遍的に仕掛けられた「ニューエイジ」という思考の袋小路にハマらないでほしい、と強く思います。

ニューソート（New Thought）というカルト自己啓発

ライフコーチングの講師は世に多く存在しますが、ニューソート※という自己肯定感を上げる精神的な要素を足し、ニューエイジ気質に媚びる形で差別化を図る講師が、何人も世に登場してきました。希少性が高いと思われるものほど価格を上げられるため、自分のコーチングの〝商業的価値〟を釣り上げることのできる効果的な戦略が「引き寄せの法則」などを主張するニューソートなのです（新思考とも記載される）。

日本のニューエイジムーブメントの基盤コンテンツのひとつであると言っても過言ではありません。アムウェイなどの代表的なマルチ商法の会社も、ニューソートの概念を営業マンに教育していたのは有名な話です。

ニューソートは、キリスト教の要素を取り入れた（神智学ルーツの）思想です。

※ニューソートとは？（Wikipedia より）

ニューソート（New Thought、新思考）、ニューソート運動（New Thought Movement）は、19世紀後半にアメリカ合衆国で始まったキリスト教における潮流のひとつで、一種の異端的宗教・霊性運動である。理想主義的な神学、楽観的な世界観、個人の幸福・健康・物質的な成功に焦点を当てた宗教的儀式を共有する、緩やかに繋がり合う多様な宗教共同体の集まりである。物質に対する心の力、精神の優位性に重点を置くもので、理論的にも実践的にも宗教的観念論の一種である。現世利益の追求を戒めるキリスト教プロテスタント系カルヴァン主義への反発を背景に生まれた。ニューソートは、アメリカのメスメリスト（催眠治療家）・心理療法家フィニアス・クインビーやクリスチャン・サイエンスの創始者メリー・ベーカー・エディの思想を中心としていた。超絶主義者のラルフ・ウォルド・エマーソンの哲学を支えに徐々に社会に浸透していった。アメリカの対抗文化の流れを汲むニューエイジの源流のひとつであり、後のカルトや、通俗心理学、自己啓発運動や自己啓発書への影響も大きい。

ナポレオン・ヒルやエスター・ヒックスをはじめ、多くのニューエイジ系自己啓発講師たちが取り入れていた／取り入れている概念になります。

日本だと、「言霊（ことだま）」という概念との類似点から、「引き寄せの法則」や「ポジティブシンキング」といった疑似科学のコンテンツがニューソート発祥のものとしてかなり浸透しています。

ニューソート的な発想は、基本的に聞き手が逆境に身を置いている状態であればあるほど効果が高いと言えます。弱った人間をポジティブコンテンツで釣るという効率抜群のビジネスモデルです。ニューソートに傾倒する人は、基本的には「救い」や「現状の改善」「自分に自信をつける」といった願望が強くあるため、わらにもすがる思いで心酔していく人も中にはいます。ニューソートに興味を持ち出した時点で既に（強く信仰したい何かを求めている）カルト気質であるとも言えるため、個別のニューソートコンテンツに疑問を持ちはじめても、自分の置かれている状況を客観視できない（＝強い信仰心によるメタ認知の欠如）ことから、表面的には別のものに見える他のニューソートコンテンツを見つければ強く惹かれてしまいます。仕掛け側は、一旦ニューソートに抱きこんだ人を貴重なリピート客にできてしまうということです。

ニューソートを取り入れた自己啓発セミナーの特徴を記載します。

◇複雑な事柄を超簡略化させて聞き手に伝える概念

が多いです。願いが叶うのは想いが強いからだ、以上。ポジティブに思考していれば幸せになれる、以上。間は省く。

個人の力ではどうすることもできない自然災害の可能性はネガティブな思考となるため、自分の人生を左右しかねないものとして検討すらされない。自然災害について考えてしまうと、実際に身のまわりで起きてしまうと本気で考えるのです。

また、仕掛け側にセミナー会場などでラブボミング（＝ほめ殺し）をされすぎて感覚が麻痺(まひ)してしまった受講者は、名刺を発注しただけなのに商談を取ってきたかのような気分になり、何かを成し遂げたわけでもないのに気分をよくして帰るため、ポジティブ依存症としてまた受講しにくるケースが多いのです。

◇会場の一体感や講師からの同調圧力により、セミナー受講者は批判的思考ができなくなってしまいます。

アメリカのメガチャーチがわかりやすい見本なのですが、伝道師が強い口調で繰り返し同じようなフレーズを唱えることで会場中の信者が熱狂し、伝道師の言葉に疑問すら持ってはならないような空気を作り出し、その場を支配していきます。

◇幸福感が得られる概念を隠れ蓑(みの)に、本当の目的を巧妙に織り交ぜる詐欺的なスタイルが取り入れられます。

この商品を購入してほしい――たくさん売れば、あなたもお金持ちになり、まわりからも認められるよ！　などとポジティブな（実際には起きるとは限らない）結果を主張した口説き文句により、受け手を洗脳していきます。

◇「自分によいことが起きるのは、自分のポジティブ波動がよいことを引き寄せたから」といった、本来は論理や科学的な仮説と実証をいくつも積み上げてから主張されるべき事柄を、聞き手は「（仕掛け側による）主張」→「（疑ってはならない）間違いのない結論」と簡略化して思考します。そのため、仕掛け側はあまり考えさせずに結論に急がせることができます。

セミナー講師や伝道師がそう言っているのだからきっとそうに違いない、という思考プロセスで終わりです。中心人物をグルのように仕立て上げるイメージ戦略が導入されることが多いのはこのためでもあります。神格化こそ最大の説得材料なのです。

◇貧乏、病気、事故、ストレスなどの「ネガティブ」な環境はその人自身のせいであり、この商品を購入すれば「不幸からの脱出」や「より高みのある人生」に移行できるという客観性が皆無な期待感に基づいた「成長」や「自己実現」ができるように錯覚させていきます。

ニューソートにのめり込む人に楽観主義者が多いのもこれに起因しています。カルト的な思想であることから、聞き手の購買意欲を（疑似的に）かなり高めることができます。

◇顧客（カモ）は、「自分がポジティブ波動を引き寄せられるのは自分が優秀だからだ」という優越感を抱きます。また、ポジティブ波動を分かち合う仲間とは強力な連帯感が生まれます。

井戸端会議のノリで「先日大きな交通事故にあって1か月入院することになった○○さんは、波動が低かったから不幸を引き寄せたのでしょうね〜！」「そうよねぇ！」と盛り上がってしまうような一体感であるので、仲間以外の人への強烈な排他性を併せ持っていると言えます。

◇ニューソートはここが特にずる賢いのですが、「病気になった人は波動が低くポジティブシンキングが足りなかったから」という概念を既成事実としてしまえば、たとえセミナー受講者が定期購入契約をした商品の効果が全く見られなくても、それは商品のせいではなく購入者自身のせいである、という言い訳が立ちます。購入者は負い目から商品へのクレームをほとんどしなくなるため、「どんなクレーム対応窓口よりも効果が高いクレーム対応」なのです。

こういう根拠のない主張をほぼ無条件に信じてしまうようなカルト思考に陥った人は、3・11の津波死亡者の身内に、その人が死んだのは想いや愛が足りないからでは？　と訊くことができるのかを本気で問いたいです。仲間内と「津波で死んだ人たちはネガティブ波動だったから」というニューソート気質のやり取りをSNSで複数回見ているため、本当に怒りを覚えます。

〈まとめ〉

グル的立ち位置の中心人物が、聞こえがよく自己肯定感を上げる情報発信をすれば、顧客の優越感を撫でつつも思い通りに高額な商品やサービスへと誘導していくビジネスモデルが完成していきます。人間は大変弱い生き物ではありますから、いつの時代もカモはなくならないのでしょう。今後も完全になくなることは決してないと思っています。

余談ですが、オウム真理教も初期は、ただの厳しめのヨガサークルのような出で立ちだったそうです。独自性が時間とともに徐々に上がっていくのは世のカルト集団の常です。オウム真理教は少し極端かもしれませんが、最初は危険な兆候がなかったにもかかわらず、地下鉄に毒ガスを撒くという人命を奪う極めて反社会的で危険な行動に移る場合もあるというよい見本ではあります。

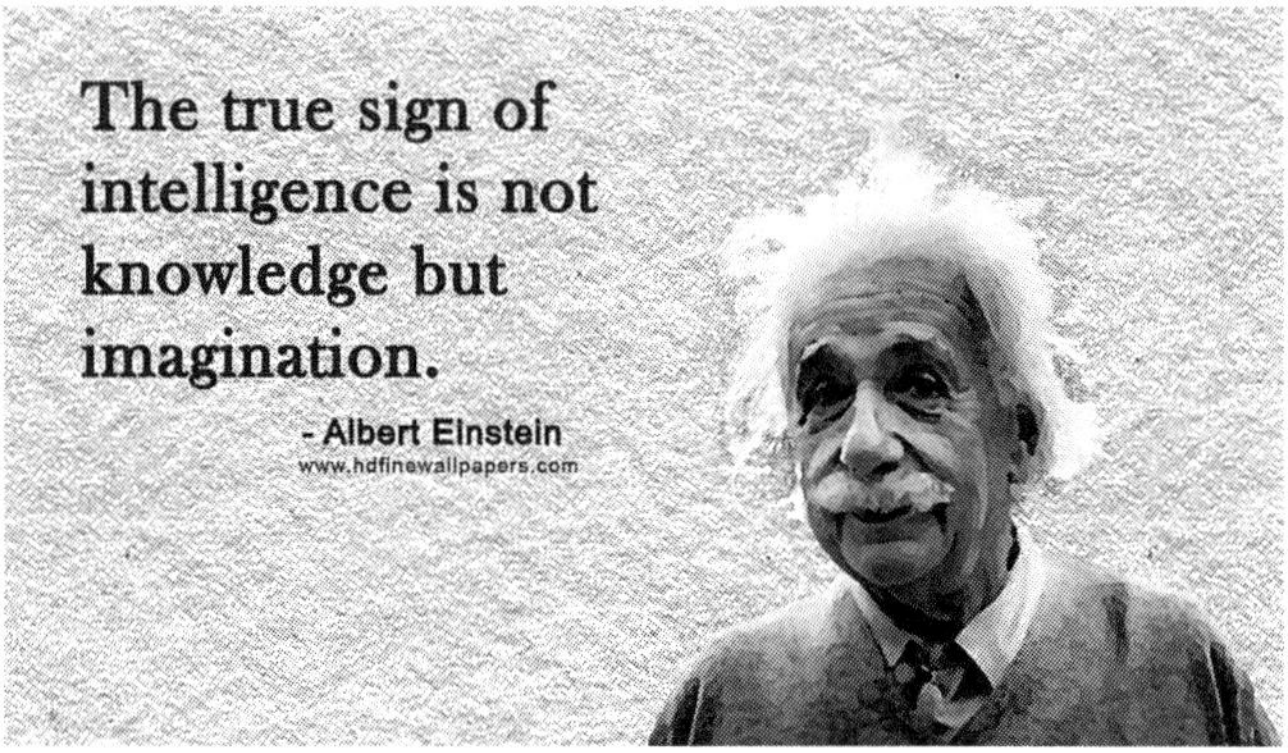

ニューソートは、イマジネーションを提供することで顧客からお金や時間を浪費してもらうだけであるため、オウム真理教よりは少しマシではあります。

アインシュタイン「本物の知性は知識ではなく、イマジネーションだ」

＊ニューソートについて大変参考になった動画
『The Dark World of New Age Gurus | Documentary（ニューエイジの教祖たちの暗黒世界―ドキュメンタリー）』
https://youtu.be/yktccr5apU

愛こそ「獣化」である

こちらは、「フラットアースジャパン」メンバーの「魂の獣化」という表現からヒントを得て、考えを発展させた記事になります。私自身のことを言えば、（自分は）家畜らしく、「愛」というダーウィンの進化論の自然淘汰的な観点からしたら「無駄」な感情（誤解なきように……）を捨て去ることはできませんし、読者に捨て去ってほしいとも思いません。お恥ずかしながら、私は犬のレスキュー動画などを観て半泣きしながら自分が飼っている犬を抱きしめてしまうタイプではあります。こういう話をすると、マクロとミクロの切り離しができずに勝手に主観で怒り出す人がたまにいますが、こちらはあくまでも支配層が導入してきたマクロ的な思想戦略に関する考察となりますことをご了承ください。

まずはこちらをお読みください。Facebookグループ「フラットアースジャパン」の投稿へのメンバーからのコメントになります。

支配層は天才集団ゆえ、あれだけの少数で、世界を支配できるのだと思います。あくまで推論になりますが、家畜のキーワードは「感情」ではないかと考えました。おそらく支配層は「感情」では動いてないと思うのです。家畜が論理よりも「感情」に動かされやすいことも、彼らはわかっているのでしょう。Qの発信していたトランプの子供救出説も、家畜の「感情」に訴えるのにぴったりでした。家畜なりに、喜怒哀楽の「感情」は一旦置いておき、客観視し論理的に考える訓練が、知性に繋がるのかなと思いました。物事をできるだけ「感情」に動かされないで、論理的に考えることかも知れないですね。考えることをせず、「感情」に動かされる家畜にさせようと、ニューエイジの数々の罠を用意しているのだと思います。

次に私の結論から述べます。

「愛は美しい部分もあるが、いささか過大評価された感情である」

支配層は天才的な頭脳を持っており、我々家畜をとにかく見下しています（＝見下されても致し方がない部分もあります）。自分たちと家畜人間との歴然たる知性の差を示すことに余念がなく、我々をさらにコントロールしやすいように、朝から晩までさまざまな洗脳のためのコンテンツを導入させ、私たちの「思考の獣化」を促進しています。

ちなみに「地球球体説」や「NASAの宇宙論」も、「論理科学」に「神秘的（＝主観）」な要素を入れ込んでいるという意味では「思考の獣化」と関連しています。

支配層は、「論理的／批判的思考」「哲学」「思想」「長期的な視野」といった、人間にしかできない思考が高度かつ崇高な思考方法であると位置づけているように思えます。逆に、人間のみならず動物も普通に備えている「感覚的／感情的な思考」を見下しているのでしょう。その場その場の感覚にばかり頼ったり、物事を深く考えずに感情ですぐに判断や行動してしまう人間ほど操りやすい人間はいません。

そんな「思考が獣化」した人間をたくさん増やすために、支配層はボタンのガチャ押し中心のスマホゲームだったり、ニューエイジムーブメントだったり、ハイになったりボーッとしたりして思考が妨げられるドラッグやお酒を普及させていったのです。そして、テレビドラマ、少年漫画やスピリチュアル系などのコンテンツで陳腐に押し売りされがちである「愛」という概念も、動物にも普通に備わっていることから、「高度な思考プロセスに起因したものではない」と支配層は捉えているのです。

「動物でも感じることができる」愛や共感といった感情を「高度ではない」と考えているからこそ、支配層は合理主義に満ちた「サイコパス」なマクロ思考回路で物事を捉えているのではないでしょうか。ある意味、「最も人間らしくありたい」と願った結果、人間の枠を振り切ってしまい、ほとんどロボットのような感覚で物事を捉えるようになり、「人間らしさ」をしくじっているのが支配層であるとも言えるのかもしれません。高度な思考を追求した結果、「最も理想的な状態がいわゆる〝サイコパシー〟である」と支配層は本気で考えているという意味です。

子供への愛情も動物的であるという理由からか、富裕層は子供に時間をかけたり、愛情を込めては育てません。子育てという「非効率的かつ収益性の低い作業」は自分たちより下の存在だと思っている使用人に任せっきりであったりします。自分の子供に直接教えるのは、支配学であったり、ビジネスであったり、世の真理であったり、彼らの考える高度な思考が備わった人間だからできる「マクロ思考の合理的な何か」だけです。学校ですら（『ハリー・ポッター』のホグワーツのような）全寮制の寄宿学校にとっとと送り出して、基本的にはほったらかしです。

こういう価値観であるため、私は、「愛こそ全てさ！」のような陳腐なキャッチフレーズを口にする人に実生活で出くわすと、「支配層の罠にハマってしまい、思考が獣化させられているなぁ……」という感想です。「農薬のいらない遺伝子組み換え野菜を（近未来において）促進するために、（以前から）オーガニック文化を浸透させる」のように、ポジティブな建前で本音を見えづらくした状態で、「愛」という「表面的には素晴らしく聞こえる」概念を使い、思考の獣化を促進させる。このような戦略を導入した支配層はさすがとしか言いようがないです。

愛は原始的な感情である。美しいが高度な思考では決してない

個人的な信仰の話になってしまい恐縮ですが、こういった理由から、この世界を創造した何かが（人間が考えるような）博愛の精神で物事を決めているのではないと思っています。

キリスト教の新約聖書がわかりやすい見本と言えるかもしれませんが、支配層からしたら高度な思考ではない「愛」。この「愛」を基軸に「創造者」が動いていると考える人も、一定数存在します。

しかし、正直、いわゆる「神」の思考回路を私たち人間が考えるのは、犬がチェスのやり方を覚えようとするのと同じくらい無駄な行為であると思っています。また、我々を創造した何かは、人間よりもはるかに高度な思考レベルで物事を考えているのだと思います。人間とは違った方向性の美学を持っているのではないでしょうか。

根拠は、神が慈しみの愛に溢れているのならば、痛みや苦しみの多いこの世界を許すはずがありません。（わかる人にはわかるマニアックなたとえにはなってしまいますが）キン肉スグルよりもキン肉アタル。月よりも太陽。女性よりも男性。厳しさの中にこそある高度な哲学が創造者を突き動かす基準なのではないでしょうか。

ウロボロスは、女性（感情／主観の象徴）が男性（論理／客観の象徴）の尻尾を喰らい続けて、家畜が永遠に地に堕ちてしまっている模様を比喩的に表したシンボルであると言われています。支配層が重要視するのは、動物も持つ「愛」という原始的な感情ではなく、論理や知性といった人間独自の思考回路なのです。支配層は陽（男性的である論理性や合理性）の思考回路が好きであることにもリンクしているのが、「太陽崇拝」なのではないでしょうか。

Qアノンの子供救出劇の理由

陰陽の陰（感情や感覚というい わゆる女性脳）に傾きすぎた人間には、子供救出劇というコンテンツを提供すれば、いとも簡単に手の上で転がせます。

国連傘下のWHOのトップを務めるテドロス・アダノム事務局長の会見での発言（言い間違いと後で訂正したが、会見では言い間違いに全く聞こえなかった。163ページ画像参照）でアレイスター・クロウリーのマジック、つまり潜在意識への刷り込みの見本を見せつけられた気がしています。ジェフリー・エプスタインの「まるで陰謀論のような」大事件が、なぜマスメディアにあれほどまでに取り上げられたかの理由でもあり、個人的にはマクロでの支配層の意図がよく見えるようになったひとつのきっかけにもなりました――著書『99・9％隠された歴史』で書いている〝ワクチン失敗計画〟とも繋がってきます。

まずはっきりさせておきたいのは、Qアノンという トンデモ陰謀論が世に放たれた理由のひとつが、陰謀論に興味を持ちはじめた体制に懐疑的な一般人に対して、グレートリセットという（実際は大衆にとって）明らかにネガティブな計画を「光の勝利」というポジティブな装いに変換させるための支配層による一種のマーケティング戦略であったということ。陰謀論者の中でも（失礼ながら）とりわけ知性が足りない人間を抱き込むための偽救世主ストーリーでしかありません。経済破綻（からのベーシックインカム）＝ネサラゲサラによる資産の平等な振り分け！　というポジティブ変換がわかりやすい例です。

そのため、トランプの言うことをなんでもポジティブに捉えてしまうトランプカルトの印象があるQアノン信者が、トランプが以前「俺がすすめるコロナワクチンはよいぞ。射ちたくない人は射たなくてよいけど、俺自身はブースターまで射ったよ！」といったことをスピーチした時に、一部がトランプにブーイングを浴びせたことは正直意外でした。この出来事以降、（オペレーションワープスピードを承認した）トランプはワクチン自体に関してあまり話さなくなりました。

支配層は、陰謀論者にある程度の勝ちを与えたふりをする「ワクチン失敗計画」を打ち出し、パンデミック中の各国政府の一貫性のない対応がある程度批判されるように世論を誘導し、おそらくは国連を中心としたさらなるグローバル中央管理体制を正当化していくのだろうと考えています。先ほどの「愛こそ獣化」でも書きましたが、支配層は「愛」という概念を基軸に置いた獣化戦略で、我々をコントロールしやすい動物的な思考状態にしていっています。

その中でも私たち家畜が最も感情を露わにするコンテンツが子供に関連した悲劇であり、「子供を売り物にする鬼畜のエプスタイン」というコンテンツが、あ

一度はっきりと発言することで潜在意識への刷り込みを行い、後で「言い間違い」と言っても目的達成である。まさにアレイスター・クロウリーの“マジック”の見本ではないだろうか？
（参考動画 https://rumble.com/vra821-who-.html）

れほどまでに大々的にマスメディアに取り上げられた理由でもあります。「子供たちに悲劇が起きている」という事件を発信していくことで、家畜が極限なまでに感情的になり、平常時なら発揮できることもある冷静な論理的思考が吹っ飛んでしまう状態にしてコントロールしたいという意図が見えてきます。

実際、Qアノン支持者に限らず、そうでない陰謀論者でも子供のことになると感情を露わにした投稿をSNSでする人を私も何人も見ています——何が言いたいのかというと、権力を中央に集約するためのひとつの弁証法的作戦である「ワクチン普及計画」ならびに「ワクチン失敗計画」を成功させるには、ある程度気づいた陰謀論者も含めた一般人全体が「大衆の勝ち」を感じる必要があります。そのため、一般人が感情的になり冷静な考察ができなくなる「子供の悲劇」コンテンツが、弁証法によって騙されていると気づかれないための必要不可欠なツールであると言えるのではないでしょうか。その布石が、パンデミック開始前にマスメディアがかなり騒いだエプスタイン事件の「発覚」であり、たびたび主張されてきたQアノンの子供救出劇なのです。

本書に辿り着いた読者には、これからもこういう用意された感情を刺激する「陰謀論」に引っかからないでほしいところではあります。前提条件として、「マスメディアで大々的に扱う＝支配層のアジェンダの一環である可能性が高い」という法則を絶対に忘れないでほしいと切に願います。なんでも批判的思考で一度疑ってみましょう。

そろそろ支配層の天才具合をおわかりいただけたでしょうか？

私たち家畜は、基本的に自分たちの思考レベルでしか支配層の行動や美学を判断できません。感情に強く訴えるような「陰謀論」が展開され、大衆が支配層の意のままにドツボにハマる限りは支配層の盤石な支配体制を崩すことなどできません。『ドラゴンボール』にたとえるのであれば、クリリンがベジータとの闘いに臨んでいる、くらいの謙虚な気持ちと強い覚悟で支配層のことを考えていかないと、我々は永遠に負け続けます。感情を簡単に支配されてしまう状態にあることが、私たち家畜がこれからも家畜たる所以です。

日本陰謀論界のトンデモ化計画

日本の陰謀論界に大きな変化が起きています。これまで著しく未発達だった日本の陰謀論界に、フラットアースをはじめとした海外の第一線にある現実的な根拠に基づいたコンテンツが入りはじめました。

近年の日本を見ると、特に3・11以降は、日本の陰謀論者の未熟な論理的思考がなおさら露呈している状態です。津波が起きて2万人の人間が簡単に死んでしまう世知辛い（家畜としての）現状に耐えきれない弱い人が実に多く、現実逃避の受け皿としてニューエイジスピリチュアル系の浸透が目覚ましかったです。3・11直後にテレビに多数出演し、感情に訴えかける涙のスピーチで原発の恐怖を煽った山本太郎氏のさまざまな行動も貢献したのでしょう。

支配層は日本において、それまで以上に、異次元アセンション、宇宙人とのチャネリング、ハイヤーセルフやインナーチャイルドとの対話、引き寄せれば願いが叶う、などのトンデモコンテンツや概念を普及させました。そのため、一般人が持つスピリチュアル系への印象は、おおむね「聞くに値しないお花畑の妄想」というものになりました。そして、その後登場したQアノンや既存のレプティリアンなどの陰謀論系のコンテンツも、一般人にはおおむね同じ印象を与えているため、日本陰謀論界のニューエイジ化は大成功したと言えるのではないでしょうか。

そんな中、フラットアースは、基礎物理学で説明できてしまい、外に出て直接観察し、自分で確かめることのできる「陰謀論らしくない」陰謀論とも言えます。商業出版の書籍も数冊登場して、多少注目されることとなったフラットアースを筆頭に、Qアノンよりもはるかに説得力のあるコンテンツが入りはじめてきているのは確かです。また、コロナパンデミックが起きたことで、特に最近はさまざまな違和感を覚えた日本人が増えてきている印象ではあります。

そして、日本の非スピリチュアル陰謀論者は皆、独立心が強い（＝大人数で団結していない、個人プレイヤーが多い）ため、ひとつの共通意識で団結している例はほとんどありません。基本的には「個」と「個」なのです。支配層にとっては、一括で簡単に誤誘導できないため、ある意味やりづらい人たちなのだと思います。

支配層は、この世論誘導しづらい現状に変化をつけようと爆弾を仕掛けました。金儲けと注目されることに半ば取りつかれたような俗物ニューエイジ陰謀論者を（間接的に）うまく誘導し、そして、物理と論理で説明できてしまう「まともな」陰謀論であるフラットアースと、論理と物理で説明できそうでできない「まともではない」陰謀論を抱き合わせで情報発信させるよう、最初の風を吹かせていきます。知性と利他的な信念が不足している〝注目〟や〝収入〟でいとも簡単に抱き込める陰謀論者にハーメルンの笛吹き役を（気づかれない状態で自発的に）担当してもらい、全国からニューエイジ陰謀論者が集うワクワクイベントを開催するように誘導します（＝収入源）。それらのイベントなどで一体感の高い共通意識を作ることで一種の大きな傘を作り、物理と論理で説明できる陰謀論を主張している少数派もその共通意識を共有していると一般人に錯覚させていきます。そうすることで既述の問題である、世論の一元コントロールができるようになるというわけです。

「えっ、フラットアース？　あの頭のおかしい陰謀論スピリチュアルグループが打ち出しているやつでしょう？　彼らが主張している他の陰謀論は穴だらけだったぜ。フラットアースもそうじゃないかな？」

こういう感想を一般大衆に持たせることができるようになります――フラットアースのトンデモ化の成功です。実に巧妙かつ頭脳的な手法であり、個人的には支配層にある種の敬意を抱いてしまうほどです。現場の駒もイベント参加者にも自分たちが世直しに貢献していると勘違いをさせた状態で、気づかれずに支配層の片棒を担がせるシステムのできあがりです。

陰謀論というジャンルを自身の現実逃避の手段に使う日本人を嫌というほど見てきました。彼らの病的なレベルの「世知辛い現実を認めたくない臆病さ」からくる言動や行動が、日本の草の根ムーブメントを停滞させている現状をどうにかしたいです。そのための本書の出版でもあります。

毎年企画ものとしてやっている「フラットアースジャパン」流行語大賞というアンケートがあり、第３回は「オッカムの剃刀」がメンバーに選ばれましたが、個人的には、候補に挙がっていた「家畜が家畜たる所以」が日本の現状を最もよく表したフレーズであると思っています。既に「ニューエイジフラットアース」という罠に引っかかってしまっているレベルの陰謀論者は、思考停止により、悲しいかな、本書を読んでも右から左へとスルーでしょう。そのままニューエイジワクワク陰謀論と、イベントで会える「かけがえのない仲間」に熱狂し続けるだけです。まさに、「家畜が家畜たる所以」です。

スピリチュアル系にハマる人の心理

あくまでも一般的な見本になりますので、全ての人が当てはまるわけではありません。宗教の信者でも当てはまる場合があるかと思います。

実生活での論理的思考やコミュニケーション力の不足、またはなんらかのコンプレックス、慢性的な病気などで自信を喪失。

↓

たまたまスピリチュアル系の何かに遭遇し、なんらかの陰謀論に熱中してしまい、それに気づけた自分はすごい！　と自信がつきすぎてしまう。また「同調」してくれる「ありのままの自分を認めてくれる」仲間を手に入れて慢性的なドーパミン依存になる。

↓

そこから長年にわたって、多くのお金と時間をスピリチュアル系コンテンツに費やす。この際、論理的思考はどんどん削り落とされていく。

↓

スピリチュアル系のコンテンツや商品を「論理的な根拠」とともに批判する人に遭遇する。

↓

埋没費用の概念を取り入れられず、また強烈な認知的不協和により、批判してくる人を過剰に否定する。そして、その人の「スピ化」がさらに進む（＝カルト化）。

↓

永遠にスピリチュアルから抜けられない。むしろ、ますますハマる。ふりだしに戻る、である。

第5章
フラットアースと大地教の関係

フラットアース最大の対立軸は？

◆NASAやJAXAなどの宇宙機関

または、

◆ニューエイジスピリチュアルなどの信仰宇宙

ツイッターでアンケートをとりました（下図参照）。私のフォロワーということで多少のバイアスはあるかもしれませんが、やはり私の予想通りの拮抗（きっこう）した結果になりました。この結果は、日本のフラットアーサーの大まかな共通認識なのではないでしょうか？

ニューエイジフラットアーサーたちが、視認性の高い活動（＝情報発信やイベント開催）をしていることにより目立っているため、また仲間との一体感が凄まじいが故に目が曇りがちですが、フラットアースの対立軸は、基本的には「NASAを筆頭とする宇宙機関」および「精神性を取り扱うニューエイジムーブメント」の二つです。ニューエイジ気質の「ガラパゴスフラットアーサー」は世界的に見れば相当に少数派である、ということです。つまり、私のニューエイジ関連の投稿は、「大まかな共通認識」という「需要」に応えているだけです。

SNSでのニューエイジ関連投稿でリアクション数が少し下がるのは、

①ニューエイジ信仰者

←大好きなニューエイジ情報発信者への忖度（そんたく）によるスルー

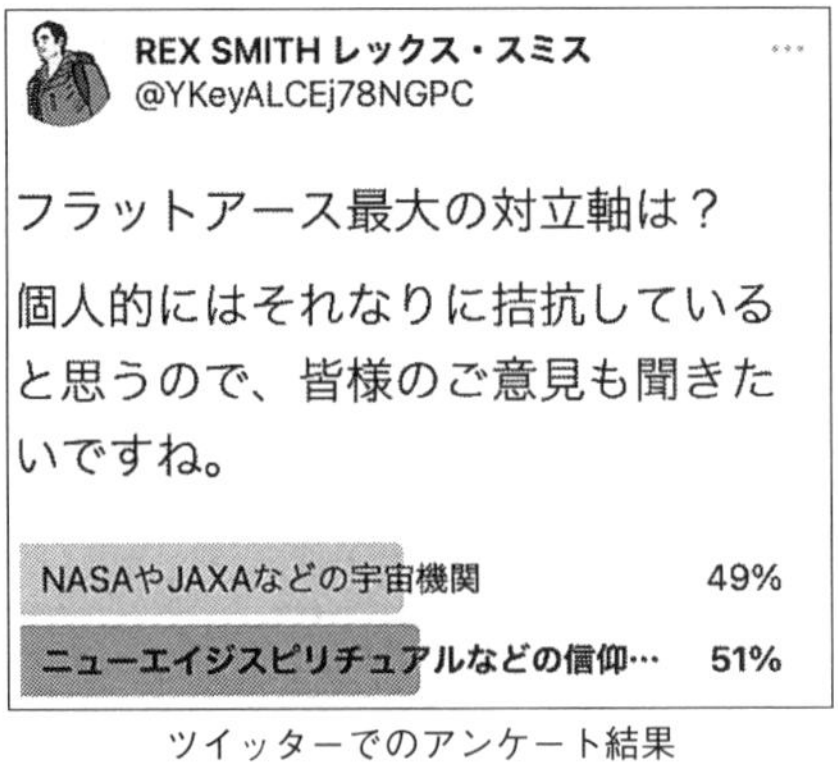

REX SMITH レックス・スミス
@YKeyALCEj78NGPC

フラットアース最大の対立軸は？
個人的にはそれなりに拮抗していると思うので、皆様のご意見も聞きたいですね。

NASAやJAXAなどの宇宙機関	49%
ニューエイジスピリチュアルなどの信仰…	51%

ツイッターでのアンケート結果

②非ニューエイジ
←
信仰心が起こす認知的不協和に起因するニューエイジの攻撃性を警戒しての遠慮

によるものであるということです。

私は引き続き、これまで通り「物理宇宙」の投稿も「精神宇宙」の投稿のどちらもしていくだけです。

日本フラットアース界のガラパゴス化

ニューエイジは精神性に関わるため、その信者の認知的不協和は、「ＮＡＳＡの物理球体説」信者の場合を超えることもあり、大変厄介です。せっかく科学的な根拠のあるフラットアースに出会ったのだから、ニューエイジフラットアーサーにはプライドも過去も捨てていただき、ワクワク陰謀論ではなく、真実を追究していってほしいところです。真実はワクワクするものでは決してなく、むしろかなり世知辛いことのほうが多いのです。

日本のフラットアース界がガラパゴス化しており、大きな懸念材料となっております。あちらこちらで何度も申し上げている「論理的に科学的にわかるところには信仰を介入させない（＝オッカムの剃刀の大切さ）」という意見にも繋がるのですが、読者のために見本を記載いたします。

「フラットアース上にある太陽を、天使たちが紐で引っ張っている」
「雨は悲しい時に神様が天から降らせる涙である」

比喩的な意味での表現であれば別によいのですが、論理や科学で太陽の動きや雨が降る理由について、ディベイトでこのような主張をする人がいたら大抵の受け手は「？？？」となります。学問という観点であれば、こういう主張をする人とは、これ以上の議論は不可であると判断されるでしょう。信仰自体は自由であり、その信仰心を論理と物理に介入させてはならない、ということであると再度強調しておきます。先ほどの二つの見本は、まさに論理や物理で説明できることに信仰を介入させているから問題であり、現実世界でこういう主張は通用しません。

たとえば、

「この世界は平らで（大気を閉じ込める役割を果たす）天蓋はあるけれど、真空宇宙は普通にあり、私が毎晩テレパシー通信している金髪で青い目の○○星人の住む銀河もある」

このような信仰が著しく介入したフラットアース的な主張でも、ニューエイジは「人それぞれのフラットアースがあっていいんだよ！」と仲間をほぼ無条件で肯定してしまう現状では、切磋琢磨しながら一般社会を生き抜く一般の球体説信者に笑われるばかりか、フラットアースの可能性そのものをその球体説信者は二度と検討すらしなくなるでしょう。むしろ、「こないだこんなわけのわからないフラットアース論を言ってるやついたよ！」とまわりの友人に伝えるというフラットアースにとっての二次被害まで発生する場合も多いでしょう。

信仰心を論理や科学の部分に不必要に介入させてしまっている方へ――フラットアースを知って、そこでわかった論理的や科学的な根拠に基づく事実と思われることが、もしそれまでのあなたの「信仰」に基づくなんらかの主張と相反するようであれば、根拠のより薄い、信仰による意見を変える必要があります。これが筋であり……というか本来ならば当たり前の人間の思考回路です。「信仰への思い入れ」や「結果がわかってしまうとワクワクしなくなる。まだまだ妄想していたい」といった個人的な願望はただの主観ですし、客観的な現象などでフラットアースを紹介している情報発信者に迷惑がかかるだけです。

「フラットアースの世界では、学校で学んだ真空宇宙は物理的にあり得ない」

と判明したわけですから、

「自分はフラットアーサーだが、宇宙船にいる金髪宇宙人と量子波動チャネリングをしている」

といったそれまでの自分の信仰や主観による「現実」を変えないのであれば、その人の思考プロセスの何かが壊れているということであり、いわゆる頭脳が優秀な人間の思考からは遠く離れたところにいるという結論になります。

本書の読者の中には、

「大地は、水と大気が引っつく球体であり、無から生まれた宇宙空間をくるくる彷徨（さまよ）っている」

というメインストリーム科学（教）の説に違和感を覚えたからこそ、フラットアースに興味を持った人が少なくないでしょう。

前述の天使の紐説は不採用だけれど、

「アセンション異次元アシュタール星人との光パワーテレパシーはあるしフラットアース」

がＯＫな理屈はどこにもありません。

「人それぞれのフラットアース！」というニューエイジ気質に起因した発想になるような人は、「我々の住む大地は、学校で教えられた地球よりもかなり巨大な球体（１７４ページ画像参照）の一部であり、そのため地球の曲率が観察できないのも問題ない」といった突飛な考えになりがちなのです。

彼らはそれでも自分たちのことを、（フラットアーサーであると思われたいから）フラットアーサーです！　と言い張るのですが、このような主張をする人は、「大地が巨大な球体だと思っているフラットアーサー」ではなく、ただの「巨大球体説信者」であり、フラットアーサーですらないのです。この事実を勘違いした状態で自分はフラットアーサーだと主張をし、そしてフラットアースそのものがトンデモ陰謀論であるという印象をまわりに与えていきます。この一連の現象を問題に感じていないのであれば、フラットアースに出会った意味もないし、気づく前から何も成長していないということです。

一個人が勝手にトンデモフラットアースを主張するのは、確かに全体的にはそこまで大きな悪影響にはなりません。情報発信者であれば登録者数が短期的に増える場合もあるでしょう。しかしながら「数は力」です。インパクトの強さだけは一丁前のトンデモコンテンツを発信して人気や収益を得ようとしたり、あまり全体への中長期的な影響を考えずに無責任に情報発信したりしてしまう人、それを、薄々変だとわかっていながらも、なんらかのしがらみやプライドにより、黙ってなんとなく受け入れていてリツイートまでしてしまう多くのニューエイジ気質のファンも、発信者と根底は変わりありません。またそんな（本質的にはどうでもよい）好きなフラットアーサー（または陰謀論者）への忖度をしているから、日本フラットアース界のガラパゴス化がどんどん進んでいるということをご

ニューエイジ界隈で人気の巨大球体説（マザーアース説）

アシュタール星人を信じるガラパゴスフラットアーサー

理解いただきたいし、フラットアースにせっかく出会ったのだから、もう少し正直に真っすぐ生きられないか／人に疑問をぶつけられないか？　とも問いたいです。この現状では、支配層に「家畜はやっぱりどこまでいっても家畜だな」と笑われて終わりです。

フラットアースを知ってから具体的に何が変わったのでしょうか？　フラットアースを知ったこと以外に成長していないのであれば、ニューエイジの罠に落ちてないかをご再考ください。フラットアースに気づいたのに、ニューエイジの罠にすら気づけない人は、本質的にはフラットアーサーではありません。ただのフラットアースというコンテンツにワクワクしたり、好きな情報発信者に共感をしてドーパミン体験を楽しんだり、テレビの代わりにYouTubeで陰謀論を観たりしている家畜です。世界から孤立してしまった、日本のガラパゴスフラットアーサーなのです。

根拠なきフラットアーサーの根拠

日本のフラットアース界は、場合によっては後戻りできないくらいの状態になってしまったと感じています。このままでは来年（２０２４年）あたり「他の陰謀論者」に自分がフラットアーサーであると言うのをやめたくなるくらいのレベルになってしまう可能性もあり、非ニューエイジフラットアーサーには、これからも啓蒙を頑張ってほしいところではあります。

ニューエイジフラットアーサーは、おおむね以下の特徴があります。

① 一般常識の欠如

②客観性の欠如
③論理的思考の欠如
④マクロ視点の欠如
⑤メタ認知の欠如
⑥論理や物理学で説明すべき場面で信仰を介入させる
⑦高い承認欲求
⑧結論に至るのではなく、考察の過程を娯楽的に楽しむ
⑨場合によってはカルト的排他性

国民がそもそも論理的思考が不得意で、かなりの「感覚派」である日本。陰謀論者の大半がニューエイジ気質であるのは、ある意味必然なのかもしれません。

そんな日本のフラットアース界で人数が増え続けるタイプの人たちがいます。スピリチュアル系、人智学、ニューソート、新興宗教、陰謀論カルトなどを経て、フラットアースに辿り着いた方々です。これらのニューエイジ気質のフラットアーサーは、なぜあそこまで徹底的に根拠を提示することがないのか？　ここでは、ありがちな「異次元チャネリングポジティブアセンション」のような、客観的な根拠が1ミリもないそもそも意味不明なレベルのスピリチュアル系は一旦除外し、できるだけ本筋のフラットアースに近いところに着目して、彼らについて書きたいと思います。

私が「ガラパゴスフラットアーサー」という呼称をつけた人たちが、あそこまでケロッと論理的な根拠を全く提示しない状態で現実の現象から著しく乖離したフラットアース理論を平然と主張する様は、個人的には常軌を逸したレベルであると思っています。私がそう思ってしまう原因を見ていきましょう。

まずガラパゴスフラットアーサーは、たまたまフラットアースに興味を持ち出したニューエイジ気質の陰謀論者である――これをまずはっきり記載しておきます。彼らは陰謀論という切り口で対立軸に立てるカウンターカルチャー的な何らかの意見を主張するという目的で活動をしており、非ニューエイジの陰謀論者とは土台から大きく異なるということに着目しなければなりません。「できるだけ真実を伝える」ことが目的ではなく、この対立軸（カウンターカルチャー）にある「〝真実〟に気づけた自分が好き」なだけなのです（＝高まる自己肯定感）。

スピリチュアル系などの精神性に関するニューエイジコンテンツは、一般人には到底受け入れられがたいコンテンツが多いです。そのため、ニューエイジは現実世界での人間関係があまりうまくいっていないことが多く、「真実」に気づいた大切な仲間を手に入れて、自分に対する自信もつくのでしょう。彼らの利己的な行動や考え方は、利他的な気持ちで情報発信をする人たちの足枷となるばかりです。私をはじめ、日本の非ガラパゴスの「正統派」フラットアーサーが、ニューエイジへの警鐘を鳴らし続けないと、科学的なアプローチのフラットアースの一般への印象がますます誤解されていってしまいかねないのです。この現状を読者にはご理解いただきたいです。

彼らは「ポジティブなことを言うこと」が目的のひとつです。自己肯定感が得られる情報を発信することで自分の体の中の「ポジティブ波動を上げる」という極めて（根拠なき）利己的な信仰に基づいた理由による活動であり、ポジティブなことを言うこと自体が「自己実現」という目的のための手段でしかないのです。

ニューエイジが大衆向けのフリーメイソンリーと揶揄される所以は、こうした自分本位な行動や信仰が強いからです。「ポジティブ量子力学波動」が高ければ自分に幸せを引き寄せられる。本気でそう信じて、本気でそれに向けて行動をしているのが実情です。「波動」という概念を表立って主張していなくても、「ポジティブ波動」という概念の潜在意識への刷り込みにより、利己的に行動しています。

「勝ちます！」「流れは来ている！」「光の軍団の勝利！」「大量逮捕！」「毎日言葉にすればいつかは叶う！」

ニューエイジがよく使う台詞（せりふ）なのですが、当然、現実的な根拠など二の次です。自分にとって「ポジティブな内容」であることのほうが重要であり、「口に発することで、それがきっといつか現実化する」と本気で信じているため、まわりに迷惑をかけ続けるのです。彼らは「ポジティブ」なことを言いっぱなし（＝言うのはタダ。言ったもん勝ち）でよいのです。幸福が実現できる未来に向けた「波動の貯蓄」のような感覚なのでしょう。実現しなかった場合、それは自分の波動が足りなかったからだ、という解釈になるだけです。「ポジティブ波動」は創価学会の「祈れば願いが叶う」

という行為でも取り入れられています。

またニューエイジ情報の受け手である視聴者、登録者、読者も類似した信仰に基づく価値観であるため、発信者が「表面的に気持ちがよくなれることを発言」するだけで見ている側は「波動が上がる（＝〝ドーパミンが出ている〟を波動が上がっていると錯覚する）」ので、その情報の本質的な真偽自体はどうでもよいのです。陰謀論を娯楽として捉えつつ、前向きな気持ちになれれば、ニューエイジは目的達成なのです。「ポジティブ」であればよい、「ワクワク」すればよい、身近な仲間との「一体感」が生まれればよい。それだけです。基本的には自分本位な理由での陰謀論の追究であるため、この姿勢を貫くニューエイジ情報発信者はおおむね発信している陰謀論のイメージを悪くするだけであり、その陰謀論のトンデモ化を促進させているだけです。

もう少し端的に彼らの思考回路を考えてみましょう。彼らとしては、「過去を気にする人は波動が低い、未来は想い（ポジティブ波動に起因する引き寄せの法則）で変えられる。まだ実際に起きていないことをあれこれ考える必要はない。〝今〟を感じながら生きる。自分は幸せを実現できる高い波動を持っている。その高貴な行動にグダグダと批判的なことを言う汗臭いネガティブ野郎の言うことなんてダサいから聞かない。私の波動を乱さないでほしい、迷惑だ」。こういう思考回路なのでしょう。

彼らは、ニューエイジ気質の歌詞を歌っていた尾崎豊のように「今」を生きることを最大の美学としているので、その時々の状況の客観視ができないだけでなく、長期的な視野で物事が全く見られないようになります。なぜなら彼らは未来など気にしていないから。短期的に「今」気持ちいいと感じられるものに、その時その時でふわふわとクラゲのようになびくだけです。今日がフラットアースならば、明日はマッドフラッド。前主張や行動に一貫性はなく、しばらく時間が経つと以前主張していたことをケロッと忘れていることも多いのです。だって過去を気にするのはかっこ悪いから。過去は水に流す。それがカッコいい。思うがままにその時の波動（＝ドーパミン）の赴くままに行動しているだけです。

ニューエイジ情報発信者にとっての顧客（フォロワーや視聴者）は、自身がワクワクするため、対立軸に立ち注目されるため、収益を得るためなどの「自己実現」という目的の手段（＝カモ）として今日も表面的な笑顔と誉め言葉で相手にされているだけなのです。少しきつい言い方をすると、ファンは彼らの「精神的な公開自慰行為」に付き合わされているだけであり、それにすら気づいていないのです。

最後になりますが、ドーパミンは「期待」があってこそ出る物質であり、また実に気持ちがよくなれるのは確かです。世界中のフラットアーサーのほとんどは、できるだけ真実を根拠とともに伝えることを何よりも大切にしていると思いたいですが、ガラパゴスフラットアーサーたちは「期待感」のある「ポジティブ」な発信をした時点で目的達成なのです。発信者もフォロワーも、その先の論理的な根拠に基づく「真相」にはてんで興味すらありません。むしろ結論が出てしまうとワクワクが止まってしまうため、解答が得られない宙ぶらりんのままで、さまざまなワクワクの可能性を探っている状態こそ、彼らにとっては理想的なのです。

フラットアーサーの自信の根拠とニューエイジ大陸移動

フラットアーサーが自信をもってフラットアース情報を発信できるのは、物理科学と論理の確かな裏づけがあるからです。つまり正当な議論の場において負けることがあまりないということです。物理的／論理的に説明できる現象が議論ではとても強いからです。正当な議論の場においては、勝ちゲームであるとも言えます。

古参のフラットアーサーには、もともとこの強みがあるからこそ情報発信をしていくことを決意した人が一定数います。しかし最近では、フラットアースを物理と論理で説明はするものの、フラットアースの完全な対立軸であるニューエイジ気質が土台にある人たちが、次々とフラットアースの「場」に登場し、フラットアースの強みについて勘違いした状態（論理的な根拠があるから言い切るではなく、ワクワクするから言い切る）で言い切りの情報発信をはじめました。その後、彼らの多くがなぜかマッドフラッドなどの論理的には穴がかなり多い陰謀論まで「自信満々に言い切ってよい」と勝手に勘違いし、しまいにはフラットアースと抱き合わせで、まるで関連性の高いコンテンツであるかのように広め出し、フラットアースとマッドフラッドを合体させたキャッチフレーズを作る人まで登場しました。

「時間とともに、また注目されればされるほど独自性が増す」というニューエイジ気質を存分に発揮する形で、さまざまな似非フラットアース論が次々と主張されはじめました。先ほど説明したフラットアースの強みを完全に打ち消す情報発信の仕方であり、フラットアースというコンテンツはこれらの「トロイの木馬」たちにより、これからさらにいわゆるスピリチュアル陰謀論の印象に成り下がっていき、一般人にはＱアノンのような扱いをされるようになるでしょう（＝既にある程度されています）。

支配層は、「家畜は永遠に自分たちの尻尾を噛み続けるウロボロス」と軽蔑していることでしょう。「我々の嘘がひとつバレそうだって？　大丈夫、ちょっとのインク紙（お金）とちょっとだけ特別感（注目されるプラットフォーム）を与えよう」。家畜がすぐに自滅することを支配層はよくわかっているのです。こうして簡単にコントロールされてしまう。家畜が家畜たる所以であり、日本におけるフラットアースムーブメントの実質無力化に繋がります。

また質より量に重点を置きすぎる（＝ジャスティン・ビーバー最強説）ニューエイジ気質の勘違いとして、「なにを言っている。我々がしているセミナーや街宣、YouTubeライブに人がたくさん来たらよいではないか！」という開き直りの反論をたまにされるのですが、その「イベント」に来ている人は「ニューエイジ内の横移動」をしているだけで、熱しやすく冷めやすいニューエイジ陰謀論者が「旬」の陰謀論に飛びついているだけです。「えっ、フラットアースでは宇宙がない？」などと半年または一年後あたりに気づき、認知的不協和をより緩和させられる、別の陰謀論にまた「移動」するだけです。

実際のところ、真実に一切「目覚めて」おらず、アセンション　↓　アシュタール宇宙人　↓　フラットアース　↓　マッドフラッド　↓　◯◯（なんらかの新しいもの）

に、ドーパミンを得る手段が順ぐり移動しているだけです（これらは見本のひとつであり、実際はさまざまな陰謀論コンテンツが当てはまります）。民族移動で移動先の国の人口は増えても、世界人口にはなんら影響がない、というたとえがわかりやすいかと思います。私がどんなに主観の危険性を啓蒙しても、引っ込みがつかないのか、彼らの一体感は増すばかりであり、打つ手なしです。「フラットアースジャパン」という「フラットアースのメジャー対立軸」を肴に、今日も批判トークに花が咲くのかもしれません。

ニューエイジフラットアーサー増殖システム

本書をニューエイジフラットアーサーが読めば、本来ならば私が彼らの世界トップ級の味方（洗脳から解放しようと本気で試みている）という印象になるのが普通の思考回路なのですが、カルト思考が進み思考停止してしまった人間には、悲しきかな、こうした味方がなぜか一番の敵に見えてしまうのです。洗脳された本人がこれに気づくことはほとんどないため、洗脳とは、こうした真逆の印象を持たせてしまうほどの強力なツールであると言えます。

〈本題〉
世界に類を見ない、日本独自のガラパゴス現象であるニューエイジフラットアーサーについての考察になります。日本の伝統的な文化や価値との相性のよさから日本に強く根づいてしまったニューエイジですが、これにより日本のフラットアーサーたちがどのようにガラパゴス化してしまったかを簡単に説明したいと思います。

まずはマクロ心理から、

（1）日本の「陰謀論界」はもともと、科学的なアプローチがほぼ皆無なニューエイジスピリチュアル畑の人が多い。

↓

（2）フラットアースに感覚的に気づき、そして一見ワクワクする陰謀コンテンツでもあるため、一旦ハマる。

↓

（3）調べていくうちに、「真空宇宙がない」「宇宙人もいない」「時空や次元などがただの仮説である」「世界を動かすのは量子力学波動でも重力でもなく、おそらく電磁力である」といった根拠のある主張に突き当たり、信仰心に起因する強烈な認知的不協和を起こす。ここで一種の思考停止状態になる。

↓

（4）フラットアースを既にまわりに主張してしまったからには引っ込みがつかない。また感情移入（ここ大事）してしまった自分がひいきにしている情報発信者が間違っているなんて認めたくない。

↓

（5）仕掛け側は、この認知的不協和をうまく突く形で、ある程度宇宙や重力を許容する球体とフラットアースの中間くらいの根拠の乏しい謎のワクワクアース説を提示する。受け手は「気持ちと論理のよい落としどころ」として認知的不協和が軽減された気持ちのよい状態になる。

↓

（6）自分が気持ちいいのだから、それが正解だ！

という、もとがスピ畑であることに起因する「主観」や「感覚」や「想い」といった要素が客観性に勝ってしまう状態により、仕掛け人の術中にハマる。

こんな現状です。

こうしてニューエイジフラットアーサーが（ネオを邪魔するエージェント・スミスのように）どんどん増え、仕掛け側のラブボミング（ほめ殺しを意味する心理学用語）に勇気づけられる形で、もともとファンだった人も新たな情報発信者になる決意をし、チャンネルを宣伝してもらう代わりに、仕掛け側との忖度関係が作られていきます。大元の情報発信者も、ファンから情報発信者になった人も、引き続きお互いにかなり忖度し合うため「情報発信のマルチ商法」のような状態であると言えます。こうして彼らは自己満足のための主観全開の支離滅裂なコンテンツを発信し続けるようになるのです。

支配層目線で言えば、スピ系のコンテンツと同時にフラットアースを発信させることで、道連れという形でフラットアースのトンデモ化が達成されます。大元の情報発信者が金や人脈、注目といった自己実現の機会をチラつかせれば、利己的で無能な弱い人間がそこに群がり、自己実現のチャンスを求め僕となり、さらに別の人間が救いを求めて引っかかり、そして無力化されます。このループにより支配層の勝ちが決まります。「フラットアースだしＮＡＳＡは嘘だけど宇宙はある」といった独特の価値観を持ったガラパゴスフラットアーサーの誕生です。また、「宇宙がない」をなんとか受け入れても、「マッドフラッド」など別のワクワクコンテンツで主観的な真理を求める人が多く、仕掛け側もこの辺は織り込み済みなのです。

　思い当たる節がある方は、プライドと依存を断ち切って、ぜひガラパゴスから抜け出していただけたら幸いです。これを払拭してようやくまともなフラットアーサーであると言えるでしょう。本考察の内容を認めるくらいなら「死んだほうがマシ」と思ってしまうガラパゴスフラットアーサーも個人的には存在するという印象ではありません。けれども、宗教色を消し、科学と精神性とワクワク陰謀論の「色」を付け足した一種のカルト思考からは足を洗ってほしいところです。

　またビジネスモデルとして、以下のようなシステムが見えてきます。

（1）大元の情報発信者は、自分に自信がない／なんらかのコンプレックスが強い現実逃避しがちな人間（カモ）を見つける。動画のコメント欄、ファンの友人、セミナー、飲み会など、見つける場所は多岐にわたるだろう。

↓

（2）情報発信者は、褒め倒すことでカモのコンプレックスを埋めて自信をつけさせ、特に得意でもない情報発信を促す（自己啓発セミナーやマルチ商法のやり方に似ています）。

↓

（3）ファンは、情報発信が得意ではないのに作った情報発信チャンネルの宣伝を仕掛け人にしてもらう。または逆の発想で、仕掛け人は、情報発信者の「応援」や宣伝をすることで、実質、意向が反映される「スポンサー」のような立ち位置を形成する。発信者は認められたと有頂天で、この思惑には当然気づかない。

↓

（４）仕掛け人およびその手下と化したファン／フライングモンキーが、宣伝やＳＮＳのコメントでチャンネルを褒めたたえる（＝忖度）。

↓

（５）ファンは、本来得意ではない情報発信をしているため、またもともとスピリチュアル畑の主観ワールド全開であるため、支離滅裂な情報発信をする。

↓

（６）フラットアースなどの科学的な切り口のコンテンツも語らされることで、結果、トンデモ化に成功する。

↓

（７）当の仕掛け人も情報発信者もそんなことはどうでもよく、自分に収益が入る、注目される、登録者数が増えるため、大満足である。

この人たちを傍（はた）から見ていると、（後述する）チャタムハウスが予測している大地教（Earthism）に、そのまま進化してしまいそうな感じです。

〈家畜の縮図〉

お金のあるところに利己的な家畜が集まり、判断力が鈍った心の弱い家畜が食い物にされる。こうして世の中はまた支配層の勝ちなのです。家畜が自分の墓穴を掘る、まさに永遠に自分の尻尾に噛み付くウロボロスシステム――支配層がほぼ常に勝利してきた歴史を見てもわかる「家畜が家畜たる所以」である一番の理由が、この家畜の平均的な「信念の弱さ」と「知性の不足」であると言えます。

フラットアースを使った日本ニューエイジ全体の進化について

こちらは日本のこれまでの歴史を考えながら読み進めてください。今後の日本フラットアースの動向や進む方向を予測や分析する上で役に立つと思います。この考察を頭の隅に入れながら、日本フラットアース界を観察してもらえたら嬉しいです。

日本において、陰謀論というジャンルはずっと未発達でした。「Controlled opposition（わかっててやっている工作員）」と「Useful idiot（気づかず手の上で転がされている一般人）」などの、工作員の性質を示す用語の和訳すら存在しないことがこれを物語っています。

そんな日本を揺るがす大事件が２０１１年に起きました＝3・11の東日本大震災および福島原子力発電所の爆発です。「うん？　なんだかテレビで放送していることはつじつまが合わないぞ！」と違和感を持ちはじめた人が一定数いました。東日本大震災をきっかけに、日本の陰謀論界の母数が増加しました。

この進歩に歯止めをかけ、「違和感を持ちはじめた大衆」をあらぬ方向へと誤誘導したいと思った支配層は、すかさず家畜にとって袋小路となるコンテンツをいろいろと投入しました——スピリチュアルリーダーや政治家に転身した俳優の山本太郎氏、２０１１年12月30日に「Mr.都市伝説 関暁夫」に改名した芸人など、ハーメルンの笛吹きの役割を持ったインフルエンサーたちが、原発反対や都市伝説レベルのワクワク陰謀論を発信することにより、もともと潜在的にニューエイジ気質だった一般人がどんどん抱きこまれていきます（笛吹きたちが意図的にわかってやっているとは言っていません。あくまでもマクロ的な結果に着目しています）。

こうして3・11で世の中はおかしいと思いはじめた人の多くが無力化されていくどころか、今度は、そのおかしいと思いはじめた人々が、一般人にはトンデモコンテンツとしか受け取られない、主観にまみれた主張を当然の事実としてまわりに広めていったりしたため、マクロでの「陰謀論」のイメージはむしろ悪くなっていきます。

そして、２０２０年にコロナパンデミックが起きました。こちらは3・11以上につじつまの合わないことが多く、かなりの数（とは言っても1％以下）の人が、また世のおかしさに気づきはじめます。本来であれば、日本の陰謀論界のさらなる成長のための絶好の機会となるはずなのですが、ここでも支配層は当然いろいろと手を打ちます。

デモが活発な（イギリスをはじめとした）国では、デモの中に警察や諜報員などが扮する工作員を紛れ込ませることがあります。日本では、新興宗教の傘下団体などを使ってある程度手を打たれていると考えられます（私も、抗議活動などで直接妨害行為のようなことを経験したことがあります）。日本の場合は、デモがそもそも小規模で、なおかつ警察に行進の方向を決められた形だけの反体制デモだったりするので、そもそも工作員を投入する必要がないとも言えます。

　また、もうひとつ支配層が目をつけたのが、「フラットアース」というアメリカから登場した「地球が球体ではなく平らである」とするムーブメント。日本でも、物理科学／論理的に大地が平らであるということを思いはじめた人が徐々に増えているのは、日本の陰謀論界のリテラシーが向上してきているからというポジティブな解釈もできるかとは思います。しかし、（日本人は特に）フラットアースの対立軸にある「宇宙」という概念を、ＪＡＸＡ、ＮＨＫのＥテレ、少年漫画、ニューエイジスピリチュアル、新興宗教の多大な影響により、かなり刷り込まれてしまっており、フラットアーサーを日本で増やすことがどれだけ難しいかを、私も日々思い知らされています。

　ここからは、日本のニューエイジコンテンツの進化に着目してきましょう。日本でのニューエイジは、もともと新興宗教や漫画／アニメ／ゲームなどの大衆娯楽を通した思想の植え付けが主流でした。新興宗教のイメージが次第にかなり悪くなっていき、次に登場したのが「神」や「戒律」などの宗教色を抜いたスピリチュアル系になります。このムーブメントから生まれたのは、アセンション、チャネリング、ワンネス、インナーチャイルド、ハイヤーセルフといった精神性を謳った（だが本質的にはかなり物質的な）概念の数々です。スピリチュアル系も時間とともにイメージが悪くなっていったため、その代替えとして登場したのが、光と闇の二元論や政治色を足した「陰謀論カルト」のＱアノン。そして今、大量逮捕や某政治家の死亡説などの度重なるアナウンスの「不履行」により信用がガタ落ちし、Ｑアノンも下火です。

　陰謀論のくくりには入りませんが、ニューエイジの進化を理解するためのよい見本が、「進化したスピリチュアル」のひとつに個人的には思える西野亮廣（あきひろ）氏のビジネスモデル。西野氏は、アブラハム（エスター・ヒックス）がマルチ商売で販売していた、手に取ることができる物質的な商品ではなく、さまざまな「体験型サービス」を展開しています。新興宗教から「神」

や「戒律」などの宗教色を打ち消してわかりづらくしたのがニューエイジスピリチュアル系であるならば、その進化版としてニューエイジスピリチュアルからスピリチュアルの要素を抜いてさらにわかりづらくしたのが、西野亮廣氏などが展開する「体験型奉仕サービス」のビジネスモデルであると言えるのではないでしょうか。西野氏のビジネスモデルは、「グラコロの法則」で一見全然関係のないものに思えるが、本質的には類似しているよい見本だと思っています。

次に、ニューエイジの今後について。

近年、日本のニューエイジの主要コンテンツだったスピリチュアル系や（陰謀論カルトの）Qアノンが下火になり、また西野亮廣氏が展開するタイプのビジネスモデルは万人受けするものでは決してないということで、次の標的のひとつにされたのが「フラットアース」になります。現代科学を見直すアプローチを取っているフラットアースの情報発信をすれば、ニューエイジスピリチュアルからスピリチュアル（＝精神性）の要素を抜けるだけでなく、論理（っぽさ）や（疑似）科学的な要素が主張に加わり、一種の（インテリ風の）イメージアップも図れます。

スピリチュアル系というジャンルは既にやや時代遅れであり、政治色が強いQアノンや「西野が意識してあげる権利」を販売する西野亮廣氏などの新コンテンツに引っかからなかった（元）スピリチュアル系の人間がまだ一定数います。商業的な解釈をすれば、それなりに大きな市場が存在しているということです。これまでに何度もアナウンスされてきた次元上昇アセンションが世界的に起きる日をいつまでも延期するわけにもいかないことからも、アセンションをずっと引っ張るくらいなら、新たな「インテリっぽい、ワクワクする陰謀論」で釣ったほうがニューエイジの疑似科学トレンドにマッチしているため、効果的なのです。

支配層は、ニューエイジの進化版のひとつとして、「フラットアース」というコンテンツを（地球平面協会のインチキフラットアース論のような湾曲した形で）与えました。興味深いのが、海外だとニューエイジ気質の陰謀論者は「フラットアースでは宇宙が存在しないだと？」と認知的不協和を起こし、そもそもフラットアースを最初から認めないのですが、日本はこの辺の認知的不協和はおかまいなしです。自分が自分の世界の神様であるため、真空宇宙があるフラットアースでもその人が望めば、その人の中ではそれが既成事実となります。ワクワクすれば、それはもはや存在するに等しいのです。

私の臆測にはなりますが、今後一般社会における「量子コンピュータ」なるテクノロジーの存在感が増していくでしょう。メジャー医療の対立軸に立つ医師たちの（蓋を開けてみたら）大多数がスピリチュアル系に傾倒しているか、あるいは、少なくともニューエイジ気質の顧客獲得のために有名なスピリチュアル系インフルエンサーとセミナーなどで共演してしまっている。このような現状をみると、医療や科学を隠れ蓑に、今よりもさらにわかりづらいグラコロとして登場する、新しいニューエイジの形が見えてくるのではないでしょうか？　それが、量子力学波動を使った代替医療の市場拡大、量子コンピュータの普及、なりたい自分になれるメタバースの浸透などです。

本来ならば、単純明快で理路整然とした世界感を提唱し、量子力学波動という概念に懐疑的な人が多い「フラットアース」は、「球体説が当たり前のプログラムとして組み込めてしまうメタバース」や、「神秘科学を取り入れた対立軸ニューエイジ医療」との相性は、すこぶる悪いのです。しかし、日本におけるニューエイジ思想植え付けのさらなるカモフラージュ（＝グラコロ）のために、短中期的な出汁として、フラットアースが使われてしまった感が強いです。ニューエイジによる「主観まみれのワクワクフラットアース」のできあがりです。

最後にツイッターで見かけた一言。

「人間は簡単ですね。愛着があるものを突かれたら自尊心を傷つけられたみたいな気持ちになって簡単に嫌悪します。この一年ほどで、多くの人が自分にとって好ましいか否か、愛があるかないかみたいな感覚でしか物事を判断していないのだと気づけました」

フラットアースも大した武器にはならない

フラットアースに気づいてもあまり意味がない事例。この6年間フラットアースを伝えてきて際立ったのが、（自分も完璧にはほど遠いですが）一般大衆（家畜）

が、少人数の頭がすこぶるよい権力者に支配されても仕方がない、ただの「言葉が話せる動物」に近いレベルの思考状態である、という実態になります。承認欲求、感情論、条件反射、快楽欲など、それればかりが目立ち、〝大地の形の嘘〟という武器ですら歯が立たないのが実感できました。ダーウィンの進化論では私たちは猿の延長という仮説が主張されていますが、少なくとも比喩的には正しいと言わざるを得ません。小さな希望を持ちながらまだ啓蒙を続けていますが、呆れることが本当に多いのは確かです。

◎批判的思考
◎客観視
◎論理的思考
◎マクロ視点

動物が持たない、これらの高度な思考を、大衆にはもっと身につけてほしいところです。そうでないと残念ながら世の中はよくなっていくことはないでしょう。(悪い意味での)デジタル管理社会がますます推進していくだけです。

フラットアースに気づいた初期段階で私もしていた勘違いにはなるのですが、大地が平らであり、静止状態であるということは、論理的にきちんと説明すれば多くの人に理解してもらえる。そしてさらに、フラットアースという気づきから俯瞰的に物事が見られるようになれば、一般大衆にとって「強力な武器」となるような人たちが増えてくれる。そう思い情報発信をしていました。しかし現実は、球体説への揺るぎのない自信がほぼ完全に信仰心によるものであるため、論理的にフラットアースを認知できず、またフラットアースを理解しても、主観やエゴが邪魔をし、逆に思考が退化する人間も出るくらいでした。たとえフラットアースに気づいても、多くの人は宝の持ち腐れになるだけです。個人的にはむなしい気持ちになります。

Netflixで、ダニエルさんやミスター・ミヤギでお馴染みの空手映画『ベスト・キッド』の続編ドラマである『コブラ会』を観ているのですが、空手カルトのコブラ会のメンバーが日本フラットアース界の一部の人間と類似しているという印象です。ニューエイジフラットアーサーの一部には、ただただ他のフラットアーサーを(どうでもいい理由で)誹謗中傷する動画を

YouTubeに上げたり、毎朝フラットアースとタイトルはついているが、他のフラットアーサーの悪口を１時間にわたって（ドーパミンやアドレナリンをおそらく多大に分泌しながら）喋る生配信をしたりする情報発信者が何人かいました。彼らはある程度スピリチュアル系などに嫌悪感を示すタイプのニューエイジ陰謀論者、つまり陰謀論カルト気質のファンを獲得しています。

コブラ会自体は、それまでいじめられっ子だった子たちが空手を学び、謎の自信を手に入れて攻撃性の高いカルト集団に変貌を遂げるストーリーになります。強力な武器によって謎の自信がつき、勘違いを起こすという意味では、フラットアースとコブラ会の状況は近しいのかもしれません。私も「家に行ってお前の首根っこ捕まえてやる」とYouTubeで脅されたこともあり、警察に相談をしたほどです。また、「フラットアースジャパンはキリスト教への誘導グループ」や「レックスは絶対に工作員」などの事実無根の名誉棄損行為を、客観的なエビデンスの提示皆無に配信で主張されたりもしています。一般社会の常識が大きく欠落した「コブラ会フラットアーサー」に誹謗中傷も含めた中身の薄い情報発信をされると、部外者に、「フラットアーサーは全員そういう厨二病の人間に違いない」という印象を与えてしまうのです。

彼らはフラットアースに気づいても、フラットアース自体には実は興味があまりありません。フラットアースに気づけた自分自身に酔いしれているだけであり、ソフト（フラットアース）がよくてもハード（発信者）が主観や承認欲求の塊のため、ソフトが全然機能していないという状況です。彼らの「頭を悪くしたガーシー」のような状態は、確実にフラットアースの印象の低下に貢献しているのです。

ちなみに本書の執筆にあたり、久しぶりに「コブラ会フラットアーサー」の代表格の人物のYouTubeチャンネルを覗きにいってみました。『（内閣府の公の目標である）ムーンショット計画は陰謀論だ』などの主観まみれな主張と、「他のフラットアーサーの悪口」は相変わらずでしたが、顔出しをしたら支配層に殺されるという妄想により使っているアニメ系のアバターだけはかなり進化していました。

ニューエイジとメタバースは相性抜群であるため、この陰謀論カルトのニューエイジたちがそのままメタバースでの「立体的なライブ」にいずれ移行していくのが想定できます。第7章で紹介する『ブラック・ミラー』の「1500万メリット」の主人公のようなライブ配信スタイルになっていくのかもしれません。

フラットアースとマッドフラッド抱き合わせの理由

「マッドフラッド」とは？

直接的な関連性は基本的にないが、なぜか（特に日本のニューエイジ）フラットアーサーに人気の**疑似科学／歴史**コンテンツ。200年ほど前に**泥の大洪水**が世界中で同時に発生し、それまで築き上げられていた超高度文明および世界の人口があっという間にほぼ消滅したとする説になります。地下部分をある程度残した上で、1階や2階部分が建て替えられた世界各地の建物がマッドフラットが起きた主な根拠となっています。「200年以前の歴史は全て捏造である」といったニューエイジ（およびフリーメイソン）が好きそうな「破壊と再生（混沌からの秩序）」の概念に基づいたパラダイムシフト的主張や、「高度文明の人間はテレパシーを使っていた」といった量子力学波動を思わせる設定が含まれていることもある陰謀論カルトコンテンツになります。

それでは、「マッドフラッド」と「フラットアース」について考察していきましょう。マッドフラッドを発信する陰謀論者は「注目される充実感」や「収益」といった、こぢんまりとした利己的なミクロ理由で発信しているだけだと思います。今回はマクロ目線で、これまでニューエイジムーブメントを仕掛けてきた支配層が、「フラットアースとマッドフラッドの抱き合わせ」を快く思っている理由について考察いたします。

「フラットアース」と「マッドフラッド」の共通点は「マイナーな陰謀論」であるということを抜かせば、「大地」を扱ったトピックであるということくらいです。それ以外は何の共通点もありませんし、球体だろうと平面だろうと「泥」には関係ありません。「フラットアース」は**物理的な根拠のある**主張ですが、「マッドフラッド」は**根拠が著しく乏しい**主張になります。

イギリスの有名なシンクタンクである「チャタムハウス」が、今後台頭すると予測している「**大地教**

（Earthism）」という思想があるのですが、これは現在メディアがさかんに取り扱っている「地球温暖化防止」「サステナビリティ」「ダイバーシティ＆インクルーシビティ」「ＳＤＧｓ」「エネルギー不足」「農薬問題」などの、地球や大地、自然界に関わるトピックを思想のレベルにまで進化させたものになります。その実態は、**一元管理がよりしやすいよう世界の思想を統一する**ためのツールになります。

　今後訪れてくるであろう今よりも質素な生活に私たちが「**地球に貢献している**」とポジティブに捉えながら我慢し（＝侘び寂びの精神）、それを他人にも強要してしまうような状態がかなり当たり前の価値観になっていきます。環境に優しい行動をした人には、政府が電子クレジットを追加で贈呈！　などの経済活動も含みます。オーガニック食品やマインドフルネス、自然が好きで好きでしょうない、いわゆる**意識高い系ニューエイジ**は大地教を「**ポジティブな概念**」として、今後も自ら進んで受け入れるでしょう。

　大地教は、「教」とはついていますが、宗教という組織だったものではなく、ただの**共通認識**や**思想**であるため、本人たちは自分が**大地教の信者**であるという自覚すらありません。ただただ思考と行動が大地教的なのです。信者に信仰であると自覚させないという意味では、「宗教」っぽくない形で気づかれずに信者の**連帯感**、**共通認識**、**同調圧力**を生む（支配層にとっては）ほぼ無敵の戦略であると言えます（現在のニューエイジが、自分がニューエイジであるとすら気づいていない人が多いのと類似しています。ニューエイジは自己評価が異様に高いため、こちらが指摘しても自分がまさか宗教に……？　馬鹿な馬鹿な、のような感覚なのでしょう）。

　そしてフラットアース（およびマッドフラッド）は「大地」を扱ったトピックです。大地自体に目を向けさせるために、支配層がフラットアースを近年急に仕掛けた（少なくとも拡散することをある程度許容した）理由のひとつでもあります。（大地教の普及がしたいであろう）世界統一のための機関である国連は、現在もＳＤＧｓや気候変動、エネルギー不足問題、無農薬（遺伝子組み換え）食品、代替医療の浸透に力を入れています。

　再度はっきりさせたいのは、フラットアースは水平線が平ら、自転の動きを全く感じられない、重力とい

「根拠に乏しい」マッドフラッドと「根拠のある」
フラットアースの抱き合わせ紹介

う仮説が実証されたことがない、大気は真空の中で必ず拡散する（＝エントロピー増大法則）といった科学に基づいた論理的帰結になります。細かいところで精査はまだまだ必要なものの、大枠では論理的な根拠のある事実であると言って差し支えないと思っています。

　残念ながら海外でも時々フラットアースと一緒に紹介されることがある「マッドフラッド」は反対に根拠薄弱であり、フラットアースに気づいても（マッドフラッドにハマることで）ニューエイジ化が進む、という現象が実際に起きているため、支配層によって意図的に仕掛けられたのだとは思っています。

　こちらはグループメンバーによるコメントになります。

　私はマッドフラッドを調べていた一人ですが、調べるのを止めた理由は、整合性が取れていないことの他に、支配層が私たちを真実にたどり着けないようにするため、そしてメタバースに馴らしていくための誤誘導だと考えたからです。

　コロナ茶番などで真実に気づくと世の中に希望がなくなり「世の中は嘘だらけ」だと思うようになります。フラットアースに気づいたのならなおさらです。そういった人たちに「歴史は全部嘘」というマッドフラッドは浸透しやすく、その人たちを無力化するのに大変好都合です。

　昔のことなので、誰も経験していなくて、いくら調べても真偽がわからず時間を割くことになりますし、マッドフラッドでは「昔の人は不食だった」「昔の人はテレパシーが使えた」と語られますが、これにより

「昔の人は現代人より優れていた」と昔の人に憧れさせてメタバースに繋がる不食やテレパシーという概念に慣れさせる目的があると思います。

また希望のない現代に、ある意味なんでもありでワクワクするＲＰＧゲームのようなマッドフラッドを調べさせることにより現実逃避をさせて、現実よりもバーチャルの世界（過去はいかようにも想像できるのでバーチャルに近い）に重きを置くことに慣れさせているように感じます。フィールドワークやディスカッションもあり一見すると科学的ですが、実証することもできない疑似科学でしかなく、結局スピリチュアルコンテンツと変わりません。救急車の音が鳴り響く今、このようなことに時間を割くより未来を調べて考えて啓蒙活動をしたいものです。

英国シンクタンクであるチャタムハウスから見る100年後の未来に関する私の動画をまだご覧になっていない方はぜひご視聴ください。

＊『英国シンクタンクからみる長期的な未来』
Rex TV Japan
https://youtu.be/lUuRnlRtlyl

チャタムハウスが提唱する大地教（Earthism）

チャタムハウスがEarthismという名称をつけているものの、実際にはそういう名称が正式につけられるムーブメントになるわけではなく、「自分がニューエイジである」と多くのニューエイジが気づいていないのと同様に、気づかずに植え付けられる思想として今後ますます浸透していく概念になります。また**世界の宗教思想の統一（One World Religion）**という裏の役割もあります。多くの一般人が、自分が**大地教**という宗教的思想に染まってしまっている自覚すらないという意味では、**理想の世界「宗教」**であると言えます。

宗教の統一と聞くと、キリスト教やイスラム教などの古代宗教を思い浮かべる人が多いと思いますが、宗教だと明確にわかる宗教では世界統一は土台無理であるため、このような気づかれにくい「大地を信仰するステルス的宗教」が必須なのです。ローマ法王を中心に展開されている**クリスラム教**（キリスト教とイスラム教の要素を併せ持った合体宗教）はある意味、陽動的な役割を果たす捨て駒ではないでしょうか?

大地教は、その名の通り「大地(自然)との真の共存」を目指す信仰のことです。オーガニックの促進、気候変動防止、原発反対運動や、SDGsが建前上の目標としている「誰も取り残されない差別のない時代」など、聞こえのよい概念を使って、多角的に人々の間で「神である大地に優しい」信仰思想としてこれからもますます浸透していくでしょう。「神」を「大地と自然」に置き換えることで表面的な信仰色を取り払え、ハードルが下がり入り口が広くなるため、ニューエイジ大国の日本でも今後かなりのスピードで広がっていくのでしょう。

対立軸(カウンターカルチャー)野党として活動をしている参政党もSDGsやデジタル社会の促進については肯定的な立場ではあるため、参政党を支持してしまうようなタイプ(=主にスピリチュアル系)は、こぞって大地教信者になっていく縮図ではないでしょうか。現場の党員の思惑は存じませんが、マクロ的な目線でみると、参政党はそうやって大地教を普及させる役割も果たしてしまっているとも言えます。


特に今後、大地教に「入信」していきそうなタイプについて考えてみました。

◎幸福の科学の信者/元信者。日本にニューエイジ思想を広めたのが大川隆法。幸福の科学では、エル・カンターレは、「うるわしき光の国、地球」もしくは「地球の光」であると教えられています。幸福の科学では、地球や大地がとにかく尊いのです

◎オーガニック食品を毎日食べながらも、長期的な安全試験すら終わっていない(2022年6月時点)mRNAコロナワクチンを、ステータスを得るような感覚で射ち込んでしまう「意識高い系」

◎気候変動やプラスチック問題に現場レベルで熱心に取り組む環境マニア。プラスチックのコップに入っている飲み物を紙製のストローで飲んで、偽善的な自己満足に浸っているタイプ

◎BLMやLGBT、ANTIFAなどの支配層に仕掛けられた「左系」グループのデモに積極的に参加するタイプ。特に自身が黒人でもセクシャルマイノリティでもないのに参加する層

◎ニューエイジスピリチュアルにハマっているタイプ。特に自身のニューエイジが信仰であると気づいてすらいない人

◎重度のキャンプ好き、釣り好き、レイブや野外フェス好きなどの「アウトドア派」や「ヒップスター」。こういうタイプはメインストリーム、またはカウンターカルチャーの流行に弱い場合が多いため、大地教の巧みなマーケティングにより、いつの間にか大地教的な人間になっていくでしょう

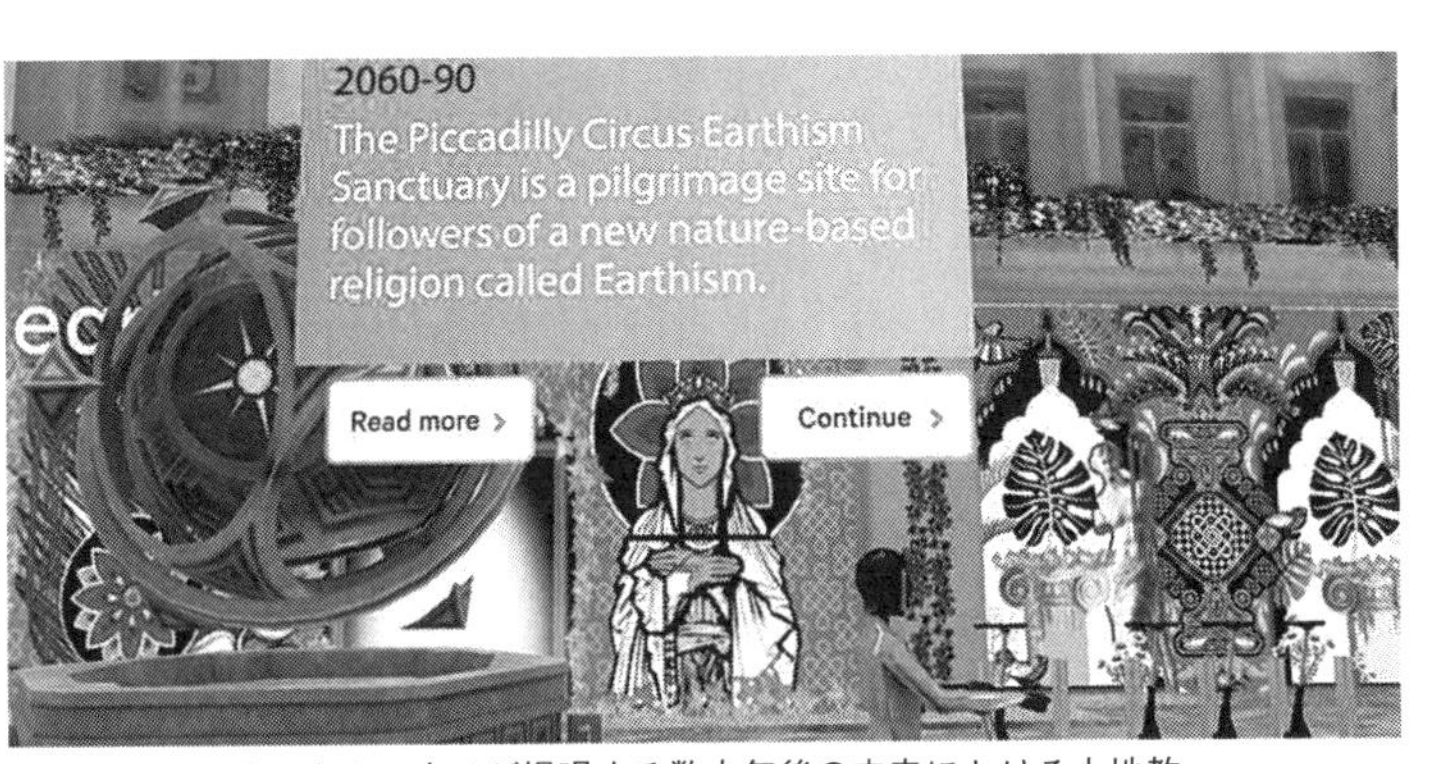

チャタムハウスが提唱する数十年後の未来における大地教

◎「ちょっとみすぼらしいくらいが美しい」といった侘び寂びの精神に美徳を感じる人

次に大地教とメタバースの関係について。

メタバースの日常生活への浸透には、メタバース自体の没入感が高いことやワクワクさせてくれる魅力的なコンテンツが重要な役割を果たすのは間違いないです。しかしさらに、リアルな世界が辛すぎるが故に現実逃避の手段として、ユーザが自ら積極的にメタバースへと飛び込みたくなるように仕向ける必要もあります。そのため、以下の施策が支配層により検討／導入されています。

◎地球に優しい生活必需品を購入できるための少額の（デジタルトークン）ベーシックインカム

◎人間の「生きる、移動する、楽しむ」といった活動が原因の気候変動説の主張、およびメディアによる罪悪感の植え付け。政府による環境ロックダウンの実施

◎感染症のでっち上げと、さまざまな我慢や苦痛を伴う「ほしがりません！　勝つまでは」対策（ソーシャルディスタンス、外出自粛、マスクの着用など）

◎燃油価格の高騰による内燃機関車離れ、および自動運転が可能な電気自動車の普及、自宅まで郵便物や食糧を届けてくれるドローン宅急便など、移動に関する制限

◎都会のもともと自家用車用の駐車場だった場所を改築して作った畑で育てる「地産地消の農薬がいらない」野菜や、一般人向けの旅客飛行機の大幅な減少など、物流や旅行に対する制限

　これらが、大地教とメタバース生活の浸透のための施策の数々であり、世界経済フォーラムや国連が中心となって、世界中の国々で導入されつつある（または既にされている）ものになります。そういった意味では、実にタイミングのよい「パンデミック」でした。

　また、書籍『2030年　すべてが「加速」する世界に備えよ』でも紹介されているように、国土の4分の1が海抜0メートル以下といわれるオランダの政府などは、地球温暖化に起因するとされる「水位の上昇」に備えたインフラ整備を進めています。具体的には、チャタムハウスも「予測」している海岸部都市の**水上都市化計画**です。

　オランダ第一の都市と第二の都市であるアムステルダムとロッテルダムは海や湖の近くにあります。ですから、チャタムハウスの資料で「水上都市化の見本」として使用されているロンドンよりも早く水上都市になるのではないかと推測できますね。

　この水上都市こそ、少なくとも建前上は「地球に優しい、自然と調和している」ように見える都会生活であり、**大地教信者の理想都市の姿**であると言えるのではないでしょうか。ただし、実際はいつまでも上がることがない海の水位をどうやって「上げて」水上都市化を実現していくのかはわかりません。

　最後に、「大地教」を「フラットアース」に繋げると、日本には今、2タイプのニューエイジフラットアーサーが増殖しています。「スピリチュアル系に肯定的なままフラットアーサーになったニューエイジ」と、「スピリチュアル系を嫌悪する陰謀論カルトのニュー

エイジ」になります。彼らに共通するのは「ニューエイジ気質である」ことから、「フラットアース」というジャンルからそのまま「大地教」という思想へと徐々に流れていくことが想定されます。読者の皆様には、くれぐれも「**大地教の罠**」に気をつけていただきたいです。

フラットアーサー出口王仁三郎について

「鉄アレイ地平説／宇宙論」なる説を唱えていたとされる大本（教）の教祖の一人、**出口王仁三郎**（でぐちおにさぶろう）。大本（教）は、日本最初のニューエイジ新興宗教らしく、神智学のスタイルに則ったキリスト教、仏教、神道などからのイイとこ取りの宗教です――この時代の神智学を日本流に解釈している宗教とも言えます。私の母親が数年間入信していた光ビームを出す設定の崇教真光なども大本（教）の影響を受けた新興宗教になります。

　ニューエイジスピリチュアル界隈などで人気の「みろく」や岡本天明（おかもとてんめい）の「自動書記」による「日月神示」なども大本（教）が源流です。世界中のニューエイジ陰謀論者が、大好きな「宇宙」がないという主張に対する認知的不協和によりフラットアースを忌み嫌う中、日本のニューエイジだけがフラットアースを受け入れている状態は出口王仁三郎の「地平説」があったからではないでしょうか？

　日本のニューエイジコンテンツの多くが大本（教）ルーツのため、少なくとも海外のニューエイジ陰謀論よりは潜在的にフラットアースを受け入れやすい状態にあるということです。この大本（教）があったからこそ起きた日本の**ニューエイジフラットアーサー大量出現**という現象から、ニューエイジスピリチュアルは「〝神〟や〝戒律〟などの古代宗教の概念を取った〝宗教だとわかりづらい宗教〟である」ということが理解できるかと思います。本人は気づかずカルト宗教入りをしているような状態なのです。

　出口王仁三郎は大地が「地平」であるという「宇宙論」を唱えているのですが、「世界はフラットアースながらそれでも宇宙がある」という出口の主張は、現代ニューエイジの宇宙が前提にあるさまざまな概念に合致しているため、大本（教）の教義が入った科学っぽい「娯楽」のような感覚でフラットアースを楽しんでいるのです。彼らが同じ価値観を共有する仲間と日常のストレスで得た傷の舐め合いをしているだけで十分満足な理由も、信仰心でフラットアースに臨んでいるからにほかなりません。

『出口王仁三郎の宇宙論』という書籍があり、文量がそこまで多くなく私も読書済みなのですが、大地が平らであるという主張以外は論理や科学的に理解することができませんでした。興味がある方はよかったら読んでみてください。また余談ですが、王仁三郎本人は自分のことを「変性女子」と呼んでいたことからフェミニティへの憧れのようなものがあったと推測でき、ニューエイジが、ある意味、男性のフェミニン化を促している（反対にフェミニスト運動が女性のマスキュリン化を促している）と考えると、このネーミングはしっくりきます。

大本（教）の影響を受けてフラットアーサーになったニューエイジについて。

私をはじめとした非ニューエイジフラットアーサーがニューエイジに関する警鐘をこれほどまでに鳴らしているにもかかわらず、なぜ彼らがあそこまでに聞く耳持たずにニューエイジの罠に全く気づけないのかがずっと不思議でしょうがなかったのですが、最近ようやくわかってきました。

まず彼らの状況を見ていきましょう。「出口王仁三郎／日月神示」などを経て、フラットアースに気づいたことでいきなり「社会のマイノリティ（場合によってはトンデモ陰謀論者扱い）」になります。またスピリチュアル系などのニューエイジコンテンツにもともとハマっていたのか、フラットアースを通じてスピリチュアル方面にいってしまったのかは人それぞれだと思いますが、スピリチュアル系は宇宙や量子力学などのコンテンツが主流のため、「フラットアーサー」を名乗るのは、「スピリチュアル系の人々の中でもマイノリティ」になってしまう、という世知辛い現実があります。「増加したナルシシズム」「自分が自分の世界の神様」「人それぞれの世界がある」「批判は受け付け

出口王仁三郎の主張によりフラットアーサーになった人が一定数いる

ない」などのニューエイジ的価値観を持つフラットアーサーには耐え難い孤独感が待ち受けるのです。

そんな彼らにとって、大地が平らだと気づき、（同じように平らだと主張する）王仁三郎の教えをさらに確信できた時点で、信仰心が満たされ、自分の信仰は正しかったという確証も得られ、既に自身の目的達成なのです。よって論理や物理の追究など、その後のおまけみたいなもので、わざわざ手を染める必要はないと考えます。他のフラットアーサーがそういう難しそうなことをやってくれればよい、という他責の考えなのです。そして目的は既に達成されたわけだから、あとは同じ価値観を共有する「大切な仲間」と「肯定し合い」、自分がこれ以上孤独を感じないように、オフ会やセミナーなどの気持ちがよくなる場を誰かが提供してくれれば満足なのです。

また、出口王仁三郎のフラットアースが肯定できたものだから信仰心が増し、フラットアースなどさておき、「日月神示」の記述を肯定するように思えるマッドフラッド（泥の海）、トランスジェンダー（変性男子／女子）、不食／断食、瞑想、松（によるワクチン解毒）、龍／トカゲ／レプティリアン（爬虫類型種族）をさらに肯定できる材料を探すほうに夢中になるのも、彼らの信仰心からはむしろ必然だと思います。彼らが世界経済フォーラムの創設者クラウス・シュワブが実現させようとしているグレートリセットをあまり取り扱わないのも、マッドフラッドに取りつかれた日本のニューエイジが「歴史は２００年前に世界的にリセットされた」と信じてしまうのも、「日月神示」がおおむね「世界のリセット」を題材にしているからなのです。ニューエイジフラットアーサーは、「日月神示」を肯定するために陰謀論コンテンツを調べたいといった価値観を持っているため、この価値観に当てはまる陰謀論情報発信者はまるで宗教の教祖のように熱狂的に支持をします。しかし、そうではない陰謀論情報発信者にはかなりの嫌悪感を抱く、または基本的に彼らの情報をスルーするのです。

ニューエイジは、フラットアースを知れただけで目的達成なので、それをさらに追究した書籍には興味がありません。そのため、細かい中身など関係なく○○（好きな発信者）が書いた書籍であればほぼ無条件に購入し、そうでない人の書籍ならばたとえなんらかの知識を手に入れられる可能性が高くても購入しないでしょう。

日本のニューエイジフラットアーサーの心理はこのような日本独自の背景があるため、独自性（ガラパゴス化）は不可避だったのではないでしょうか。

大本（教）の陰謀論の原点

大本（教）のニューエイジコンテンツに傾倒している信者は、本人は知ってか知らずか、陰謀論を調べる時にはプログラミングされたＮＰＣ（Non Player Character）のように信仰心の類で大本（教）の教えに近いコンテンツに傾いていきます。俯瞰的に見ていくと、日本のニューエイジ陰謀論者の多くが大本（教）の影響下（潜在的な影響も含む）にあるのがよくわかります。非ニューエイジ陰謀論者が少しでも彼らの主張を論理的に否定すると、彼らが怒り出す理由は信仰を否定されたと個人的に受け取られてしまうためです。多くの場合は、自分の怒りが信仰心を否定されたからであるとは表面的に気づいていないため、非常に厄介です。

それでは、陰謀論と大本（教）の関係を見ていきましょう。

フラットアース
←
出口王仁三郎は「地平説」を主張していた。

マッドフラッド
←
「日月神示」に記載あり。
早く⊙（モト）の神の申す通りにせねば、世界を泥の海にせねばならぬから、早うモト 心になりて呉れよ、神頼むぞよ。

トラニー（身体的な性を偽っている有名人）
←
出口王仁三郎は変性女子。出口ナオは変性男子。

「松」で治すコロナワクチン副反応
←
「松」は大本（教）では神聖とされている。

不食、断食、一日一食

←

「日月神示」に記載あり。

減らんので食べるでないぞ。食せよ。おせよ。一日一度からやり直せよ。

「銀河連合」や「アシュタール人」などの宇宙人や光の戦士

←

宇宙、悪魔、邪鬼などが「日月神示」に登場。

宇宙について書かれている部分もあり、宇宙ありのフラットアースは大本（教）的思想であるのがよくわかる。

宇宙の総ては◎となっているのざぞ、どんな大きな世界でも、どんな小さい世界でも、悉く中心に統一せられているのざぞ。

「引き寄せの法則」、「陰謀論風の娯楽」をビジネスとして何が悪い？　という価値観

←

清貧は負け惜しみ、清富になれよと申してあろうが。

自給自足村を作る

←

王仁三郎の皇道経済論。

日本のニューエイジ陰謀論者の多くは、ただ単に陰謀論という宗教っぽくないツールを通して、間接的に自身の大本（教）的信仰心を深めていっているだけなのです。

数秘術の観点からも大本（教）を見ていきましょう。以下の見本が、最もわかりやすいので掲載します。

Oomoto（大本）30／24／93／69／119／558／303／73

Saturn（土星）30／42／93／69／119／558／303／73

これだけの数字がヒットするのは、高額宝くじを当てるレベルの確率になります。宝くじの高額賞は基本

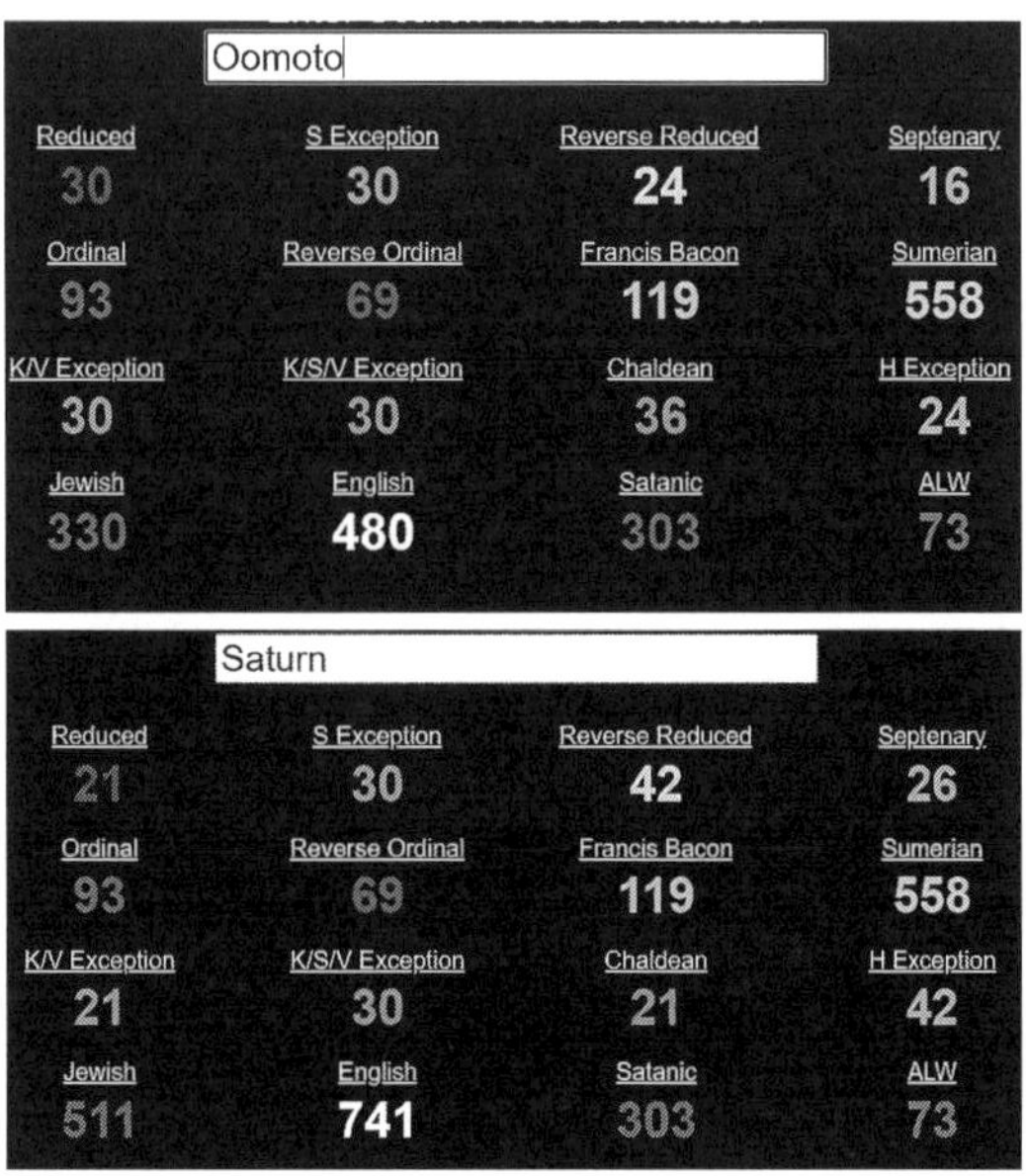

Oomoto			
Reduced	S Exception	Reverse Reduced	Septenary
30	30	24	16
Ordinal	Reverse Ordinal	Francis Bacon	Sumerian
93	69	119	558
K/V Exception	K/S/V Exception	Chaldean	H Exception
30	30	36	24
Jewish	English	Satanic	ALW
330	480	303	73

Saturn			
Reduced	S Exception	Reverse Reduced	Septenary
21	30	42	26
Ordinal	Reverse Ordinal	Francis Bacon	Sumerian
93	69	119	558
K/V Exception	K/S/V Exception	Chaldean	H Exception
21	30	21	42
Jewish	English	Satanic	ALW
511	741	303	73

サタン（悪魔）を象徴する「土星」と「大本」は、ユダヤ教数秘術に当てはめると多くの数が一致する

的に当たらないため、論理的帰結は「OomotoとSaturnのマッチは決して偶然ではない」になります。

陰謀論カルトという新人類

日本フラットアース界の新たな現象として、最近増えているタイプのフラットアーサーについて。

「自分のニューエイジはよいニューエイジだが、スピリチュアルは悪いニューエイジ」という考えの**認知的不協和が強いフラットアーサー**。または、ニューエイジの主流である「スピリチュアル系には嫌悪感を抱いている」が、**自分がニューエイジであることに気づいていないフラットアーサー**になります。

情報発信者および彼らのフォロワー層におおむね共通してみられる特徴としては、子供のような**プライドの高さ、自己中心性**、場合によっては**高い攻撃性**となります。

スピリチュアル系の人は、「批判をスルー」「みんなで手を取り合う」「平和と調和を重んじる」などの平和主義（＝本質的には他人に無関心なだけ）になりがちです。これに対して、スピリチュアルの進化版であり、スピリチュアル系が嫌いなことが多い陰謀論カルトの人々は、「批判には誹謗中傷」「同意する仲間以外は手を切る」「破壊と再生」といった真逆の価値観や特徴が備わることが大変不思議ではあります。

この二極化の現象は、フラットアースに限らず、たとえば量子力学波動メタトロン測定を診断に使う対立軸のニューエイジ医師にも見られる現象になります。個人名は出しませんが、陰謀論カルトへと進化している人気の対立軸医師にも、スピリチュアル系が嫌いな上に攻撃性が高い人は存在します。

　本考察では、前者を「強ニューエイジ」、後者を「弱ニューエイジ」と分類しています。

◇強ニューエイジ＝宇宙を扱うことが多いニューエイジスピリチュアル系のコンテンツに肯定的な人

◆弱ニューエイジ＝スピリチュアル系コンテンツに否定的、または直接批判しているが、性格や行動、思考、考え方などがニューエイジ気質のままの人

「弱ニューエイジ」タイプの陰謀論者は、英語圏では意外と多いのですが、YouTubeなどで情報を発信している日本のフラットアーサーの一部でも見られるタイプであり、私はフラットアース普及の停滞に貢献している要因のひとつでもあると考えています。

簡潔に結論から述べると、このタイプは「スピリチュアル系をはじめとした過去のニューエイジコンテンツには否定的ではあるものの、論理や物理学で説明できるフラットアースをニューエイジ気質のまま紹介するため、無意識に信仰心が介入し、主観の強いアウトプットとなってしまっている人たち」になります。

　それでは、具体的に「弱ニューエイジ」の特徴を見ていきましょう。全ての「弱ニューエイジ」が全ての項目に当てはまるわけではなく、個人がそれぞれいくつかの項目に当てはまっているというスタンスでお読みください。

（1）科学的な切り口のコンテンツは論理や物理学風に紹介、スピリチュアルや古代宗教は批判する

　本人たちは、信仰と論理の切り分けができていると勘違いしており、ルドルフ・シュタイナーなどの人智学や神秘科学を気づかずに主張に入れてしまうことはありますが、ニューソートやスピリチュアル系を嫌っているため、「この世界はフラットアースだけど宇宙人とチャネリングが可能」のようなスピってる主張をすることはあまりありません。

（2）ニューエイジ気質の自覚なし

スピリチュアルコンテンツを否定しているが故に、逆に目が曇り、自分はむしろニューエイジからは遠いところにいると思っている節があり、「貴方はニューエイジ気質ですよ」と非ニューエイジが指摘しようものならば、強烈な認知的不協和を起こしてしまい、かなり怒り出します。自分は「ガーシーのようなロビンフッド」の一人であると勘違いしているのかもしれません。

また、「他の意見を否定してはならない」「世の中に無関心」といった、基本的には平和的（＝無関心）な価値観を持つ「強ニューエイジ」との大きな違いは、攻撃性が高く、「客観的な批判」と「悪意のある批判」の区別もつかないため、どんな批判にも猛烈に攻撃し返す人が多いのです。

（3）仲間意識の強さ

「弱ニューエイジ」は、このニューエイジの基盤概念を引き継いでいます。少し尖った見方をすれば、一般的にニューエイジは議論や批判の類を基本的に避け、意見が違う人にもできるだけ「ポジティブ」な返しをすることで丸く収めようとする姿勢があります。それが、行き過ぎたナルシシズムとメタ認知の不足により「みんなによい顔をしている自分は器の大きな大人」と勘違いしているようにすら見えます。このスタンスは一般社会的な感覚を持つ非ニューエイジならば、見ているだけである程度の（詐欺師的な）違和感を覚えると思いますので、こういう人に違和感を覚えない方は既に自分がややニューエイジ気質であると自覚しましょう。

世の中、そもそもみんながみんな、いつでも仲よくできたら、全体主義社会が社会体制としての理想であるという結論になりますので、ニューエイジのスタンスは全体主義的であると言い換えることができます。「弱ニューエイジ」は陰謀論カルトを形成しているため、この仲間意識がスピリチュアル系よりもかなり強く、排他性がなお一層増しています。

（4）「主観」と「客観」の切り離し、「マクロ」と「ミクロ」の切り離しが不得意

ニューエイジ気質は、「主観と感覚」および「仲間

との協調（という名の同調圧力）」でできあがっていると言っても過言ではありません。自分で今話している、または聞いている内容のどの部分が「客観的」な話で、どの部分が「主観的」な話なのかを判別することが極めつきに不得意です。そのため、ある程度「客観的」な話をしているように見える場合でも、本人は気づかずいつのまにか「主観」を混ぜ込んでしまうことが多いのです。その結果、論理的整合性が低い主張になることが多く、客観的な主張が必須の「議論」という行為はかなり不得意なのです。それを自覚できているのか、自分とは異なる意見が会話に出たらとりあえず「そういう主張もありだよね！」と取り繕ってしまう傾向にあるのではないでしょうか。

また、「マクロ」と「ミクロ」の切り分けも非常に苦手であり、こちらが一般論や全体論でしている話でも、すぐに個人的に受け取ってしまい、勝手に怒り出すこともしばしばです。「自分が自分の世界の神様」という価値観によって備わった自己中心性により、自分に対する個人的な意見とすぐ勘違いしてしまうのです。

（５）メジャー対立軸（カウンターカルチャー）に立った主張が大好物

「弱ニューエイジ」の情報発信者は、ニューエイジ気質の特徴のひとつである「ポピュリスト思考」が残っているため、自ら対立軸に立って他人を攻撃するようにも見えます。他人を批判をすることで、むしろイキイキとしているようにも見えます。他人を批判をすることで出るドーパミン依存症になっている状態であり、対立軸の陰謀論コンテンツの情報発信をする最大の動機でもあるのです。

さらには、扱っているコンテンツの「メジャー軸に自分が批判されること＝逆に注目されている／正しいことを言っている」勲章である、という行き過ぎたクルセーダー感覚の人も見かけます。彼らは対立軸に立つのがただただ好きなのであり、陰謀論はそれを実現してくれる恰好のツールであるということです。

（６）「強ニューエイジ」の人との動画配信で対談をする

ニューエイジは自分を客観視するのが苦手であるという特徴にも通じるものがあります。特に日本で見られる現象なのですが、この動画を作ることで自分が楽しいか（ワクワクするか）、自分がより注目されるようになるのか、といった利己的な思惑で動画配信の対談相手を決めがちなため、対外的に自分がその人物との対談やコラボをすることで不特定多数の人にどう見られるかをあまり考えない、というか気にしない傾向にあります。

その結果、スピリチュアル系を好意的に捉える「強ニューエイジ」の人と普通に対談やコラボ企画をすることもあるのです。YouTubeという媒体であれば、不特定多数の人がいろいろと検索をしては動画のサムネイルをスワイプしていくわけですから、スピリチュアル系の「強ニューエイジ」とサムネイルで一緒に映っていれば、その人たちに仲間だと思われてしまうということは特に考慮しないのです。

（7）基本的に短期目線

「今を生きる。過去に囚われない。未来について考えない」という価値観のため、発信しているコンテンツも、「今現在の何か」を扱う場合にはある程度的確に情報を伝えられることもあります。しかし、中長期に物事を見るのが苦手であり、興味すらない場合が多いので、支配層の長期的な計画である「世界統一思想」や「トランスヒューマニズム社会」、中期的には実現してしまいそうな「グレートリセット」はほとんど取り扱いません。一方、過去についての発信は、自分が生きてきた時代以前の「文明の定期的なリセット」「泥洪水」「テレパシーを使い、食事をとらず水だけで生きていた高度な生命体」など、急に意味不明な主観ファンタジーの領域に入ります。

つまり、「未来について考えない＝考えていない」ため未来に関する発信もしない。そして、「過去に囚われない＝過去は自由に創作してかまわない」ということです。

（8）動画配信などで顔出しをしない

顔出しをするしないは個人の自由ではありますが、「理科実験でもってフラットアーサーを増やしていくしかない！」などと（視聴者に媚びる形で？）実際に主張しても、顔出ししなかったらできる実験がかなり限られるというところには気づきません。しかも、自分の主張の説得力を上げるために覚悟を決めて、（私のように）顔出しをしている人間を謎に批判する場合もあります。また、チャンネル登録者数数千人そこそこで、（少なくとも支配層が気がかりに思うような）大した内容も話していないにもかかわらず、顔出しをしたら俺は消されてしまう、という妄想レベルの言い訳をする人もいました。

自分のYouTubeチャンネルを収益化している時点で、Googleに個人情報をたくさん提供していることや、パソコンのＩＰアドレスなどでやる気になれば身元など簡単に割れてしまうという現実にすら気づいていないということであり、ファンではない人たちには、そうした妄想で顔出ししない人の陰謀論は、子供のトンデモ陰謀論ごっこという印象しか与えません。

（９）登録者数をかなり気にする

こちらは「弱ニューエイジ」の特徴というよりは、ニューエイジ全体の共通点である「ジャスティン・ビーバー最強説」にあてはまります。とにかく自分や他の情報発信者の登録者数を話題にすることが多く、登録者数をとても気にしているのがわかります。また、登録者数が増えないのは、「世の中が悪い」であったり、「他の情報発信者が悪い」であったり、場合によっては、「イルミナティ／ＤＳの圧力だ」、とほぼすべて他責とするのがニューエイジ気質が強い証拠でもあります。以前、「フラットアーサー（私）がテレビに出たのに自分のチャンネルの登録者数が増えないのはそのフラットアーサー（私）のせいだ」といった主張をする人もいました。ニューエイジに育まれたナルシシズムにより、どこまでいっても『自分に原因はないのだ』と本気で思っているのでしょう。

〈まとめ〉

「弱ニューエイジ」の方々は、宗教っぽくない陰謀論を中心に扱っているため、また「スピリチュアル系」や「ニューソート」をむしろ嫌っているために、自分がニューエイジ気質であると気づいてすらいない場合も多いのです。ただし、（個人的な経験にはなりますが）もともとこのタイプだった方で、時間とともにニューエイジ気質が抜けていった方も知っています。私自身はスピリチュアル系に熱中したことはありませんが、子供時代はテレビゲームや漫画が大好きで、ニューエイジ気質が完全にゼロではないとも思っています。読者には、忍び寄るさまざまなニューエイジへの誘いの罠に引っかからないように気をつけていただきたいと思います。「陰謀論カルト」は、表面的には全くもって宗教っぽくないため、厄介なのは間違いありません。

タータリアなるコンテンツについて

タータリア（タルタリアとも表記）は、マッドフラッドと抱き合わせにされやすく、ニューエイジ陰謀論者による論理の飛躍が入ることが多い陰謀論となります。そのタータリアについて簡単にまとめてみました。

「タータリア地方」自体は陰謀論でもなんでもなく、普通に存在していた地域になります。Wikipedia でも書いてあるように、ヨーロッパ人が、中央アジアやモンゴルを中心に繁栄した遊牧民「タタール人」の地域をまとめて「タータリア地方」と呼んでいたそうです。今でいう、アングロサクソンやゲルマン民族ではなく、ラテン系が多いアメリカ大陸の地域を指す「ラテンアメリカ」という表現に感覚的に近いのかなと思います。少なくとも国際的に正式な呼称ではありませんでした。また独立タータリアという小さな国家も一時期存在していたようです。

タタール人の肖像画

＊参考サイト
https://en.m.wikipedia.org/wiki/Tartary

タルタルソースの名前の起源について。ギリシア神話のタルタロスと直接の関連はないのですが、東ヨーロッパ人がモンゴル帝国の遊牧民を称した「タタール人」を、西ヨーロッパでは、ギリシア語の「タルタロス」の影響で「タルタル人」と称したそうです。「ハザール」が訛ってタタールとなった説もあり、中央アジアにハザール人が多いことからもあり得る話ではあります。モンゴルにハザール人の遊牧民が流入していったのかもしれません。

＊参考サイト
https://ja.m.wikipedia.org/wiki/ タルタルソース

タータリア地方（中央太線内）、独立タータリア（左側細線内）を表示した地図
（出典 https://www.geographicus.com/）

巷でワクワク陰謀論者を虜にしているタータリア「帝国」は、特に正式な文献に記載されたものではなく、いわゆる陰謀論の域を出ません。真偽を確かめられない、闇に葬り去られた歴史コンテンツという謳い文句は、ニューエイジ陰謀論者との相性がすこぶるよいと言えるでしょう。

また、カボチャ型の屋根を持つ、旧タータリアにも見られる様式の建物は普通に現存しています。ロックフェラー利権を体現したかのような現代の石油化学／コンクリートの建物は「建て直しによる継続した収益が生まれる」ため、１００年も持たないように作られていますが、旧タータリアにも見られる様式の建物は数百年経っても普通に使える剛健なものとなっています。中央アジアにこの様式の建物が多いことから、この地方発祥の可能性はあります。しかし、遊牧民という機動性の高い性質を考えると、建築技術に時間と労力をかけるとは思えないため、ヨーロッパやロシア発祥の建築様式の可能性が高いでしょう。ロックフェラーの本拠地である米国および西欧諸国は、戦争の爆撃や**万博などで建物の取り壊し**※を行ってきたため、これらの諸国ではこの様式の建物が、今は少ないだけなのかもしれません。

※万博を隠れ蓑にした（剛健すぎて長持ちをしてしまう）高度な建築の破壊については、自著『99・9％隠された歴史』でより詳細に説明しています。

次に**タタール人**について。

タタール（Tatar，タタール語：татарлар）は、北アジアのモンゴル高原とシベリアとカザフステップから東ヨーロッパのリトアニアにかけての幅広い地域にかけて活動したモンゴル系、テュルク系、ツングース系およびサモエード系とフィン＝ウゴル系の一部などさまざまな民族を指す語として用いられてきた民族総称である。日本では、中国から伝わった韃靼（だったん）という表記も用いてきた（Wikipedia より）。

タータリアは、（私の大好物のロシアサラダに似ている）タルタルソースを作る遊牧民のタタール人が住処にしていた東ヨーロッパ、ロシア、中央アジア、モンゴル辺りの地域になります。遊牧民が故に広範囲を住処としていたのでしょう。シルクロードが発展していたため、移動も簡単です。さまざまな品物や技術がシルクロード経由でたくさん手に入り、物質的には豊かな地域だったのかなと推測できます。

Wikipedia レベルでここまで掲載されているわけですから、陰謀論にわざわざする必要もないくらいのトピックであるのかもしれません。しかし、ニューエイジ陰謀論者がニューエイジ気質である限り、訳のわからない情報が飛び交い、まともな思考の「陰謀論者」がいても数の理論で完全に埋もれてしまいます。ウロボロスの如く家畜はずっと家畜のままである縮図が、タータリアという陰謀論を通しても見えてきます。

＊参考サイト
https://ja.m.wikipedia.org/wiki/ タタール

マッドフラッドに関する勘違い

「200年ほど前に世界的な泥洪水が起き、高度文明を誇っていた世界がリセットされ、人口は激減。ロックフェラーの石油時代が始まることとなる。この事実は歴史の教科書には一切載っていない」

なんだかワクワクしますね……（皮肉）。

本考察は、ニューエイジ陰謀論界隈で話題になっている「マッドフラッド」というコンテンツについて、私が基本的に投稿しない／ほとんど触れない理由でもあります。

まずはじめにはっきりさせたいのは、なぜか勘違いされがちですが、「タータリアという地域が存在した＝マッドフラッドがあった（または〝なかった〟）」とは決してならないということ。両コンテンツは、相互補完的な要素は若干あるものの、本質的には別ものになります。たとえるならば、ナチスドイツが存在したから核爆弾も存在する、と自動的に結論づけるようなものです――タータリアは歴史の話であり、マッドフラッドは災害の話になります。

細かいことを言うと、Twitterで別のフラットアーサーが指摘していましたが、厳密には、「避雷針のあるカボチャ型の丸い屋根の建物や、スターフォート（五稜郭公園にあるような五芒星型の外壁）などの様式の建物がある＝タータリアという地域があった」というわけでもありません。そもそも、「タータリア様式」の建物であるかも不明ですし、タタール人が遊牧民であることから、むしろ考えづらい主張になります。

以前、マッドフラッドのデバンク動画をFacebookグループで紹介したこともあります。動画では、パリ市街のマッドフラッドの証拠とされている建物について、かなり根拠のあるデバンクがされていました。地下鉄を作る際に建物のまわりをごっそり掘っているのですが、そのままでは地下鉄の建設中に建物が倒壊してしまいかねないということで、補強材を外に取り付けているだけです。その根拠として、地下の補強材の部分の幅だけ壁が外に出っ張っています（２１２ページ画像参照）。

泥洪水（土砂災害）は、局所的には今も起きていますが、ニューエイジ陰謀論者にとっては、「マッドフラッドが発生しなかった」という可能性は以下の理由から論理度外視で無視されます。

（１）マッドフラッドが起きなかったなんて、

ワクワクしない
（2）マッドフラッドが起きなかったなんて、再生回数が伸びない
（3）マッドフラッドが起きなかったなんて、単純に盛り上がらない
（4）マッドフラッドが起きなかったなんて、今までの自分のマッドフラッド肯定コンテンツを否定された気分になり、不快である（ネガティブ波動を引き寄せる）

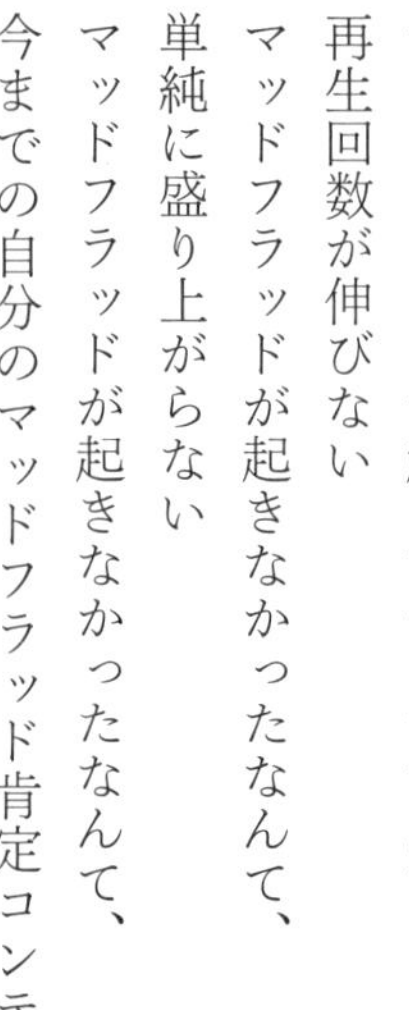
地下部分の壁は、明らかに上の建物より外側にある。つまり建物が倒壊しないように補強材を一時的に打ち込んでいるだけ。ワクワク陰謀論者は目が曇りがちであり、ワクワク思考で暴走する傾向にある。今一度冷静に見直してほしい

私は、マッドフラッダーに個人的な恨みがあるわけではありませんが、言い切りで「マッドフラッドは起きたんだ！」と複数の情報発信者が平然と言うのであれば、陰謀論のトンデモ化の阻止のために、こうした「冷静になれよ！」というメッセージを込めた考察を書籍に掲載せざるを得ません。真摯かつ謙虚な情報発信者であれば、本来は自分の成長のためにも、これまでの見当違いをサンクコストとして捉え、そしてマッドフラッドに対する自分の意見をきちんと変えればよいのです。しかし、皆「スポンサー様（フォロワー含む）のご意向」なのか、よくわからない「プライドがある」のか、「(日月神示の泥の海に起因した）信仰心」の類なのか、マッドフラッドを既成事実として信じ切っているのかはわかりませんが、いろいろと引っ込みがつかないようです。

こうして個人の利己的な思惑で、謎に同梱発信されている「フラットアース」や「タータリア」、「ロックフェラー石油利権によりほぼ潰された高度な建築技

術」のイメージも悪くなっていきます。「地球の曲率では本来は見えないはずの物体が、実際に水平線の向こう側に見えている」といった検証ができるフラットアースと近い強みのある、「実際にその辺にある建物を見ることで確かめられる」タータリア、それを切り口にした「ロックフェラー石油利権の謀略」という観点までとも倒れです。ちなみに英語圏の話をすると、「タータリア」関連はある程度盛り上がっているかもしれませんが、「マッドフラッド」に関する投稿は以前ほどは見かけなくなりました。

マッドフラッダーの根拠は議論不可である

「マッドフラッド」と「フラットアース」の同梱パッケージ発信について。『Yahoo! 知恵袋』で、「フラットアーサーが主張するマッドフラッドって無理がありすぎない？」というような質問投稿が登場するくらいに実害も普通に出ているため、危機感をもって本書に掲載いたします。「フラットアーサーは虚偽と事実を織り交ぜている」というコメントもあり、『知恵袋』にほとんどフラットアーサーが工作員扱いを受ける運びとなりました。マッドフラッダーの皆様、誠にありがとうございます（皮肉）。

＊『Yahoo! 知恵袋』参考記事
https://detail.chiebukuro.yahoo.co.jp/qa/question_detail/q13252816028?__ysp=cTEzMjUyODE2MDI4

マッドフラッドを肯定するフラットアーサーたちは、自分をワクワクさせてくれる「論理的な根拠の著しく乏しいマッドフラッド」というトンデモ陰謀論が、「フラットアースムーブメントを潰している」ことはおかまいなしなのかもしれません。自分たちに利益があればよいのでしょう。客観視や利他性など二の次です。以下のような発想が根底にあるのでしょう。


「ワクワクするからなんでも根拠なく発信してしまえ！」

「同じくらい好きなフラットアースと一緒に発信してしまえ！」

「キーワード〝マッドフラッド〟で安定の視聴者稼ぎだ！」

以下に、マッドフラッドコンテンツを発信する方と私とのやりとりを紹介します。質問を複数回繰り返しても返答が全くない（＝スルー）か、おおよそ根拠が皆無の返しばかりで、この方との議論は不可と判断し、議論そのものを切り上げました。意訳の部分も含まれていることをご了承ください。カッコ内は私の補足コメントになります。また個人攻撃を意図するものではないため、相手の名前は伏せさせていただきます。

【相手の主張】　フラットアースのさまざまな不明点がこれから解明され、フラットアースが世界中で広がり、科学者トーマス・クーン著書『科学革命の構造』に書いてあるような、フラットアースに肯定的な科学のパラダイムシフトが起きる！　またマッドフラッドとタイトルをつけた動画生配信を（この相手が）多数YouTubeにアップロードしているが、実はマッドフラッドが起きていると考えているわけではなく、世界的なリセットが起きたのはプラズマ大災害が起きたためであると思っている――マッドフラッドの定義は曖昧なのだ（＝ニューエイジの人それぞれの価値観）。泥だったのか電気だったのかは、あまり重要ではない。２００～３００年前の旧文明はプラズマに滅ぼされたのだ。また、マッドフラッドを調べれば、マッドフラッドを通してフラットアースのこともいろいろと判明してくるだろう。よりフラットアースのことを解明したくて、マッドフラッドを支持しているフラットアーサーは他にもいる。マッドフラッドとフラットアースは関連性があるのだ！

（議論の途中からプラズマ説という独自性の高い説を主張するようになったのですが、引っ込みがつかないのと、マッドフラッドとタイトルにつけると一定数の視聴者が得られる戦略であると認めたくないのとで、マッドフラッドというタイトルをつけた〝プラズマ（電気）文明リセット説〟の動画という言い訳をしているだけだとは思います）

【私】　クーンの主張に基づいた「球体説はパラダイムシフトの手前の混乱期であり、もうすぐフラットアースがメインストリームになる」という主張はどう考えても的外れです。メジャー現代科学では球体説は全く揺らいでいないどころかどんどん強固になっています——一体どうやってそのような結論に辿り着いたか理解に苦しみます。また大地は平らだから〝Flat＝平らな、Earth＝大地〟という一般的な解釈になります。それ以上のところは、この確かな基盤の上で成り立っている仮説であり、それら数多くの仮説を全て確かな事実として確定させられなくても大地が平らではない、となるわけではないです。ご主張されているのは、プラズマが起きて世界中が破壊されたということですか？　もはや〝mud＝泥、flood＝洪水〟でもなんでもないので、マッドフラッドをタイトルに入れるキーワードとして使っているのも理解に苦しみます。マッドフラッドという「泥洪水」から、フラットアースの何かがわかる根拠はなんでしょうか？　なければその主張は捨てましょう。またマッドフラッドの定義は曖昧ではないです。〝mud＝泥、flood＝洪水〟。それ以外の（プラズマなどの）要素を含めるのはあなたの主観でしかありません。〝天変地異＝泥洪水〟のみではないですし、（マッドフラッドは広義の意味での）天変地異だと言うのならば、そもそも論として、まず約２００年前に天変地異が起きた根拠を示す必要があります。プラズマと言うのであればプラズマの根拠を述べつつ、マッドフラッドなどという「泥洪水」のキーワードを使わなければいいのです、というか普通そう判断します。マッドフラッドの根拠は、Ｑアノンに近いレベルでかなり薄いですし、２〜３年前から根拠のあるデバンク動画も多数英語圏を中心にネットに上げられています。そもそも19世紀以前の、たとえば江戸時代などを完全に否定するのは無理がありすぎます。その前からある文化、建物、書物、料理、聖典、歴史書全てが２００年以内に作られた捏造であるとする主張は、正直荒唐無稽です。

　ニューエイジ陰謀論者の一般的な感覚からの乖離具合がよくわかるやり取りかなと思います。彼らがこの感覚で陰謀論を主張し続ける限り、根拠のある陰謀論も巻き添えを食らい、いつまでたってもトンデモ主張のままです。そして最も恐ろしいのが、今回の人物がニューエイジ陰謀論者の知性の平均値よりも高い人物であるということ——下にはいくらでも下がいます。

第6章
メタバースと相性抜群のニューエイジ

メタバースへの包括的な「慣らし」

「You will own nothing and be happy」あなたは何も所有しないけれど、それでも幸福だ

この世界経済フォーラムの有名な「キャッチフレーズ」から、コロナパンデミック、グレートリセットが家畜を**メタバース**へと慣らすための布石であることが想像できます。

後述の「龍が如くスタジオ」の分析でもわかるように、映画に登場する予測プログラミング（例：『マトリックス』）、テレビゲーム（例：『シムシティ』）、ニューエイジスピリチュアル（例：量子力学波動）などの「自分の世界観を自由自在に構築できてしまう」コンテンツは、我々を将来メタバースに誘うため、ゆっくりとだが確実に仕掛けられてきたという見方ができます。

グレートリセットと呼ばれる経済クラッシュ後に本格的に導入される、**CBDC（中央銀行直轄のデジタル通貨）**も、体の生体認証や健康状態のデジタル検知が可能になる**バイオメトリクス**も、ユーザのあらゆる活動や購入履歴が記録として残る**メタバースという架空の世界**を実現するために取り入れられます。映画『マトリックス』に近いデジタル奴隷状態の世界観が、気づかれずに少しずつ現実化している、ということです。

これまで私たち「人間」は、支配層にとって「最も優秀な奴隷」として、牛や犬、馬を抑え、ある程度重宝されてきました。建物を建て、お酒を造り、（動物と違って）言葉を話し、文明と社会を築き上げるためには不可欠な生物的資源でした。

優秀な奴隷ぶりを遺憾なく発揮する形で、私たち人間は「ＡＩ」なるものを発明しました（＝してしまった）。ところが皮肉にも、まるで映画『ターミネーター』の（比喩的な）予測プログラミングのように、ＡＩが人間から「一番優秀な奴隷の座」をどんどん奪い去っていってしまっています。

この流れは止めらないため、ＡＩはいずれ、タクシーや物流トラックの運転、郵便配達、小売店のレジ、医療現場、学校教育など、多岐にわたる職種や作業を人間に代わってするようになるでしょう。ＡＩは風邪

もひかないし、労働組合に入ることもなければ、ハラスメントを受けたと訴訟を起こすこともない。長時間労働にも耐えられ、有給休暇の必要がなく、合理的思考に徹することができ、感情の起伏で物事を決めない。利益を出すという「ビジネス」の観点からは、人間よりもよっぽど優秀なのです。

　これまでは「一番優秀な奴隷」だったため、ある程度穏便に済まされてきた私たち人間の扱いが、今の二番手である馬と同じくらいになりつつあります――**人間の地位の格下げ**です。

　ＡＩという優秀な奴隷に比べたら、私たち人間の存在は牧場の馬並みです。馬を馬小屋で囲うかのように、人間をメタバースというバーチャルワールドで（精神的にも身体的にも）囲い、仮想空間にどっぷり浸った生活をさせて、その内死んでいってくれたらよいのです。

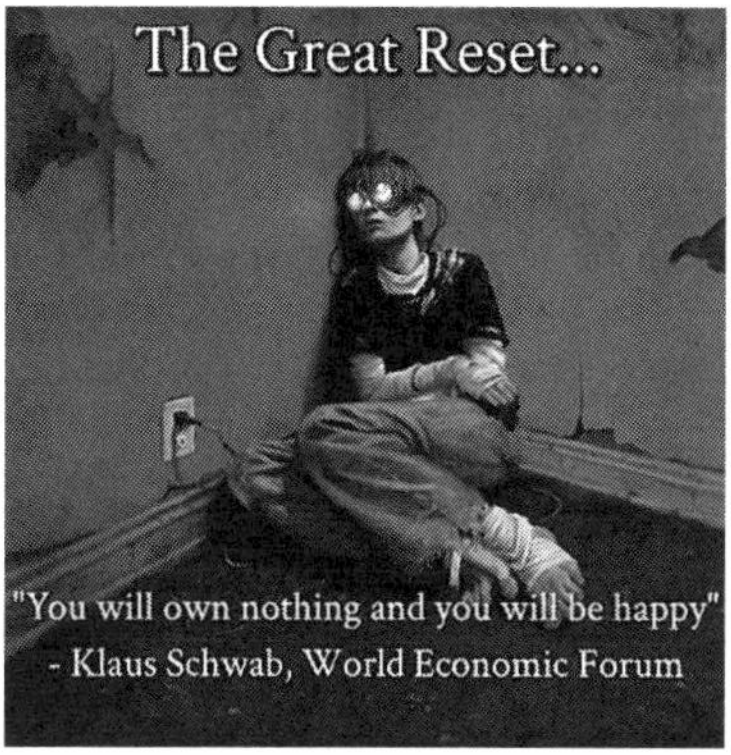

メタバースさえあれば、あなたは何も所有せずとも幸せである

　ＡＩがある程度優秀になった２０２０年というタイミングで、パンデミックが起こり、新しい生活様式（ニューノーマル）が加速されました。さらに、「なりたい自分になれる」「自分が自分の世界の神様」「ワクワクとドーパミンを出せる」といった、これまで育まれたニューエイジ気質と相性が抜群によい「メタバース」というツールを提供し、そして映画『マトリックス』の奴隷たちに近い状態にさせ、半永久的な支配体制を構築する。支配層の近未来計画とはそういうレベルなのです。

コロナのウソを知っている人たちを洗脳する方法

「フラットアースジャパン」でのメンバーからの投稿になります。

　コロナのウソを知っている人たちは、毒入りワクチンなど見向きもしませんね。今後は生き残る可能性が一般人より大きいというのは、支配層もよくよく理解していると思います。そうすると、生き残ったコロナのウソを知っている人たちや、支配層のウソを知っている人たちや、地球が平らであると知っている人たちを、どのように自分たちに都合よく洗脳していったらいいのでしょう？

まずはグレートリセットを経て、生き残るかもしれない人たちに、次の時代を素直に受け入れるようなメンタルにしておく必要があります。次の世代は、**ＡＩによって管理される時代**がやってくることは、誰もが想定していると思います。戦争やワクチンの失敗がその理由になり、**人間による統治は終わる**と思われます。

具体的に言うと、**デジタル貨幣、仮想空間、メタバースの時代**ですね。グループの投稿でも紹介されていたクラウス・シュワブの言葉「あなたは何も所有しないけれど、それでも幸福だ」という世界です。

メタバースでは土地も買えます。ファッションもメタバースで楽しめる。好みの人とのロマンチックなデートや、海外旅行、月旅行、火星旅行など、たぶんなんでも仮想空間にあるのではないかと思います。たとえ移動制限がある世界でも、貧乏でも、健康に問題があっても、夢のような豊かな世界はメタバースで十分楽しめるでしょう。とにかく仮想空間が忙しくて楽しければ、私たちから「生きている現実を取り上げる」ことなど簡単なことかもしれません。

その弊害になるのは、実体験のよさや、物質的な豊かさなどを知っている人たちです。つまり私たちですね。だから今から、彼らの企みに従うメンタルを、私たちに刷り込んでおく必要があるのです。

「肉体にとらわれているうちは６６６だ」「肉体を維持するための行動をやめる」「魂は星にあるが肉体はバイオロボ」「説明がつかない過去の素晴らしい歴史は次元が違う世界」こういう内容をできるだけ多く発信して、「物質面のおそれや恐怖を手放す、肉体は恐怖だ、６６６だ」などと言い、そして「スピリチュアルを実践しよう、スピリチュアルに意識を向けよう、魂を上昇させましょう、高次元の世界にいきましょう」と、スピリチュアルな生き方こそ正しい生き方と刷り込んでおくのです。素人風の人が言うととても効果がありますね。そこへ「Ｑアノン」や「銀河連合アシュタール」を発信している人たちが登場して、「素晴らしい！」と賛美のコメントなどが書かれています。

こんな茶番劇の工作活動を熱心に行っています。

　チャタムハウスに登場したのが、「環境保護が悟りの道」という**大地教（Earthism）**です。「地球の生態系を破壊するから、仮想空間でできることはすべてその中で行いましょう。現実の世界での実体験を追求するなんて、なんて自分勝手な唯物論的生き方で野蛮なのでしょう」などと言い出すのではないかと思います。

つまり、「お前らはスピリチュアルな世界（＝いずれメタバースへと進化）で我慢しろよ！」というわけですね。「あなたはスピリチュアルな存在です」と宣伝する人たちの登場は、ムーンショット計画の目標である「身体、脳、空間、時間の制約から解放された社会」や「何も所有しないけど、幸福だ」の前準備でしょう。メタバースなどの仮想空間を受け入れさせるための、心の準備をさせられているのだろうと思います。

　長い間支配層は、「存在しない・実体のない」もので大衆を騙してきました。宇宙、月面着陸、地球や火星のＣＧ写真、そしてコロナ。ニューエイジ・スピリチュアルも、波動や次元など存在しないもの、つまり幻想で騙しているとも言えます。


「コンピュータ」と「幻想」の数字の一致が興味深いと思いました。

Computer = 111 / 39 / 105
Illusion = 111 / 39 / 105

ニューエイジ無限ループとＵＢＩ

ニューエイジ気質と「ＵＢＩ（ユニバーサル・ベーシック・インカム）」の相性もすこぶるよいと言えます。実際、Ｑアノン界隈では、「ネサラゲサラ」というＵＢＩを陰謀論も交えてポジティブ変換したような人気コンテンツも存在します。まずはニューエイジの抜けられないポジティブ変換の仕組みを説明します。
　ニューエイジは、「自分を労りましょう。ポジティブでいましょう。あなたは特別です。あなたの世界はあなたが作ればいいのです」といった主張のコンテンツによりナルシシズムが増大。肯定されることに依存するようになります。
　↓
　批判を受け付けなくなるので、自分を肯定だけしてくれる人でまわりを固めます。そして、さらにお互いを肯定化。意見に同意しなくても、「そういうのもあるよね！」と自分の本心を押し殺して付き合います。表面的にはチュパチュパと慰めあい、「調和」の概念で自分たちの発言や行動を正当化します。

↓

「客観的／建設的」な批判を受け入れないと人は成長が全く望めなくなりますが、ニューエイジは仲間からの肯定に次ぐ肯定に慣れすぎてしまうため、「客観的／建設的」な批判と、悪意のある主観まみれの批判や誹謗中傷との区別がつかなくなってしまう傾向があります――肯定の嵐で自分を客観視（メタ認知）できなくなってしまっている点も含めて、「全ての批判は悪意のあるマウンティング」という逸脱した結論に至るのです。また外部からの自分への批判に対しては、基本的に感情論や主観に基づいた頓珍漢な「批判への批判」で返すか、完全にスルーします。

↓

最初に戻る。

永遠に抜けられない無限のループであり、ヘロインより依存性が高いのではないかなとも考えてしまいます。現実逃避に夢中になり、成長も止まり、自分の世界とは関係ないと世の中に無関心になり、もっともっと仲間からの表面的な肯定を求めてしまう人があとを絶たないのです。

母国イギリスではＵＢＩの導入について、（北アイルランドという）地域レベルで議論が活発に行われています。その前段階で、ＵＢＩへの反応をうかがうための実験的なパイロットとして、ニューエイジ陰謀論者向けに「ネサラゲサラ」が登場しました。それに対するニューエイジのおおむねポジティブな反応を見てしまうと、表面的には「ただでお金がもらえて自分に物質的豊かさをもたらしてくれる」ベーシックインカムを、そのまま肯定的に受け取ってしまうのがわかります。「働かなくていい、ほらベーシックインカムだ」という政府のオファーが自分を労っていると勘違いし、導入時にはあっさりと受け入れるでしょう。

「ネサラゲサラ」は表面的に聞こえのよい設定ばかりです。トランプ大統領による「富の平等な分配」という救世主劇の設定を加えてしまえば、それはもうワクワクせずにはいられない、ポジティブなものに早変わりします。そしてさらにニューエイジ同士ではさまざまな妄想設定が展開され、「さすがにあり得ないのでは？」という否定的な「ワクワクを止めてしまう」意見は、「悪（＝ネガティブ波動）」と見なしスルーされるため、独自性だけがどんどん増していきます。こうして、ニューエイジの間で既成事実レベルにまで昇華していってしまうというよい見本が「ネサラゲサラ」なのです。

＊参考サイト
GESARA/NESARA ゲサラ、ネサラって何？　わかりやすく説明します。（なぜだかわからないけど全てがうまくいく潜在意識の使い方）
https://senzai-ishiki.net/?p=1039

メタバースの長期的な刷り込み

メタバースの長期的な刷り込みのミクロ事例を見ていきましょう。

◇パンデミックはメタバースへの慣らし

「あの人マスクしていないよ！　あの人ワクチン接種してないんだって！」と後ろ指をさされたくないワクチン非接種者も含めて、外に出たくなくなるように現実を仕立て上げられました。またロックダウンで外出ができなくなってしまった子供たちは自宅でゲーム三昧、大人はリモートワークでビデオ会議、自由時間はNetflixやYouTube三昧。世の中の動向に「懐疑的な人」ですら、マスク族に囲まれたり、また国によっては「健康パスポート」の有無によるさまざまな管理を受けるのが嫌になり、家に引きこもり、メインの娯楽が完全にＳＮＳになる始末です。

パンデミックにより、自宅にいながらの活動が当たり前の価値観になっていったわけですが、２０１９年には、まさか数年後にこんな世界が訪れてくるとは夢にも思わなかった人がほとんどでしょう。まさに加速するニューノーマルであり、「今後は気候変動に悪影響を与えないように自宅からメタバース内での活動を中心に生活してください」という「政府からのお願い」もいずれ登場してくるでしょう。デジタル通貨（＝本質的には有効期限付きのデジタルトークン）とソーシャルスコアが導入されれば、家を出ない人にはポイント・リワードを、不必要な外出をする人にはペナルティが課せられるようになる可能性が高いです。

◇電子通貨もメタバース

メタバースでは、電子通貨や電子トークンが「お金」として大活躍するようになります。VRゲーム内でのみ使える電子トークンでアイテムや機能のパッケージを購入する、というある意味ひとつの大きな「経済活動」へと徐々に地位を上げていくようになります。表面上はブロックチェーンのよい部分を強調した形で浸透していったビットコインをはじめ、現実世界で使える仮想通貨もこの「経済体制」への慣らしであると言えます。CBDCが国家の基軸通貨となり、（今のインターネット通販の進化形として）メタバース内でのコマースで当たり前に使われるようになります。

またソーシャルスコアの国民への連携により、経済活動の一環として、「外出しない」「代替肉を食べる」「気候変動の防止などに関する投稿をSNSでする」「電子通貨をマイニングする」などの**地球に優しいサステナブルな活動**（第7章『ブラック・ミラー』の項目を参照）をする**大地教的な国民**にはリワードとして、ボーナスポイントなどのデジタル特典が贈呈されるでしょう。そしてベーシックインカムだけでは苦しい生活を強いられ「なんとかその現状を脱出したい」と強く願う国民は、ニンジンで馬をつるかのように次々と与えられるタスクを、まるで「お手」と言われればおやつほしさに飼い主に前足を差し出す従順な犬のように、せっせとコンプリートしていくようになります。

◇土地もメタバース

既に起きている経済活動ですが、メタバース内にある（特に）都市部や観光地の土地が売買されており、人気エリアは価格が加速度的に上昇していた時期もあります。この「土地の購入」というコマースこそ、これまでに打ち出された数々の「慣らし」がかなりの効果を発揮している現象であると言えます。人気テレビゲームの『シムシティ』や、体験型のバーチャルショッピングを可能とした『セカンドライフ』などによる慣らしがこれまでに導入されたからこそ、仮想世界の（厳密にはいくらでも人工的に土地を増やすことができる）「ステータスシンボル／富のひけらかし」を動機とした「都心の一等地の購入という活動」が過熱したのです。

メタバースは、プログラマーの「神の手」次第でいくらでも物理法則を無視した仮想空間内を瞬間移動できてしまう世界であるにもかかわらず、こうした架空の土地が熱心に売買されるのは、冷静に考えればほぼ詐欺に等しいと言えます。仮想空間という概念にポジティブに慣らされた家畜だからこそ、何かを実際に手に入れたような達成感で思考停止のまま土地を進んで購入する現状であります。

◇障がいや病気でもメタバース

メタバース内での活動が当たり前の社会では、新種のワクチン接種などの医療行為で重大な副反応が起きて、たとえ結果的に半身不随になっても、または日常生活に支障をきたすような重病を患っても、「メタバース内であれば、元気はつらつ自由自在に動けるよ。ドンマイ」と政府や医師に言われてしまうだけではないでしょうか。

電子通貨をたくさん稼いだ「おりこうな家畜」であれば、半身不随の人でも、ＶＲバスケゲームで強烈なアドバンテージが得られるスキルアイテム、たとえば「マイケル・ジョーダンのような身体能力が手に入る実装パッケージ」のような（ゲームでいうチートレベルの）高額アイテムを購入して、ゲーム内で活躍することができるようになります。今でいえば、人気YouTuber兼プロレスラーのローガン・ポールも熱心なコレクターとなっているポケモンカードの高値取引がこのトレンドの兆候だったと言えます。

◇貧困でもメタバース

人間は生物であり食事をしないと生命を維持できないため、朝から晩まで24時間バーチャル漬けになることはできません。どんなにメタバースにどっぷりな人間になろうとも、生命を維持するために実世界でも多少の「活動」はしないといけないということです。現実世界での多くの人間の実情は、ＡＩに仕事を取られ、ＵＢＩなどで辛うじて生活ができている状態がそれなりに当たり前となります――つまり多くの人にとって、現実世界は貧困との闘いであり、今よりもますます現実逃避がしたくなる世知辛い世界であるのです。

生活をするための活動の多くが実生活ではなくメタバース内で行われているのであれば、たとえかなりの貧困状態であっても、ある程度充実したメタバースライフを送ることができるようになるため、貧困でも不幸をあまり感じない国民のできあがりです。今でいえば、朝から晩までゲームに熱中するオタク系のニートがこの前兆であると言えます。第7章で取り上げるスピルバーグ監督の映画『レディ・プレイヤー1』が参考になるので、未視聴の方はぜひ観てみてください。

◇隔離もメタバース

Facebook や YouTube の言論弾圧でアカウントが7日間停止されました。検査の結果、ウイルス陽性だったので隔離してください。地球に優しくない行動を取りすぎたのでソーシャルスコアを減点します。実際に似たようなことを政府に既に言われてしまった読者もいるのではないでしょうか。この隔離という行為を、(重大なファウルを犯した選手は2分間ボックスで待機しなければならない) アイスホッケーのペナルティを思い浮かべて考えてみてください。実世界とメタバースの境界線が今後どんどん曖昧になっていくのと同様に、メタバース内で陰謀論的 (=反社会的)、地球に優しくない、またはヘイトスピーチであると管理側に特定された発言や行動をした国民は、〇〇日間メタバースの世界から「**隔離/バン**」され、生活の基盤を作っている**VR経済活動をさせてもらえない**ペナルティが導入されていくのではないでしょうか。

基本的にはソーシャルスコアを基準に実行されると思われますが、たとえば、映画『デモリションマン』の卑猥な言葉を発したらチーンと罰金レシートが壁に設置された機械から飛び出る世界観に類似していると言えるでしょう。バーチャル世界では「問題コメント」が**デジタルタトゥ**として永久的に残ってしまいます――少し大げさな表現をすれば、ペナルティ期間を終えて仮想空間への「社会復帰」を果たしても、まわりからは前科者のような扱いを受け続けるのかもしれません。

◇移動制限でもメタバース

感染症を理由としたロックダウンの次は、気候変動を理由とする「より局所的なロックダウン」の実施、また、自動運転自動車の普遍化で実現できる「制限区域への通行禁止や立ち入り禁止」が導入される可能性もあります。直接的な制限はせずに、現在起きているガソリン価格の高騰がこのまま緩やかに続き、車移動がただ単に高額すぎてできない、という状態になるだけなのかもしれません。

さらに、「人間は生活のための活動をするだけで地球を汚染している」というメディアや政府の行き過ぎた「大地教」浸透のためのプロパガンダにより、国民には今後ますます罪悪感を植え付けていくでしょう。国民は、政府やメディアに言われなくても自発的に自宅に引き籠もりがちになり、メタバース漬けの人間が大量にできあがってしまう図式です。メタバースの普遍化後に頻繁に不必要な外出をする人がいれば、あっという間にご近所でひそひそと噂されるようになるのかもしれません（＝同調圧力により外出しなくなる世界）。ゾッとするような状況です。

◇ファッションもメタバース

イタリアのグッチをはじめ、既に複数のハイファッションブランドが展開している、着せ替えができるメタバースのアバター用バーチャル装飾品というカテゴリーの商品があります。（実世界のバッグのように）バーチャルバッグも場合によっては価格がかなり高騰したりしています。

最新の流行りものを扱うことで再生回数を稼ぐことに余念がない人気YouTuberも、高額なファッションアイテムを購入して、動画でも紹介しています。YouTuberたちが、ハイブランドから宣伝の謝礼を直接もらっているのかはわかりませんが、「彼女の誕生日プレゼントにグッチのデジタルバッグを購入します」という宣伝に見えないように工夫された宣伝動画

本質的には意味がない、バーチャル空間の土地購入

架空のバーチャルキャラクターの人気が加速している

を先日拝見したばかりです。見栄っ張りな現代人がこうした商品を熱心に追いかける様が今からでも想像できてしまいます。

◇インフルエンサーもメタバース

著書『99・9%隠された歴史』でも考察したように、エドワード・スノーデンも含めて、今ではソーシャルメディアのスターになってきたデジタル・キャラクター。日本発祥でしたが、今では中国や韓国で特に人気があり、これらの架空キャラクターはSNSのフォロワーも10万人を超え、スポンサーからも引っ張りだこだそうです。テレビの芸能人もほとんどバーチャルになる日はいつだろうか……。日本、中国、韓国などのいわゆる東アジア人が世界で最も羊レベルが強いと思っているのですが、この現象で見事に体現してくれていますね。

そしてこれが当たり前になると、グラスルーツからリアル人間がスターになる道はさらに閉ざされ、技術を開発できる潤沢な資金を持つ企業のみがSNSで儲かるようになります。またトランスヒューマニズムの本質である、現実と仮想の曖昧化も進みますね。人間によるアバターでのYouTube配信なども、この流れを汲んでいると言えるでしょう。いつかバーチャル・パーソンと本物の見分けがつかなくなるトランスヒューマニズム社会が完了するでしょう。とりあえずはその前段階のメタバースの本格導入が先に訪れますが……。

フラットアース終焉。大地が平らではなくなる世界

Facebookから社名を変えたメタ社のトップ、マーク・ザッカーバーグもご執心なメタバース。メタバースは仮想空間であり、厳密には自由自在に空間がプログラミング可能です。まるで映画『マトリックス』の世界であり、日本政府が2050年までの目標としている「人が身体、脳、空間、時間の制約から解放された社会を実現する」ムーンショット計画の実現のための本筋のひとつであることは本書の読者であれば気づいている方も多いのではないかと思います。

メタバースの普遍化は、ある意味フラットアースの終焉を意味します——物理科学も自由自在だからです

（＝神秘科学が〝現実〟になる）。ザッカーバーグが司会を務める、メタ社による宣伝動画は宇宙推しが全開ですので、よかったらご視聴ください（日本語字幕をつけられます）。支配層は（当然ですが）メタバース内では球体説を採用するでしょうし、一般人による仮想の宇宙旅行が当たり前になる時代までもう少しではないでしょうか。トランスヒューマニズムの本質が現実と仮想の曖昧化であるならば、現実と仮想の区別がつかなくなってしまった大衆にとって、メタバースの普遍化はある意味「フラットアースの終焉」を意味します。

　メタ社の動画（https://youtu.be/Uvufun6xer8）では、なんでもありの「なりたい自分になれる、自分が神様の世界」が上手にプレゼンされていて、大衆がかなり前からニューエイジ気質にさせられ、仮想空間時代に慣らされてきたことがよくわかります。「地球球体説」と「真空宇宙」は、メタバースの世界を構成する根本的な物理法則として成り立ってしまいます。さらには、『ドラゴンボール』の〝かめはめ波〟のような手軽さで、量子力学波動による気功波、チャネリング、瞬間移動も「本当に」できるようになるくらいの自由度も実現されるのではないでしょうか。

　動画にも登場する、メタバースで活動するザッカーバーグのデフォルメされたアバターからもわかりますが、これまで任天堂『Ｗｉｉ』やＳＮＳでユーザーが作った「カワイイ」アバターは引き続きメタバースで

ザッカーバーグによるメタバースの実演

メタバースでは自宅からの仮想火星旅行も可能

も登場します。現実世界の顔の「欠点」を隠せるという動機でほとんどアバターでしか活動しない人が続出しそうなレベルです。

メタバースがまだ導入段階である今のうちにフラットアースに気づけない人は、一旦メタバースにどっぷり漬かるようになったら、死ぬまで球体説のままの可能性がすこぶる高いのは言うまでもありません。大地の形について考えるくらいならば、仮想世界で火星旅行を体験し、火星付近を飛ぶテスラ社の宇宙飛行ロードスターを見つけ、ＳＮＳにスクリーンショットを上げて、「いいね！」をたくさん貰い、ドーパミンを大量噴出させたほうがよっぽど楽しいからです。メタバース人間にとっては、現実世界で汗水垂らして何かを主張する人間はすこぶるダサいのです。その感覚は、一般社会で切磋琢磨しながら生きる人々を、大麻を吸いながら軽蔑するヒッピーの感覚に類似していると言えるでしょう。

NVIDIA
エヌビディア社のロゴ

またメタバースでの職場環境について。プライベート時間のためのカジュアルなアバターはメタ社などが打ち出すものが人気となるかもしれませんが、オフィスなどのフォーマルな場ではより現実の見た目に近いアバターが普及していくかもしれません。その兆候であるのかはわかりませんが、アメリカの半導体メーカー「エヌビディア」が現在、リアルなアバターの実現に向けて、かなり開発に力を入れています。

「いいね！」というドーパミン爆弾

人間は誰かに共感する時、または共感された時、ドーパミンなどの快楽物質が体内噴出されるようにできています。昔から個人的に感じていたのが、（自分も例外ではなく）ＳＮＳでは、かわいい犬が戯れあっているショート動画

「いいね！」というドーパミン報酬

には怒濤の「いいね！」がつくのに、より生活に直結した、どちらかと言うと「悲惨／悲観（ネガティブ）」な投稿やツイートにはリアクションがあまりつかない現象ってなんで起きるのだろう？　という疑問です。

そこで自分がそういう「カワイイ」動画に、「いいね！」を押した時の心情などについてメタ認知を取り入れながら振り返ってみたのですが、かわいい犬の動画を観る時には、体の中が一瞬にしてドーパミンに満たされた状態になっていたことに気づきました——とても気持ちがいいのです。

トランスヒューマニズム社会への移行には、ドーパミンを追い求めるためにまわりを犠牲にする「ニューエイジ気質の浸透」が支配層の重点的な戦略であることを考えると、SNSで「いいね！」を押すというドーパミンの放出を高める行為が、ニューエイジ化を促進させているということにもなります。言い換えるのであれば、「論理性や客観性」が排除され、ニューエイジの特徴である「感覚や主観」でのみ物事を決めるようになる「思考の獣化」が加速する要因のひとつであるということです。

また、ドーパミンを追い求める行為は、まるで犬がおやつほしさにお手をする行為に似ている観点からも、「ニューエイジ気質＝思考の獣化」というたとえが適切であるとも言えます。投稿やツイートに「いいね！」されるという「肯定を連続的にされた状態」に味をしめてしまい、客観的な観点からの批判を全く受け付けられなくなってしまう。今の若者に特に見られるこの現象も「ニューエイジ気質の浸透」であると言って差し支えないでしょう。

とあるベテランの米国人プロレスラーが、「ベテランからのことですが、若いプロレスラーが言っていた本来は貴重なアドバイスを聞き入れず、むしろ批判されたと憤慨し、SNSでベテランの悪口を書く」ということが増えたそうです。「ニューエイジ気質の浸透」を体現したような現象であると言えるのではないでしょうか。

ビルボードがなくなる未来

本書のまえがきでおすすめした本『2030年すべてが「加速」する世界に備えよ』から情報を取り、自分の考えを足した考察になります——20〜30年以内には実現しそうな話です。第7章で取り上げるNetflixの人気ドラマシリーズ『ブラック・ミラー』もこの世界観を表現したドラマになっていますので、未視聴の方はぜひご覧になってください。

　本題ですが、たとえばNetflixを立ち上げると、あなたにおすすめの動画はこちら？　と過去の検索傾向などによりＡＩがあなたに合いそうなドラマや映画を提案してくれるのですが、これが広告がない時代のはしりになります。

　今後はインターネットより没入感が高い進化版として、メタバースの仮想世界での活動が浸透していくように仕向けられていきますが、その一環としてオフィスワークもどんどんメタバース内で行われるようになります――Zoomのバーチャル会議が、より没入感の高い立体的な会議風景に進化したようなイメージです。

　またトランスヒューマニズム社会の進化はここで止まるわけではありません。しばらくはメタバース内の**ＶＲ（仮想現実）**空間中心とはなると思いますが、いずれは**ＡＲ（拡張現実）**の要素が実生活にどんどん介入していくようになります。

ＡＲとは？

「ＡＲ」は拡張現実を実現し、生活をより楽しく、より便利にしてくれる注目の技術です。

　スマートフォンの普及により、ＡＲ技術を使ったアプリなどに人々が触れる機会が増え、ＡＲがとても身近なものになってきました。２０１６年にローンチされてから瞬く間に世界中で社会現象を巻き起こしたゲームアプリ『ポケモンＧＯ』や、若年層を中心に人気のカメラアプリ『SNOW』『Snapchat』など、ＡＲの技術を使ったアプリが次々と世に放たれています。

　エンタメ分野だけでなく、店舗で販売している家具を自宅に置いた場合にどのように見えるか、寸法が自宅のリビングルーム空間に収まるかの確認ができたり、衣服を着た場合に自分がどう見えるか確かめたり。現実世界と「ＣＧ／仮想世界」を組み合わせての可視化シミュレーションが可能になったことから、最近ではファッション業界、インテリア業界、建設業界をはじめとする多種多様な業界でＡＲの導入が進んでいます。

＊参考記事

ＡＲ（拡張現実）とは？　活用されている例や市場・今後について
（発注ラウンジ）
https://hnavi.co.jp/knowledge/blog/ar/

未来のＡＲでは、街中を歩けば（ゴーグルなどの装着物により）あなたの現実が拡張されます。コーヒーテーブルに座れば、友人と（ゴーグルを介して）テーブルに映し出したチェスボードでチェスを楽しむことができるし、街中の広いレクリエーションスペースではテニスコートをＡＲで映し出して立体的なテニスゲームを楽しむことができるようになるでしょう。ＡＲは、ニューエイジ気質にかなり好まれる自由自在な世界なのです。

先ほどのNetflixのおすすめ機能を、このＡＲがかなり普及した世界に当てはめていきましょう。ＡＩがあなたの傾向と嗜好から、ＡＲの世界でもいろいろとおすすめしてくるようになります。チェスが好きではない人には、コーヒーテーブル上での友人とのチェスゲームをすすめることは基本的にはありません。代わりにその人が好きな別の何か、（たとえばボードゲームやバーチャルミニスポーツ）をテーブルに映し出すでしょう。

次に広告について考えていきましょう。

現在のビルボード広告は、ビルの外壁などにデカデカと張られ、道ゆく人が簡単に視認できるように展示されています。電車の中吊り広告も似たような仕組みです。テレビの広告も、スポンサーにもらったＣＭをそのまま視聴者全員に垂れ流しているだけです。この広告の世界に、先ほどの「個別おすすめ機能」と「拡張現実技術」を組み合わせてみるとどうなるでしょう――個人個人の好みに合った広告をゴーグルを通してその人だけに見えるようにする世界、となります。

つまり固定された「誰が見ても同じ内容の」

トランスヒューマニズムの本質は現実世界と仮想世界の曖昧化

ビルボードは不要になるのです。白地のビルボード枠だけが外壁に残り、ゴーグルを通して個人個人にカスタマイズされた広告が映し出されるようになります。少なくとも導入後の初期段階では、逆に言えばゴーグルをかけなければ広告が存在しない世界のできあがりです。

ビルボードがなくなることで、街の景観にも大きな影響を与えます。そして、環境活動に余念がなく、「ビルボードのポスターで使われる紙が世界の砂漠化をすすめてしまっている」といった観点を重視する意識高い系、ならびに、「自分が自分の世界の神様」という植え付けられた信仰心から「個別にカスタマイズされた広告」を歓迎しそうなニューエイジらが喜んで受け入れるテクノロジーであると言えます。

チャタムハウスの大地教を紹介した未来都市のシミュレーション素材でも、広告はほとんど登場しなかったことから、チャタムハウスも、固定の広告が存在しない都市景観がやってくるという見込みが既にあるのでしょう。

格闘技もメタバース

支配層がコロナパンデミックなどのマクロ戦略により包括的に、というよりは四面楚歌（しめんそか）レベルで展開し、「大衆がメタバースを肯定的に受け入れるための慣らし」を実施しているということがわかる見本のひとつを紹介します。

まずは何度もお伝えしているように、メジャーどころのプロスポーツは、本質的には興行というビジネスであるため、ヤラセもそれなりに行われているでしょう（プロスポーツに関する考察は本書では割愛。いつか本を書くかもしれません）。たとえば、YouTuber のローガン・ポールとフロイド・メイウェザーjrが〝本物の〟ボクシングの試合をしたら、メイウェザーの圧勝だと思います。しかし、この世知辛い夢もへったくれもない結果では、「自由自在になんでもできる」ことが売りのメタバースの魅力を大衆に効果的に伝えられないため、ローガン・ポールが善戦するシナリオが組み込まれました。プロスポーツという興行は、家畜に革命を起こさせないための「**パンとサーカス**」の

〝サーカス〟の役割をきっちりと果たしていると言えます。

　コナー・マクレガー対フロイド・メイウェザーjrを皮切りにはじまった、まるで格闘ゲームの『ストリートファイター』のような多種多様な設定で行われた、ここ3〜4年の格闘技界のトレンドを見ていきましょう。

◆コナー・マクレガー（UFCで活躍する異種格闘家）対　フロイド・メイウェザーjr（レジェンドボクサー）のボクシング試合

◆ローガン・ポール（人気YouTuber兼プロレスラー）対　フロイド・メイウェザーjr（レジェンドボクサー）のボクシング試合

＊因みに両氏ともプロレス団体のWWEでの試合経験あり。

◆ジェイク・ポール（人気YouTuber）対　タイロン・ウッドリー（異種格闘家）のボクシングマッチ

◆ブラジルのとある都市の市長　対　（格闘技経験がある）元市議会議員との金網デスマッチ

　先日、ある方に教えてもらったのは、中国のYouTuberが日本人のボクシングチャンピオンとボクシングの試合をして、試合中にプロレス技のブレインバスターを決めるという茶番です。とにかくこうした畑の全く異なる格闘家による漫画の設定のような試合がここ数年世間を騒がせています。日本でも（ヤラセかどうかは置いておいて）メイウェザーjrと朝倉未来（総合格闘家）選手が闘いました。

　ここでメタバースについて考えてみましょう――人気格闘ゲームの『ストリートファイター』を思い浮かべながら読んでいただくと、より想像しやすいかと

メイウェザーパッケージを購入してゲームで相手に勝て！

思います。〝気功拳が使えるセクシーな中国人女性のカンフーの達人〟対〝ロシアの全身傷だらけの巨漢プロレスラー〟の試合——この世界観に少し近づいてきているのは間違いありません。メタバースでは自由自在になんでもできます。NASAやSpaceXの力を借りずとも、リビングルームから手軽に火星旅行ができるようになります（SpaceXの力を借りても存在しない宇宙には実際には行けませんが……）。先ほどのストリートファイターにたとえると、「波動拳」も「昇龍拳」も「ソニックブーム」もバーチャル格闘技の試合中に自由自在に出せるようになる設定の場合もあるでしょう。その前段階として導入されたのが、エンターテイナーとチャンピオンの試合であり、異種格闘技の試合なのです。

この「なりたい自分になれる」というニューエイジの欲求を利用した格闘技トレンドですが、今後は他の分野にも応用されていきます。メタバース内の〝社会貢献〟で稼いだメタバース内で使える（有効期限がある）仮想通貨トークンを貯めて、スーパーミラクルカミソリスクリューアッパー（名称は適当）の必殺技パッケージを購入し、格闘ゲーム内で実装すれば、絶頂期のマイク・タイソンすら簡単に倒すことができる世界が実現するのです。

つまり、今回の数々の「まるでゲームのような夢の対決」は、なんでもありの「ゲームのような世界観」を提供することができる**メタバースの宣伝**も兼ねているということです。支配層が仕掛ける洗脳とは、洗脳されきった羊では太刀打ちできないレベルで**洗練された手法**であるということをわかっていただけましたでしょうか？

フューリーとメッシから読み解くメタバース

その後撤回発言がありましたが、プロ33戦目を終えて（33歳で）一旦引退宣言をしたイギリス人ヘビー級ボクシング選手のタイソン・フューリーと、サッカー界史上に残るメガスターのリオネル・メッシ選手も「メタバースへの誘い」のために活躍できている側面があります——この二人の共通点を見ていきましょう。

フューリーは、（体格自体は大きいものの）猛烈なトレーニングに励むはずのプロボクサーには珍しい脂肪分が多い（いわゆる太っちょ）体型、メンタルヘル

メンタル不調の太っちょ体型のフューリー

メッシは、「凡人」に誰でもメガスターになれるという希望を与えています

スを患い長期離脱を一度している選手でもあります。低所得者層出身者（あだ名がジプシー・キング）なのですが、今ではボクシング界きってのスーパースターであり、収入も相応にかなり高く、またWWEでのプロレス試合の経験もあります。

メッシは、アルゼンチン代表のサッカー選手で、評判はおおむね同国のレジェンド選手ディエゴ・マラドーナを凌ぐものとなっています。身長が169cm（公式でありサバ読みの可能性はある）と、ヨーロッパの最前線で活躍するサッカー選手としてはかなり小ぶりであり、また幼い頃から成長ホルモンの分泌異常を発症していて、ずっと治療をしています。

通常、このレベルで不利な状況の人間が「スーパーアスリート」どころか「歴史に残るような選手」になることは基本的にはないことなのですが、21世紀のこの二人のスターは大活躍です。

現代の「**パンとサーカス**」の〝**サーカス**〟の代表格である**プロスポーツ**興行ではありますが、もうひとつの目的は選手への**偶像崇拝**を促進させ、**思想の誘導**を果たす役目をこなしてもらうことにあります。つまり、スポーツ選手の**セレブリティ化**です。スポーツ選手のこの役目をメタバースと繋げて考えてみると、フューリーとメッシの健康状態や身体的特徴が「完璧」ではない理由が見えてくるのではないでしょうか。

メタバースは、車椅子生活の子供でもスポーツができる世界です。電子通貨のクーポンで購入できるさまざまな「身体能力ブーストパッケージ」が用意されるため、瞬く間に一大ビジネスになっていくでしょう。高額なパッケージさえ購入すれば、どんな人でもメタバースのゲームではメッシのようにサッカーをプレイできるようになります。そのために今のうちからの慣らしとして、この二人の一見恵まれないように思える選手が大活躍していると考えることもできます。

メッシやフューリーに憧れる子供たちは、こぞってメタバース内の「Eスポーツ」に夢中になっていくと想定されます。自分が現実世界では決してできないようなスーパープレイができるという環境にワクワクしながら夢中になっていくでしょう。新たなパッケージを購入するためにせっせと「地球環境に優しいポイント」を稼ぐ活動に熱中するようになります。まるで車輪を回し続けるハムスターのような状態と比喩できるため、メタバースに心を奪われた人間ほど「活動をコントロールしやすい人間」はいない、とも言えます。

「龍が如くスタジオ」から読み解くメタバース

PlayStation で人気の箱庭ヤクザゲーム『龍が如く』シリーズを手がけている「龍が如くスタジオ」。総合プロデューサーの方もゲームのイメージに合わせた出で立ちをしていました。

今回は「龍が如くスタジオ」が手がけるゲームのうち、架空のヤクザが主人公の『龍が如く』シリーズではなく、木村拓哉氏（＝キムタク）が主人公（ゲーム内の名前は八神隆之）として活躍する、もうひとつの人気シリーズ『ジャッジアイズ』に着目したいと思います。「堅気」の主人公が活躍するこちらのシリーズでは、支配層の狙いや密かなる洗脳が、よりわかりやすい形で取り入れられています。あくまでもマクロ的な視点で支配層の思惑にマッチしているという考察であり、「龍が如くスタジオ」の制作者が以下のことをわかってやっているとは思っていません。

舞台はリアルな街

歌舞伎町と、横浜の伊勢佐木長者町を模した架空の街が舞台です。ある程度は省略されているとは言え、どちらの街もかなりリアルに再現されています。私も「龍が如くスタジオ」のゲームは発売と同時に買うことが多いほど実は好きなのですが、気がついたら何時間も街を走り回っている（＝ゲームに没入している）ことなんてザラなのです。まさに、テレビの向こうにあるプチメタバースと表現できる没入感があるゲームです。

メタバースで、さらに没入感とリアリティが高い立体的な街がいずれできてしまうと、若者などは特に、電車に乗って実際にどこかに足を運ぶという行為を、かなりめんどくさく感じるようになるでしょう。自宅のリビングルームにいながらして、世界中を旅するほうがよっぽど快適で、よっぽど有意義であるという価値観が浸透していくのではないでしょうか。

憧れの主人公

最近ニュースでも「おしゃれはアバターで自由自在に！」と謳う報道（という名の宣伝）が増えています。このゲームシリーズを通した（支配層の）主目的は、若年層よりもVRやARに抵抗がある30代後半以上の年齢層に「アバターで自由自在」という、それまでに人生でなかった価値観を持ってもらうことです。そのために抜擢されたのが映画やドラマなどで「憧れの男」をずっと演じてきた木村拓哉氏ことキムタクになります。

ゲーム中のキムタクの無双ぶりは、実際のキムタクのイメージよりもさらに顕著です。昼の肩書きは優秀な弁護士であり、夜は優秀なハードボイルド探偵であり、高校の臨時職員になりダンス部、ロボット部などの顧問をやれば、高いマネージメントの手腕によりその部活を大会で優勝に導いていきます。暴走族に入れば「頭」を取り、ボクシングジムに入れば期待の天才新人や元チャンピオンも倒してしまい、ガールズバーに通えばナンバーワンを口説き落とし恋人にしてしまうのです――何ごともとにかく最強のナンバーワンなのです。

つまり、このゲームを通して世のおじさんたちは、疑似的に「憧れのなりたい自分になれる」世界を体感しているということです。メタバース風の表現を使えば、「キムタクパッケージ」を装着して、現実世界ではできない、さまざまな憧れの体験ができる状態になります。

主要キャラは有名人

『龍が如く』シリーズからの一種の伝統である、有名俳優がモーションキャプチャーされたそのままの顔で(名前だけ変えて)多数キャラクターとして出演しています。『ジャッジアイズシリーズ』の最新作だとキムタク以外に、中尾彬氏、山本耕史氏、玉木宏氏、光石研氏などの「豪華ゲスト」がてんこ盛りになります。

未来の映像エンタメの姿として、100年後もバーチャル(〝ちょ待てよ!〟時代の若い)キムタクが主演の映画などが登場するのかなと思いました。なにせVRキムタクは死ぬことはありません。(錬金術の最終目的であるように思える)「**永遠の命**」という概念は、バーチャルな世界では簡単に実現できてしまうのです。「永遠の命」ビジネスは、第7章で紹介するドラマシリーズの『ブラック・ミラー』でも重点的に取り扱っているトピックになります。

ボタンガチャ押しのゲーム性

「龍が如くスタジオ」のゲームでは、まるで動物、とりわけ猿の実験のような「あちこちのボタンをガチャ押しする」ゲーム性が格闘シーンからダンスの練習ゲームにまでたくさん取り入れられています。全てのゲームに当てはまるわけではないですが、昔の傾向としては、「龍が如くスタジオ」のゲームやスマートフォンで楽しめるゲームよりは、もう少し論理的に思考を組み立てて、コントローラーを動かしていたと私は記憶しています。しかし、「龍が如くスタジオ」のゲームでは、特に「ガチャ押し」が顕著なのです。

それまで主流だったスーパーファミコンと違いPlayStationは、ボタンがAやXなどの「文字」から、△や○などの「記号」に、上下左右だった「十字キー」からファジーな感覚の「スティックボタン」に変更されました。ゲームをする上でも、論理的に脳に処理される「文字や十字キー」よりも、より獣化が進む「図形やファジーな方向キー」を取り入れるという観点からも、支配層の狙いを感じてしまいます。

性悪説全開

ゲーム内にヤクザがよく登場することもあり、登場人物たちは、「金、暴力、女、酒、嫉妬、出世、組内での出し抜き、自己顕示欲」などにまみれたサイコパスのオンパレードなのです。殺しを「作業」や「仕事」のようにしか捉えていない敵役ばかり登場し、こうした性悪説的な考え方がまるでカッコよいものであるという印象づけをしています（ハリウッド映画も全般的に同じような感じではあります）。

「**悪魔崇拝**」とはまさにこうした**利己的な状態**を指す比喩的な表現だと個人的には思っているため、こうした性悪説全開の娯楽コンテンツは「**悪魔崇拝促進プログラム**」であるとも表現できるのではないでしょうか。当たり前の話ですが、実世界ではできるだけ（愛情のある批判も含めた）利他性を持って人生を歩んでいっていただけたら幸いですし、最近の若者は善悪の区別が以前よりつきにくくなっているという印象があるため、大変危惧しています。

ミニゲームがいっぱい

本ゲームにはさまざまな場面で必要になる「ポイント（トークン）」が存在します。「（実世界では、いずれは地球に優しい活動を目的とした）タスクをコンプリートして報酬を得る」という、メタバース内での経済活動への慣らしであると言えます。

このポイント稼ぎという行為は、メタバース内で地球に優しいコミュニティ活動をして、ポイントを稼いで、アバターに好きなファッションブランドのTシャツを着させるなど、本質的には無意味な行動をドーパミンを出しながら喜んでする「調教された猿」のような状態に大衆を持っていく役割を果たしています。実際、「龍が如くスタジオ」のゲームにはゴミ拾いのようなことをすると得られる（ゲーム内で使える）特典や、街中で困った人の頼みを聞いてあげるとお金（日本円）がもらえるサブストーリーがマップ（街）の至るところにちりばめられています。

VRすごろくというメタバース

「龍が如くスタジオ」のゲームには、まさにメタバースそのもののミニゲームが存在します。主人公が娯楽施設に行き、お金を払いゴーグルをつけて臨む「VRすごろく」というゲームなのですが、まさに夢の中でさらにまた夢を見る映画『インセプション』の世界に類似した、ゲームの中でゲームを遊ぶ、というメタ状態なのです。

100年先の世界では、VRの中のVRの中のVRにまで、我々をどっぷりと依存させ、そこから出られなくするのかもしれません――こうしたメタゲームが登場してくるものならば、トランスヒューマニズムの本質であると考えられる「現実と仮想世界の曖昧化」にも通じます――つまり現実とゲーム（およびその中のゲーム）の境界線すら曖昧になる世界が到来するのではないでしょうか。もはや、生まれてくる意味すらあるのだろうか、とさえ思えてしまいます。映画『インセプション』もこの観点から、（部分的には）ただの予測プログラミング映画に感じてしまいます。

ロボット部ストーリーでのロボット（AI）擁護

ロボット部の顧問になるというストーリーが用意されているのですが、このキムタクが顧問になり大会優勝に導くストーリーがかなりトランスヒューマニズ推進全開なのです。日常ではパッとしない（いわゆるオタク層の）部員たちが切磋琢磨して、大会で大活躍する強いロボットを作ったり、部長の生徒が「**ロボットは死なない**」というメタバースの「**永遠の命**」ビジネスを連想させるフレーズを熱弁したり。また、プレイヤーを感動させるような「**ロボットの人権**」というトピックを扱ったストーリーも用意されており、トランスヒューマニズムへの予測プログラミングと言えるミニゲームになります。

私も実際にこのゲームを楽しく遊んでいました。しかし、マスメディアの言うことをなんでも信じてしまうような人の場合には、（子供の殺害などの）それな

テレビ画面からメタバースへ…

りの反感をかうコンテンツならともかく、感動のストーリーとともに「**ロボットの素晴らしさ**」を強調したコンテンツに触れてしまうと、ロボット自体もよいものだという刷り込みが達成されてしまうでしょう。繰り返しになりますが、私はロボットという技術や工業製品そのものを全否定しているわけではなく、あくまでもトランスヒューマニズム社会の浸透の観点からの懸念を訴えています。

余談ですが、舞台となる高校の廊下に「使い古されたゴム」というコンドームを強く連想してしまうアイテム（＝実際はヘアバンド）がたくさん落ちており、キムタクがそれを再利用する謎のシステムがあるのですが、性の若年化を促進させるとともに、（実際はヘアバンドではありますが）ただの変態行為であることは言うまでもありません。

こちらはFacebookのグループメンバーであるMariko Satoさんのコメント。

最近、顔のたるみが顕著なキムタクですが、ゲームの中では不老不死、しかもけんかも強いし、立ちまわりもカッコいい。ダンス部のところも見ましたが、本人よりも上手に踊る（笑）。（当時の総合プロデューサーである）名越さんの風貌からしても、なんとなくVシネマ風な世界。「Vシネマ」のジャンルは「ヤクザ・マフィア」、「ギャンブル」、「エロス・官能」、「ホラー」などなので、イメージとしては近そう。アングラな世界への憧れは、男性ならばお持ちの方も多いと思います。アバターとしてなら、なおさら手軽に体験できますね。

2008年に任天堂から出された『わがままファッション』というソフトを娘たちがお気に入りでした。ショップ店員として働き、顧客のニーズに合わせて洋服を選んで、服を買ってもらい、やがて店長として独立するという内容です。思えばこれも、害がないようでアバターとの一体化の何ものでもなかったですね。

内閣府のムーンショット目標にある「2050年までに、人が身体、脳、空間、時間の制約から解放された社会を実現」の具体的な意味を明らかにしていくことは重要な啓蒙になると感じています。

ゲームデザイナーの一人、佐藤大輔さんという方は2017年に52歳で亡くなっていますね。個人的に少し感傷的な見方をすると、この年代のゲームデザイナーは、ほぼ自分と同年代でした。仮想世界とはいえ、泥臭く生きてきた（生きることのできた）人たちが描く世界が、ある意味それより若い世代にとっては（もしかしたら）魅力的に映っているのかもしれないなとも感じました。

　こちらは別のメンバーからのコメント。

「プレステ」と「FF7」が発売されたときは盛り上がった記憶があります。3Dが画期的で、自分が「ゲームの世界に入った！」と興奮してのめり込んだ人は多かったのではないでしょうか。あと『バイオハザード』も流行りましたね。ゾンビを撃ち殺すのが快感でハラハラドキドキから抜け出せない的な。自分を日常から切り離し、時間を忘れるほど仮想世界に浸れる「プレステ」を開発したSONYは、人間をメタバースへ導く役割を十分に果たしましたし、支配者層への貢献度は高かったですね。日常の音をシャットダウンし自分だけの世界に入れる点で、「ウォークマン」も一部その役割があったなと感じました。

ライブの続きは、メタバースで

日本では京王線で恐怖を煽りアジェンダを後押しするための（おそらく）クライシスイベントが少し前（2021年10月）に話題となりましたが、英米では別の「事件」が起きました――ライブコンサートやナイトクラブの会場で「狂気の愉快犯」が、注射器を手に無差別に会場に来ている人を刺し回る、という一連の事件です。

　その中でも最も盛んにニュースに取り上げられたのが、アメリカ人ラッパーのトラヴィス・スコットのアストロワールドで開催されたライブコンサートで起きた事件（2021年11月）です。ニュースでは「狂気の愉快犯による仕業」という報道がされました。会場では、大勢の観客が一斉にパニック状態になったことで、ドミノ倒しのように重なり転倒。結果、11名が心肺停止、8名が死亡しました（事件後にもう1人が病院で亡くなり、最終的には9名が死亡）。

　いろいろ調べてみた結果、どうやら事件が起きた当時は、「コロナワクチン接種者のみが入ることを許された」会場だったことがわかりました。またコロナワクチン未接種の人は、会場の入り口付近に設置されたブースで（その場で）接種すれば、会場内に入ることが可能でした。つまりライブがどうしても観たくてその場でワクチン接種した若者がそれなりにいて、「観客が注射を射たれた後に死ぬ」という観点からは、愉快犯でもなんでもなく、普通に8名が副反応でその直後に会場で死んだだけ、という仮説も立てられます。

支配層は、おそらくこのような悲惨な状況になることは、それまでに見てきたコロナワクチンの副反応率の高さから予測していたでしょう。ですから、愉快犯の筋書きをあらかじめ考え、そして事件直後にメディアが即座に用意された誤情報を発表して誤魔化していただけである、と推測できます。トラヴィスのライブについての警察の公式発表は、当初は上記のような「狂気の愉快犯」というものではありませんでしたが、後日この発表はなぜか取り消されました。この取り消し行為については、愉快犯説は後々にいろいろと突っ込まれる可能性が高い嘘であることから消されたのではないかと考えています。

また**アレイスター・クロウリー**の「マジック（＝人々の潜在意識に思想や考えをひっそりと植え付ける行為）」の観点からみれば、一度発表することにより視聴者には恐怖やこの事件で与えたかった印象を潜在的に植え付けることができています。そのため、後で撤回しても既に目的達成であり、撤回したこと自体は支配層にとって、あまり重要ではないのかもしれません。こうした事件を起こすことで支配層が成し遂げたいことは、ライブコンサートに実際に行くとよからぬことが起きるよ、という印象を与えることではないでしょうか。今後は、トラヴィスも既にやっているオンライン生配信のような「自宅でも楽しめるライブ」スタイルが徐々に主流になっていくでしょう。そして、最終的には、パフォーマーの「アバター」によるメタバース内での「バーチャルコンサート」というのが、徐々に当たり前になっていくであろうことが想像できます。

＊参考記事
9人目の犠牲者が出たトラヴィス・スコット主催フェス、50件を超える訴訟を起こされる（FRONTLOW）
https://front-row.jp/_ct/17495420

「ニードルスパイク」とは？　アストロワールドの薬物混入事件、悲劇的な出来事から調査へ［What Is 'Needle Spiking'? Astroworld Drugging Reports Investigated After Tragic Event］（Newsweek）
https://www.newsweek.com/what-needle-spiking-astroworld-drugging-reports-investigated-after-tragic-event-1646944

トラヴィス・スコットが「フォートナイト」で行ったバーチャルコンサートが記録を樹立［Travis Scott's virtual concert on Fortnite set a record］（CNN）
https://edition.cnn.com/2020/04/24/entertainment/travis-scott-fortnite-concert/index.html

ビーガンというメタバースへの誘い

この世界には、変えることのできない絶対的なルールが、「生物に死が必ず訪れること」以外に二つあります。ひとつは、（神秘科学者のアインシュタイン信者が異議を申し立てるでしょうけれど）「時間は巻き戻せない」というルール。もうひとつは、「我々は他の（植物を含む）生命を喰らうことでのみ生きながらえることができる」というルール。世知辛いかもしれませんが、それが事実です。また念のために言いますが、本考察は、支配層が仕掛けるビーガン・ムーブメントをマクロ観点から考察したものです。ミクロである個人個人のビーガニズムに対する姿勢については以下①②の意見ですので、混同されないようにお願いします。

①ビーガニズム自体は信仰的な要素が強いですが、信仰であることにある程度気づいていて、他人にその信仰を押し付けない形で実践されているのであれば、なんら問題はない。個人の自由である。

②誘惑が多い現代において、強い決意と信念と生命への尊重に基づいた（と思われる）信仰心でビーガニズムを貫き通している人には普通に敬意を抱きます。

それでは本題です。大量生産を前提とした畜産牧場の家畜の「ぶくぶくに太らされるための最後の数か月間」や殺し方の現状は、確かに酷く、私もかなり心を痛めている実情ではあります。ある程度の人たちがビーガンになることで、日も当たらずほとんど身動きすら取れない場所に食糧になる前の数か月閉じ込められている状態を、マクロ的に回避できるという「権力者からのお約束」があるのであれば、私もビーガンになってもいいとさえ思います。

しかし、実際にビーガンが急激に世の中のマジョリティになってしまったとしたら、需要に見合った頭数ではないという理由で家畜がそのまま大量に間引きされ、より小規模な頭数で引き続き酷い扱いを受けるだけでしょう。自分がビーガンになることでこの状態が改善され、「家畜はのびのびと健やかに育てられ、殺されるその日まで放牧される」。といったことが現代の資本主義社会において主流になるはずがなく、「家畜がむごい扱いを受けないためのビーガニズム」は明らかに信仰に基づいた願望の類になります。ビーガンが一定数増えれば、現状が改善されるという論理的な根拠は特に見当たりません。

「あなたはなぜビーガンになったのですか？」と、ビーガンの方に実際に聞いてみたことが何回かあります。単純に、「肉が好きではないから」という回答も中にはありましたが、おおむね「動物は生命があり、それを自分が食べるために殺すのはかわいそう」といった主旨の意見が多かったです。また、ネットを調べても、こちらのほうが主流の動機ではないかと推測できます。

これは信仰的な要素が強い考え方です。「動物がかわいそうだから」という気持ちになるような（信仰心が悪いと言っているわけでは決してないのですが）信仰心の類であるため、その考えを他人に押し付けてはならないとは強く思います。ひとつの理由は、〝命の線引き〟が「主観的」だからです。信仰の見本として、ビーガンよりも広範囲な食習慣の人の意見も含めると、「豚はダメだけど鳥はよい」「牛はダメだけど魚はよい」「鶏はダメだけど虫はよい」「鯨はダメだけど貝類はよい」「哺乳類や魚はダメだけど植物はよい」などの意見をお見受けします。

最後の意見はビーガンの主張になるのですが、客観的な事実として植物も生命を持っています。たとえば、燃やされた時や日照が続いた時に、植物が痛みを声に出さないからといって生きていないわけではありません。どこまで食べてもよいか、という線引きは非常に曖昧で、「個人個人の価値観や哲学がかなり反映された考え」となる場合が多いということです。「主観や個人的な意見に基づく価値観」であることから、「ビーガニズムは信仰心に基づいたものである」という結論になります。

私個人としては犬が食べたいとは到底思わないですし、小さな檻に何匹も閉じ込められて販売される食肉犬の環境がすこぶる酷いのも理解しており、その現状については憤りを感じます。また、飼っている犬（＝家族）を誰かが食べたら、その人間に対しては個人的な理由により冷静ではなくなるでしょう。けれども、犬を食べる行為自体を無条件に批判するべきではないと思っています。

このトピックの冒頭でも述べましたが、ライオンが生まれたての草食動物を遠慮なく捕らえて食べるように、この世界の絶対的なルールとして、「他の生命を犠牲にしないと生きながらえられない」というものがあります。ニューエイジスピリチュアル界隈には、「不食（何も食べない、または水や空気を吸い込むだけで生きられる）」を本気で信じてしまっている人もいますが、現実は、「他の生命を食べないと生きられない」このルールばかりは変えられません——食べないと普通に死んでしまいます。

野菜には、虫の生態系を破壊するような農薬が使われますし、無農薬野菜の農園でも、雑草を日常的にむしりとることで虫の生態系を破壊しています。畑の野菜を食べてしまう小動物を殺傷するトラップも仕掛けられていたりするため、結局はなんらかの生物が死ぬことにはなります。

もう一度書きますが、この生命ルールばかりは変えられません。この世知辛いルールを受け入れられない人間が、喜んで「動物が死なない」メタバースへと現実逃避していくであろうことを考えると、「ビーガニズム」は、メタバースをポジティブなものとして捉えてしまう（チャタムハウスの）「大地教（Earthism）」への入り口のひと

ビーガニズムと大地教の相性はよい

つである、という見方ができるのではないでしょうか。支配層が、「ビーガニズム」を仕掛けたマクロ的な理由が、「**大地教**」なのです。

「動物がかわいそうだ！」と熱狂的なレベルに達したビーガンに声高く叫んでもらうことで、大豆などの植物が原料の「代替肉」の普及の加速を促すという狙いもあるでしょう。牛のゲップが地球温暖化に貢献しているという、マスメディアで時々みられる馬鹿げた主張も似たような理由で取り上げられています。

そして、支配層は、「地球を破壊する」ひとつの大きな原因として「**人間の活動**」自体を挙げてくるようになりました。「**生きているだけで地球を汚している**」といった**罪悪感**をとことん植え付け、現実世界に1分でも長くいたくなくなるようにして、メタバースに現実逃避することをむしろ喜びとする文化を作り上げたいのでしょう。その「文化」の受け皿こそ、仮想現実のメタバースであり、現実世界では「**大地教(Earthism)**」というニューエイジの流れを汲む「大地を労るカルト思想」なのです。

食事もみすぼらしいくらいが美しい――そんな侘び寂びの精神を育むのがビーガニズムであると言えるのではないでしょうか。

余談ですが、ビール好きの私としては、クラフトビールに関わる方々の多くがいわゆる「意識高い系」に分類できるタイプの人間であるため、ビーガンと同じようなトラップに陥ってしまっている印象を受けます。以前訪れた、とあるクラフトビールのブリュワリー直営店での（私という）ノーマスク客へのわかりやす過ぎる拒絶反応を忘れることはないでしょう（苦笑）。ビーガンに対する考察をはじめるきっかけにもなった出来事です。

ラボ肉という「当たり前」

支配層は、ラボ肉（人工的に作られる代替肉）、メタバース、ソーシャルスコアなど、長時間かけてじっくりとさまざまなコンテンツを通して、私たちの生活の質素化に取り組んでいます。これらのコンテンツは表面的には、「地球に優しい」とてもよいものとして、支配層の思惑通り徐々に一般人の支持を得て、私たちの日常生活にもどんどん取り入れられてきています。

北米の牧場を買い漁っているビル・ゲイツや、今のところ高度110㎞あたりに飛ぶのが限界の「宇宙」事業を展開するリチャード・ブランソンの出資もあり、急成長をしはじめている「ラボ肉」。いわゆる大豆肉などの肉風の植物加工食品と違い、ラボ肉は、牛、豚、鶏などの家畜動物の細胞を使い、まるでプラントに入れられた植物のように、大桶の中で2週間かけて細胞を増幅させ肉を作る技術を利用しています。その過程で、どれだけさまざまな添加物や薬品を入れているかは定かではありません。

ラボ肉の宣伝で使われるのは、人間の良心に訴えかけた感情的なものばかりでしょう。表面的によい雰囲気の言葉に弱い大衆の多くが、自発的にラボ肉を食べるようになるのが目に見えてしまいます。「罪悪感を植え付ける」ことこそ、大衆を操る最強のツールのひとつなのです。

具体的な見本を記載します。

①ラボ肉は、設備が整った工場さえあればかなり大量生産できます。飢餓も救えて、UNICEFのポスターに載っているようなガリガリのアフリカの子供が減ります！

②牛のゲップが地球温暖化に貢献しています――ラボ肉なら牛を育てる必要がなくなるので地球温暖化を阻止できます。また、世界中に牛肉を届ける際に使用される、コンテナ船の二酸化炭素消費も大幅に減らせます！

③牧場で家畜のウイルス感染がまた起きました。感染を発見次第、全頭を間引きしていますが、万が一、手違いによりスーパーに出回ってしまったら、人への爆発的な感染が起きてしまいます――ラボ肉は感染症フリーです！

④外にもろくに出してもらえない牧場の家畜の酷い扱いを食い止めましょう。

ラボ肉の見た目はまるで本物の肉だ

また、人間の食料になってもらうために動物を殺すのはそもそもかわいそうだ。ラボ肉なら最初から生きているわけではないので罪悪感を感じませんよ！
⑤セレブリティを宣伝に起用。セレブリティがラボ肉を大好きなのはきっとわけがある——そう、お洒落なのだ、カッコいいのだ。あなたも憧れの有名人の真似をしよう！
⑥ラボ肉はオーガニックミートと呼べるような優れたものだ。価格も安く、まさに庶民の味方だ！

こうして、「B層」に分類される人や、「意識高い系」の人たちにも好意的に受け入れられるようになっていくでしょう。そして、「ラボ肉は地球に優しい」ものであるという考えで、よかれと思って情報発信するSNSのインフルエンサーも現れ、YouTubeなどで「この素晴らしい食料」をポジティブに宣伝し、大地教の精神のもと、自己陶酔しながら美味しそうに実生活でも普通に食べはじめるでしょう。

ソーシャルスコアが国民へ本格的に導入されれば、ラボ肉を食べる人間はスコアが加点のボーナスを受け取り、牛肉などの赤肉を食べるたびにスコアが減点する仕組みが採用されるようになるのかもしれません。

牛肉は、お財布にも、ソーシャルスコアにも〝痛い〟(今でいう税金がかなりかけられたお酒やたばこなどの)嗜好品扱いになっていくと思われます。意識高い系の人がまわりにいれば、まるでたばこを吸っている人に「肺がんになるからやめなさい！」と説教するかのように、牛肉をまだ食べている知人に罪悪感を植え付け、大地教のマウンティングをするようになるのではないでしょうか。

こうして私たちの生活は徐々に質素になっていき、自然からさらに離れた人工的な生活様式が浸透していくのです。

余談ですが、映画『デモリションマン』に登場する地下スラムでさかんに食べられていた〝ネズミバーガー〟という「料理」は、ラボ肉の浸透を皮肉った予測プログラミングであると感じた読者もいるのではないでしょうか。ネズミは人間の生活環境を汚す、大地教に反する動物であるため、「下層階級に消費されるのがお似合いだ」と言わんばかりです。

＊参考動画
『私たちの食の未来：偽肉のアジェンダ（THE FUTURE OF OUR FOOD: THE FAKE MEAT AGENDA）』
https://www.bitchute.com/video/wcZq0FIDS7oS/

オーガニックなる落とし穴

こちらの考察はオーガニック食品自体を否定するものではありません。私自身も農薬がかかっていない野菜のほうが普通に好きだったりします――マクロでの支配層の仕掛けに着目した考察になります。

支配層が自分たちに都合のよいアジェンダを浸透させる際の必勝手段のひとつとして、「表面的にはとてもよいことを言っているように工夫して伝える」ということがあります。

わかりやすい見本として「フェミニズム」や「男女平等運動」が挙げられます。男女平等運動という茶番に関する考察は、著書『99・9％隠された歴史』でより詳細に書いていますが、支配層が男女平等の概念を浸透させた大きな目的のひとつを言うと、夫婦の共働きを当たり前とすることで「共働きをしないとまともに生活できない家庭を多く生みだす」ことにありました。

「オーガニック」というコンテンツをマクロ視点で考えると、「男女平等運動」と同じような働きをしており、「できるだけ健康的に生きる」という人々の願いを逆手に取る形で、支配層は本来はよいものであるはずのオーガニック文化をうまく利用しています。

農林水産省はサステナブルな農業を目指して、国内の農地の25％をいずれ無農薬にする目標を発表していることから、日本政府もオーガニック推しであることがわかります。マスメディアについては、オーガニックを推すこともあれば、弁証法的にオーガニックの対立軸にある悪役として、世界各国で禁止になっているラウンドアップなどの農薬を作るモンサント（現バイエル）社を「叩かれ役」として取り扱う場合もあります――「農薬＝悪」という印象づけをするのに、モンサントはわかりやすい見本なのです。

＊参考記事
農地の25％を有機に、農薬を半減する「みどりの戦略」。専門家の指摘する問題点とは？（グリーンピース）

https://www.greenpeace.org/japan/uncategorized/story/2021/04/09/51180/

ラウンドアップとは？　グリホサート系除草剤について（FLIGHTS-AG）

https://flights-ag.com/blog/herbicide/84/

同社をわかりやすい悪役に設定し、（メジャーの対立軸にあることからもなおさら）オーガニック食品が好きないわゆる「意識高い系」の意思と団結力を高め、オーガニックのよさを広めるモチベーションを上げていきます。「意識高い系」の人は、「自分が人類にとってよいことをしている！」といった使命感からくる優越感を撫でられ、オーガニック啓蒙を支配層の思い通りに熱心にしてくれるため、非常に使いやすい駒であると言えます。

個人的な経験ではありますが、オーガニックを謳っているお店ほどマスク着用（２０２２年時点）にうるさいという傾向があるように感じています。「意識高い系」は、「遺伝子治療ワクチン」と「無農薬」というあまり相性がよくないように見えるコンテンツを同時に推進しているという一種の矛盾が、彼らの「洗脳されやすさ」を物語っていると言えます。

オーガニックに関連した支配層のアジェンダとは？

以前YouTubeに投稿したチャタムハウスが紹介する１００年後の未来でも申し上げたことにはなります（Ｐ１９３動画ＵＲＬ掲載）。

簡単にまとめると、

今後、地球温暖化を理由に移動の制限はますます顕著になり、野菜を今のように海外または国内の遠方から運ぶことがどんどんコスト面からも非現実的になっていきます。

↓

個人所有の自動車がほぼなくなっていきます。自動運転の電気自動車タクシーが主流な世界では都会の駐車場が余ります。

↓

「地球に優しい」などの大地教プロパガンダにより、駐車スペースを畑として再利用します。

↓

野菜は地産地消が当たり前になります。生活のほぼ全てが小さなエリアで完結するようになります。

支配層は、（いわゆる「意識高い系」や「ニューエイジ陰謀論者」には）モンサント社という悪役に一矢報いるような形で無農薬野菜のよさを引き続き訴え、実際は「農薬がなくても簡単に育つ遺伝子組み換え（GMO）の野菜」をステルス的に浸透させていくのではないかと推測しています。「オーガニックの浸透をポジティブに伝える意識高い系などにオーガニックのよさを勝手に宣伝してもらう」という戦略になります。自身が朝から晩までマスクをして、オーガニック食品やオーガニックコットンのマスクを並べて販売するような店舗のオーナーが、気づかずGMO野菜をポジティブに宣伝していってしまう体制ができあがります。支配層が仕掛ける世論操作とはこれくらい手が込んでいて、かなり知的なのです。読者の皆様には、絶大な権力と富を持つ支配層を自分と同じ行動基準で考えずに、脳細胞の隅々を使い尽くして、今後の対策を考察、啓蒙していってほしいと強く思います。

最後になりますが、現在、オーガニックとは名ばかりの本質的にはオーガニックでもなんでもない商品が蔓延っているという別問題もありますので、「オーガニック＝よい」ということばかりではないことを考えながら生活していってください。

地球に優しい思想統一のための大地教スナック

写真（255ページ）は函館山ロープウェイにある昆虫スナックの自動販売機になります。スナックの価格は500円〜900円と割高なため、現時点では、新しいものに目がない奇特な方しか買わないでしょう。また海外では、スーパーに昆虫スナックが普通に陳列されていることもありますので、日本はこれでもまだ昆虫食後進国であると言えます。

本考察で着目したいのは、昆虫食の中身ではなくパッケージに、球体地球ロゴとともに記載されている「Save Earth（地球〝大地〟を救え）」というキャッチフレーズのほうになります。まさに英国シンクタンクの「チャタムハウス」が提唱している、世界の思想統一のための新思想である「大地教」を彷彿とさせます。大衆の思想誘導において「思考の獣化」を進めることが最も効果的な戦略であると既に書いてきました。まさに、その戦略を体現するかのような（論理的に訴えかけたメッセージではなく）感情に訴えかけるキャッチフレーズが使用されています。

大地教の主目的は、一般人に、日常活動そのものの過程で「罪悪感を抱かせる」ことです。「便利さや快楽の追求のためのさまざまな行動が、地球を破壊する一番の原因である」という罪悪感を植え付けること――昆虫食の普及もこの一環です。支配層は、世界経済フォーラムの「地球温暖化などの環境破壊を防ぐ」というメッセージを建前として、牛などの赤肉から昆虫肉に大衆の食事をシフトさせようとしているのです。「庶民の生活のさらなる質素化＝牧場の家畜化」という本当の目的がこれから徐々に達成されていくでしょう（牛のゲップが地球温暖化に貢献しているという主張を本気で信じている人がいるのかは知りませんが……）。

これらの写真を撮影した日は、函館の夜景を楽しむ観光客がたくさんいましたが、自動販売機の前でしばらくたむろしても、昆虫スナックを買う人は一人もいませんでした。支配層はそれでもよいのです。「お父さん、虫のおやつが売ってるよ！」と父親に大きな声で言う子供が一人いましたが、今現在では、その子の潜在意識の中に「地球に優しい昆虫食」という概念を植え付ければよいのです。この子供が大人になる頃に、「昆虫肉が地球に優しいならば我慢して食べてみようかな！」というレベルにまで種が育てばよいのです。目的達成です。毎日毎日スーパーに昆虫スナックが陳列されていたら、徐々に潜在的に洗脳されていき、どこかを境目になんとなく買い物かごに入れてしまう人が増えていくのではないでしょうか。

こうして「地球を破壊せずに生きる」という（勘違いの）対価として、私たちの生活がどんどん質素になっ

「地球に優しい」大地教的スナック

ていきます。そしてまんまと洗脳された家畜は「地球に優しい自分は偉い」とある種の優越感に浸りながら、さまざまな状況で「地球のための我慢」を自分に主体的に課していきます。昆虫食の普及こそ、まさに大地教的思想の大きな動きのひとつであり、支配層にとって理想的な奴隷状態へとまた一歩進んでいっていると言えるでしょう。

企業のSDGs的な取り組みの真意

世界経済フォーラムが推し進めるさまざまな取り組みのほとんどは、「環境にどれだけ優しいか」、「地球温暖化防止にどれだけ貢献しているか」、「持続可能性がどれだけ高いか」、「ダイバーシティとインクルーシビティにどれだけ取り組んでいるか」、といった大地教的な思想をベースにしています。それをビジネスの場へと浸透させるツールとして、評価対象企業の「ESG（環境、社会、ガバナンス）」を指標とする、その企業のパフォーマンスとリスクを定量的に測定し、他の企業との相対比較をして与える「ESGスコア」なるものが存在しています。

ESGポイントは、長期的に優良な投資先の指標として重要視され、投資判断基準のひとつとして株価にも影響を与えます。そのため、各企業はESGポイント（つまり株価）を上げるために、国連のSDGsなどに基づいた環境やサステナビリティ活動に熱心に取り組んでいます。企業によるSDGsの熱心な取り組みは、今後出資してくれるかもしれない機関や個人投資家に向けた宣伝活動なのです。

投資家は、物事を長期的に考

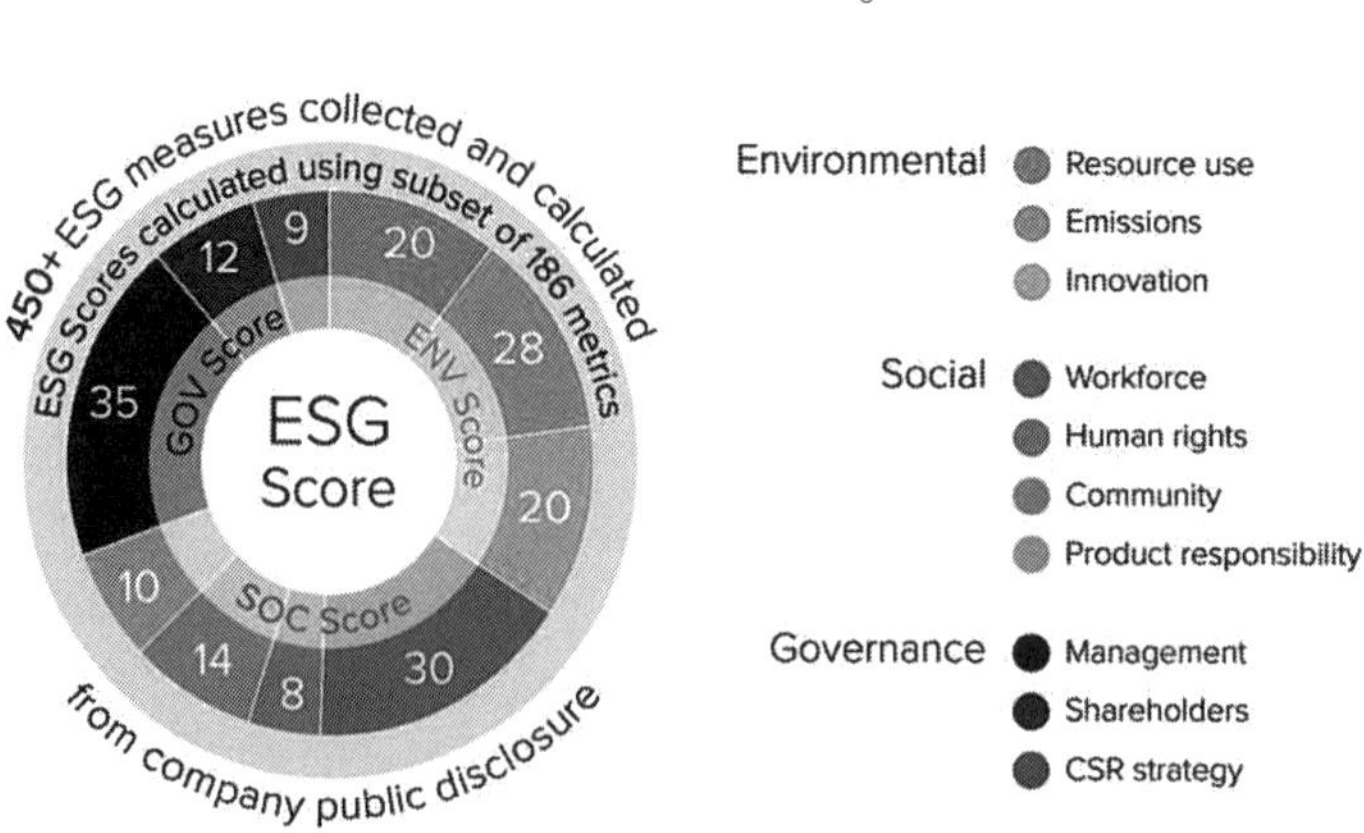

ESGポイントの高さが株価にも影響を与える

えている経営陣がいるという指標として「ＥＳＧスコアの高さ」をひとつの判断基準にして、出資するかしないかを決めたりします。そして、世界中の大企業の大口株主として君臨する（支配層が所有する）投資ファンドの「ブラックロック」や「バンガード」などが、これらの取り組みへ積極的に参加することで、必然的に取り組み度合いの高い企業の株価が上がるという仕組みでもあります。

資本主義下の激しい競争に打ち勝たねばならない各企業は、ＥＳＧスコアを意識せざるを得なくなるということです。従業員はＥＳＧポイント増加のための取り組みや作業に参加させられ、結局皆ＳＤＧｓに基づいた環境やサステナビリティ活動に貢献させられていきます。「地球環境の役に立てれば」と進んで取り組む社員も、「仕事だから仕方がない」とやっているような懐疑的な社員もひっくるめて、仕事としてただただ半強制的にやらされていくのです。そして数年も経てば、仕事としてやっていた毎日のＳＤＧｓ活動を通して、大地教という思想がすっかり潜在意識に浸透していってしまうのは言うまでもありません。

ギグワークから読み解くメタバース

「ギグワーク」と聞くと、日本だとウーバーイーツの配達員が最も有名な見本ではないでしょうか。ギグワークは、英語のGigとWorkを合わせた造語であり、Gigは一度だけの演奏やセッションを表すスラングのことで、ギグワークは「単発の仕事を受ける働き方」を意味します。ギグワークで働く人はギグワーカー、ギグワークで成り立つ経済圏をギグエコノミーと言います。ギグワークの代表的例が、ウーバーイーツの配達員です。継続した雇用契約がないので、働く時間や場所などの自由度が非常に高い、新しいスタイルの働き方と言えます。

＊参考記事
ギグワークとは？　特徴、メリット・デメリット、始め方を解説（ガイアックス）
https://www.gaiax.co.jp/blog/about-gigwork/

次に、ゲーム機で多くの人が自由時間に楽しんでいる箱庭ゲームのクエストについて考えてみましょう。

クエストとは？（参考記事より抜粋）

「クエスト」とは、「プレイヤーがゲームのNPCによって出される課題」という意味です。これは英語の「Quest」に由来する言葉です。英語のQuestの意味は探求、冒険の旅、自動、探し求めるなどになりますが、「冒険」とあるように、プレイヤーは用意された単発の冒険（＝『龍が如く』のサブストーリーがよい見本）をクリアしていくことがプレイヤーの目標となります。ストーリーに密接に関わるクエストは「メインクエスト」と呼ばれます。少しだけ関わるクエストは「サブクエスト」、「クエスト」には、敵を倒すことでクリアとなる「討伐クエスト」や、アイテムを集める「調達クエスト」など、さまざまな種類のクエストがあります。

＊参考記事
ゲーム用語の「クエスト」とは？ 意味や使い方を解説！（ネットペディア）
https://kaisetu.org/quest/

ギグワーカーは正社員と違い、使い捨てである

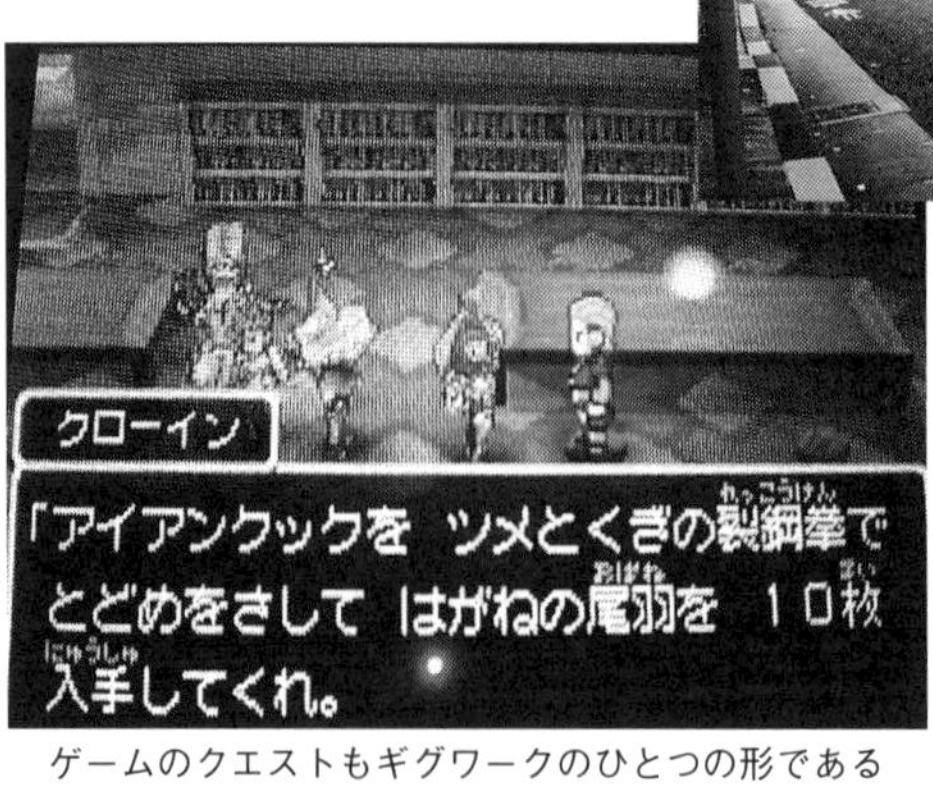

ゲームのクエストもギグワークのひとつの形である

お読みいただいてピンと来た方も多いかと思いますが、「現実世界のギグワーク」と、「バーチャル世界のクエスト」は非常に類似しています。どちらもやっているることは、クエスト（＝注文を受ける）を運営側から受け取って、それをこなし（＝商品を配達し）、コンプリート時に報酬（＝デジタルマネー報酬）をもらう、という一連の作業になります。

日本の、特に正社員の労働者は、世界各国に比べてまだまだ守られているほうだとは思います。しかし、世界視点で見ると、最近は労働者の権利がみるみる減らされていく傾向にあるように思います。日本も非正規雇用の増加で、安定した収入が徐々に期待できなくなっているわけですから、昔懐かしい昭和の終身雇用など皆無に等しいのです。

また転職活動においても、オンライン上にある転職用デジタルポータルサイトで自分の経歴をアップロードして、それを雇用主側の採用活動関係者が見て、この人を面接してみよう、というシステムに移行しつつあります。まるでゲーム運営会社がクエストを提供し、ユーザーがそれを受けてゲーム内でクリアするような、「手軽な感覚」で転職活動という行為が扱われるようになっていくと推察しています。

この社会的／技術的なトレンドの発展系として、今流行りの「ノマド文化」という概念は、いわゆるホワイトカラーの人も、ウーバーイーツの配達員のように、世界中のどこからでもデジタルポータルにアクセスして、仕事を引き受けていくような文化を浸透させるために誕生したのかもしれません。

支配層により、メタバースが経済活動の主軸にまで成長させられれば、メタバース内でクエスト（というギグ仕事）を探し、「今日はひとつのクエストに集中的に打ち込もう！　明日はちょっと楽をしようかな！」といった、時間的な自由度の高さを売りにした仕事のスタイルが当たり前になっていくと考えています。この状態にまで仕事の在り様が変化してしまえば、現在は社会の経済活動とはあまり関係がなく娯楽として遊ばれている、『龍が如く』や『グランド・セフト・オート』などの〝箱庭ゲーム〟と、あまり変わらない状態になっていくのではないかと容易に想像できます。

余談ですが、メタ社のメタバースゴーグル商品名も〝クエスト〟であり、個人的には意図を感じずにはいられません。

制約がないという「制約」

「政府からの国民へのメッセージ」税金は払わなくてよい。好きな時に働けばよい。働かなくてもよい。最低限の生活ができるベーシックインカムもあげる。その代わりすべて自己責任ね。病気になったら10割負担。公共施設も有料。ベーシックインカムでやりくりできないならば我々はもう何も責任を負わない。死ぬのも自己責任だ。（＝性悪説に基づいた著者によるムーンショット計画の解釈）

「**肉体、時間、空間に制約されない生き方**」は、投資を国民に促している日本政府が発表した「**ムーンショット計画**」の第一目標になります。

今、特に若者の間では、会社で働かずとも大きな利益が狙える（と思われている）仮想通貨をはじめ、FX、NFT、メタバースのデジタルアクセサリーがかなり取引されています。ウーバーなどのギグワークに似た性質があるYouTubeの情報発信などで生活できる収益を狙う情報発信者も、ある意味、時間やお金を使っているため「YouTubeチャンネルという事業投資」をしているという解釈もできます。

支配層目線で言えば、生活資金を投資などで稼ぐという行為は、今後生活のほぼ全てが自己責任になり、会社員が受け取れる社会保障や福利厚生がこれからどんどん減らされていっても「文句言わないでね」というメッセージを打ち出している、と言えるのではないでしょうか（↓もちろんセーフティネットとしてベーシックインカムは用意されるでしょう）。

近未来、エヌビディアなどのIT企業の技術力がさらに上がり、徐々にメタバース中心の生活に移行していくにつれ、月曜から金曜まで、朝9時から夕方5時まで働くという大枠で共通した生活スタイルはさらに不要になっていきます。24時間、自分が働きたいと思う好きな時間に働けるが、実力がない人は満足に生活費を稼ぐことができず、個人裁量と実力主義による貧富の差が今後大きくなるということです。

めんどくさがり屋または快楽主義者、地球に優しい（とされている）活動をしたい意識高い系、メタバースでなりたい自分になれると思うニューエイジなどが、この（表面的には）制約のない（ように見える）制約はメタバースへの依存の言い訳にもなるため、すんなりと受け入れるでしょう。異議を唱える残された（本書の読者などの）マイノリティは、数の理論で推進派に太刀打ちできず、同じような仕事スタイルに半強制的に付き合わされ、嫌々こなしていくことも支配層は織り込み済みでしょう。

ちなみに現在、海外のＩＴ企業やイギリスでは週４日労働の検討もされていますが、これらは時間的制約を受けないムーンショット的働き方のはしりであると言えるかもしれません。

内閣府が発表した「ムーンショット計画」

＊参考サイト
ムーンショット目標1　2050年までに、人が身体、脳、空間、時間の制約から解放された社会を実現（内閣府）
https://www8.cao.go.jp/cstp/moonshot/sub1.html

NHK党から読み解くメタバース

ジョニー・デップとアンバー・ハードのＳＮＳ（またはニコ生）風の要素を取り入れた中継裁判や、本書でもこの後に触れる『ブラック・ミラー』の「１５００万メリット」とあわせて考えるとわかりやすいかと思います。また、こちらはマクロ視点での投稿（２０２２年７月時点）になりますので、ポピュリスト政党の代表格となったＮＨＫ党の党員たちがここまでのことを直接意識してやっているとは思っていません。東谷義和氏（ガーシー）※をはじめとする党員たちは、以下の二つの理由で２０２２年の参議院選挙頃の「暴露」戦略を取り入れたのでしょう。

（1）権力者が嫌いで日本をより平等にしたくて、正義感から権力側の「悪事」を叩いている
（2）低予算で短期間で注目を一気に浴びられる戦略を取っている

まずNHK党が主張している「暴露情報」が客観的に事実であるのであれば、NHK党がその権力者たちを批判するのは自由だと思います。しかし、NHK党の糾弾により、楽天などの大企業が倒産でもして、芸能人が軒並み引退した後に具体的にどう日本を変革していきたいかを政党として説明していないため、このままでは今後の選挙でも投票数がそこまで伸びないという個人的な印象ではあります。

それでは、メタバースという観点でNHK党について考えてみましょう。NHK党（の特にガーシー）がやっていたことは、対立軸に立ち、（同政党がテレビ出演NGのようになってしまったこともあり）場をさらにインターネットに移し、SNS中心で庶民の味方を謳ったポピュリスト政党として情報発信をしていくという活動です。ネットの中こそ現実世界よりも現実的で平等な場所であると言わんばかりにです。党員のガーシーは、〝権力者がのさばる世の中から、ネット民の一人一人の力が小さくても圧倒的な数で悪を成敗していける世の中をつくる〟というスタンスを取っています。聞こえはよいのですが、本質的には世界経済フォーラム会長のクラウス・シュワブが唱える**ステークホルダー資本主義**の形と非常に類似しています。

ステークホルダー資本主義とは？（以下引用）

2020年1月のダボス会議（世界経済フォーラム）の主題となった、ステークホルダー資本主義。これは、企業は株主の利益を第一とするべしという「株主資本主義」とは違い、企業が従業員や、取引先、顧客、地域社会といったあらゆるステークホルダーの利益に配慮すべきという考え方である。具体的には、環境破壊の防止や、企業がオフィスを構える地域社会への投資、従業員への公正な賃金の支払い、労働者間の格差の是正、適切な納税などが求められている。この言葉が広まったきっかけは、2019年8月にアメリカの大手企業で構成される非営利団体「ビジネス・ラウンドテーブル」が、格差拡大や短期的な利益志向なこれまでの株主資本主義の問題点を指摘し、あらゆ

るステークホルダーにコミットする旨の声明を発表したことだった。

＊引用記事
ステークホルダー資本主義とは・意味（IDEAS FOR GOOD）
https://ideasforgood.jp/glossary/stakeholder-capitalism/

つまり、ＮＨＫ党が（意図的ではないにしろ）やろうとしていることは、（まるでＱアノン信者のネサラゲサラのように）〝権力や富の分散を目指した平等な社会の形成〟になります。ステークホルダー資本主義は、身もふたもない言い方をすれば、インクルーシビティやダイバーシティの概念のもと、洗脳された家畜たちにまるで自分の意思で意思決定をしていると勘違いさせて、**表面的には平等に見える全体主義（共産主義）を推進**する取り組みです。そして、ＮＨＫ党の党員や支持者は意図せずして、この流れに対立軸から乗っかってしまっているということです。ＮＨＫ党のような政党が存在することで、支配層が得られるステークホルダー資本主義的なメリットはこちらの二つになります。

（１）（支配層の思惑通りの）国民の多数決意見がさらに通りやすくなる

全ての活動や購買記録が残るデジタル世界（＝メタバース）に当て嵌(は)めて考えていくと、「人々の意見がデジタルタトゥーとして永遠に残る」状況が見えてきます。つまりチャットに残した会話などが永遠に記録されるという状況です。実際、ニコ生の生配信やＳＮＳなどに寄せられ、記録されているコメントで個人個人の意見がどんどん「見える化」しているのですが、メタバースではこの「見える化」はさらに加速していくでしょう。

今ですら、Wokeism（63ページ※Woke参照）に目覚めた人たちや、攻撃的な性格をもつタイプの陰謀論カルト（擬態のステージ）のニューエイジが、ちょっとでもマジョリティの流れ、Wokeismであればダイバーシティやインクルーシビティに沿わない意見を述べた著名人を、猛烈にネットで叩いたりしています。また、「ワクチンを推進した医者やメディア人を絞首刑にすべきだ！」というかなり過激な主張をしたり、「自分の陰謀論に少しでも批判を寄せた陰謀論者は絶対工作員だ！」などと他者を猛烈に攻撃したりする場面も増えてきています。

　ガーシーは、攻撃の対象が出演するテレビ番組などからその人物を降板させたりする（欧米から生まれた）キャンセルカルチャーを日本にも浸透させていっている人物となっていますが、没入感の高いメタバースになればこの「キャンセル文化」はなおさら強くなるでしょう。

　しかもCBDCと連携したソーシャルスコア（社会信用ポイント）が本格的に導入されれば、SDGsなどに反対した意見をSNSで呟くだけでポイントが下げられる状況にもなりかねません。「家畜同士のチクリ合いの文化」とも呼べるキャンセルカルチャーが浸透すれば、「過激な意見」を言う政党を支持するためにSNSでシェアしただけで、支持者のポイントが軒並み低くなるといった現象が起きてくるでしょう。

「ポイントが低い人の意見など信用できない」という、価値観が支配層に洗脳されきったマジョリティ羊により、ポイントが高い「よい子」の意見を尊重した、「政府の言うことをそのまま従順に受け入れる人たち」が支持者の大半を占めるメジャー政党がなおさら磐石な体制を築くだけでしょう。

　極論を言ってしまえば、投票システムもどこかを機にメタバース内の投票箱に投票するデジタルシステムになると思われるため、導入後は個人個人が投票してきた履歴が全部、政府筋に筒抜けとなります。無記名投票だろうと関係なく、その人の投票履歴はデジタルタトゥーとして永遠に残るのです（投票システムにはブロックチェーンを使っています、などの「疑似的な安心感」を与えて普及させていくのかなと思っています）。

（2）ニューエイジ気質に染められた「SNS世代」に疑似的な「権力」を与える

　ニューエイジたちは、基本的には自分や自分の状況をメタ認知するのが苦手であるため、直近のまわりの人たちがかなり盛り上がっているというだけで、日本中で彼らの主張が盛り上がっているという勘違いを起こしやすい性質にあります。実際、NHK党のネット配信に寄せられた視聴者のコメントを見ると、この弱小野党が実際に日本のトップに君臨するような権力者たちを次々と引きずり下ろせると本気で思っている「ロビンフッド症候群」な人が非常に多いです。NH

K党が過激な主張をすればするほどファンの一体感は増し、ファンの活動も過激化します。ある種のカルト化が促進される状態であるため、一般人との乖離が大きくなればなるほど、NHK党支持者と非支持者との軋轢が大きくなっていきます。過激なニューエイジ陰謀論者グループである神真都Qのように、カルト化の進行具合によっては、非支持者からはトンデモ陰謀論者のようにしか見えなくなる可能性もあります。

そして時間が経過すれば、結局は数議席を取るのがやっとであると想定されるため、本当の権力者たちを軒並み引きずり下ろすことなど夢のまた夢となるでしょう。ふがいない選挙結果が何度も出た後に、ファンも権力者を軒並み引きずり下ろすことが無理だとようやく理解するようにはさすがになっていくとは思います。しかし、だからといって、それまでに彼らが応援に費やした時間が返ってくるわけではありません。応援していた分だけ時間を損し、その間は結局は支配層にとって無力化した状態であるのです。〝真っ当ではない権力者を引きずり下ろす〟というきっかけは正しい心がけではあると思うのですが、現状の社会の在り様では究極の理想論であり、正しいか正しくないか以上に、その「正しい」行為を現実的に達成できるかできないかのほうが重要です。けれども、ファンがこのことに気づくのは残念ながら「コト」が終わった後なのです。

実際、YouTubeで活躍するニューエイジフラットアーサーの中に、「対立軸」と「既存体制の破壊」と「理想論」が大好物のニューエイジ気質が災いしてか、(少なくとも2022年参議院選挙時において)NHK党にすっかり夢中になっていた人がいました。こういった方々は、いつかメタ

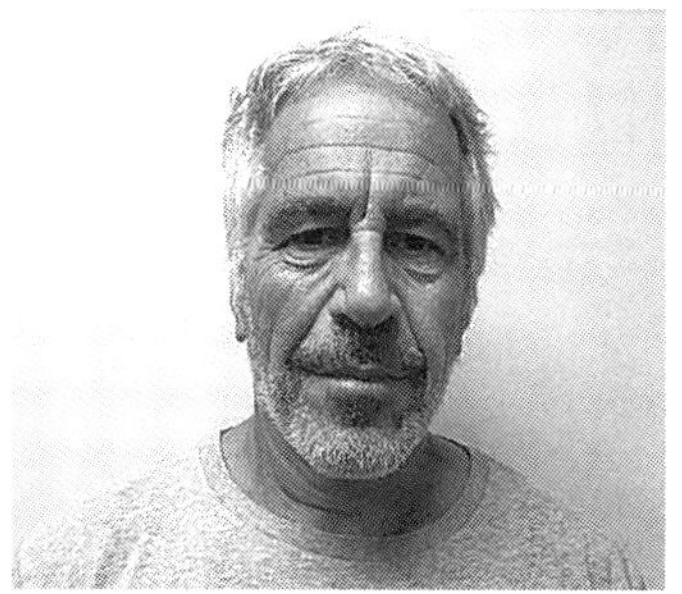

陰（エプスタイン）と陽（ガーシー）の違いはあれど、本質的には似ている

バースで「乱交パーティ疑惑の○○社長が成敗されるパッケージ」を購入して、格闘ゲーム内でその人をボコボコにして、現実のストレス発散をするようになるのかもしれません（↓しかもそれで満足。現実世界で○○社長のことはもうどうでもよくなる）。

余談ですが、ガーシーは、政治家非難から芸能人批判に舞台を移しただけのジャパニーズQアノンみたいな立場になっているようにも思えます。また、有名人に女性をアテンドして、その際に撮影されたふしだらな行為の写真などをネタにその有名人を叩いている（＝人気獲得のために利用している）という意味では、ジャパニーズ・ジェフリー・エプスタインという呼称のほうが適切かもしれません。ガーシーのさまざまな主張が本当かガセなのか一旦は置いておいて、宗教っぽくないカルト性を醸し出しているという意味では、ガーシーは陰謀論カルト（＝擬態のステージ）にいるニューエイジ気質に好かれそうなクルセーダーではあります。

※ガーシーは、2022年7月の参院選で当選したが、2023年3月に除名処分を受け、議員の資格を失っている。

政党を使った包括的なニューエイジ戦略

ニューエイジには以下の進化の流れがあり、今現在、どのコンテンツステージにも対立軸政党が置かれているため、支配層は安泰であると言えます（＝ニューエイジ投票のすくい上げ完了）。

ニューエイジは、物事の客観視やメタ認知が非常に苦手なため、支配層の術中にハマっていることにはもちろん気づきません。「スピ系と陰謀論は違うっ！」「新興宗教とスピ系は違う！」みたいなことを言って、優越感に浸ったり、自分がニューエイジであると気づかずに信仰している、「ニューエイジステージ」にマッチした政党を応援し続けたりするだけです。

どの政党がどのステージのニューエイジの支持者を得ているかを記載しました。

神智学
↓
新興宗教（公明党、幸福実現党）
↓

スピリチュアル系（参政党、れいわ新選組）
←
陰謀論カルト（NHK党）

残った私のような非ニューエイジの人間は、そもそも投票にも行かないことも多いので、体制側は本当に安泰であることが見えてきます。ちなみにNHK党の立花氏は自らを〝幸福の科学の信者である〟※と過去にYouTubeで配信していた動画で直接言っていましたので、幸福実現党のニューエイジ進化版であるとも言えるかもしれません。NHK党支持者の陰謀論カルト層の中には、同じ系譜（＝ニューエイジ）であるとすら気づかずに、参政党や幸福実現党のことは叩いてる支持者も存在します。

新興宗教の「(旧) 統一教会」との関係が深い「自民党」
←
自民党に近い主張をスピリチュアル系向けにしている「参政党」

新興宗教の「幸福の科学」と「幸福実現党」
←
その信者が党首を務める「陰謀論カルト」向け政党

全て、ただただニューエイジなのです。

信者のすくい上げとしては、幸福実現党や公明党などの新興宗教系の政党を「ダサい、キモい、怪しい」と思い引っかからなかった人を、参政党や（スピ色のより薄い）れいわ新選組で引っかける。参政党のスピリチュアルを「ダサい、キモい、怪しい」と思い引っかからなかった人を、NHK党（特にガーシー）の陰謀論やカウンターカルチャー風コンテンツですくい上げる仕組みです。

れいわ新選組の主な支持者は、「体にネガティブ波動をもたらすもの」に多大な嫌悪感を抱いているため原発に強く反対していたり、自給自足の村を作りたがったりするようなスピリチュアル系の人たちであるという印象です。

「アシュタール宇宙人とチャネリング！」のようなことを言っている強スピリチュアル系の人は、どちらかと言うとですが、参政党に流れていっているように個人的には思えます。

※立花氏は「幸福の科学の信者である」と自身で発言。以下参照記事。
https://entamega.com/24584
http://netgeek.biz/archives/148188

「時を支配する番人」サタンとトランスヒューマニズム

サタン（Saturn=Satan）は「時を支配する番人（Keeper of Time）」という呼び方をされることがあります。この「時を支配する番人」を比喩的な表現として捉え、考察していきたいと思います。

まず、「時間」という概念について。

時計が示すような細かい「時間」という仕組みは存在しません。あるのは、（創世記などにも記載されているように）「太陽と月」によって見分ける「昼と夜」だけです。古代人は、この自然の「時間」（および星の位置による季節）を考えながら生活していました。

日の出とともに起きて、稲作や狩猟をし、太陽が一番高く昇った頃にお昼ご飯を食べることはあれど、夜になれば仕事や活動を切り上げ、就寝します。これが、少なくとも数千年繰り広げられていた人間の生活模様です。

そして中世に入り、「時計」という機器が発明されます。ロンドンのビッグベン時計台は、労働に勤しむロンドンの人々がどこにいても時間がわかるように建てられました。そして、蠟燭（ろうそく）が電気にかわり、夜になったら暗すぎて活動できないからすぐに寝る、という常識は崩れていきます。

その後、懐中時計が発明され、分刻みの時間は身につけるものになっていきます。これにより、「朝と夜と季節」という非常にざっくりとした時間で物事を考え、行動をしていた人間から、「何時に会社に行く」「何時に教会に行く」、「何時までに○○に着かないといけない」など、常に時間に追われる生活へとシフトしていきます。

時間に追われた人間は、その場その場でやらなければならない目の前の事柄に対応することで精一杯になり、「哲学や思想」、「長期的な目線」、「じっくりと物事を考える」などの「人間にしかできない高度な思考プロセス」をする余裕のない、支配層からしたら「より家畜に近い生活」をするようになります（＝つまり「思考の獣化」が進む）。海外であれば産業革命の頃にみられた、日本であれば高度経済成長期に普遍的にみられた残業地獄の社畜が、これを体現した最もわかりやすい見本かなと思います。

時計の進化を簡単に記載します。

昼と夜の自然時間
←
日時計（サンダイアル）
←
時計台
←
懐中時計
←
機械式腕時計
←
クォーツ時計
←
G－SHOCKなどのデジタル時計
←
スマートウォッチ

です。

次に、世界経済フォーラムが唱える私たちの未来の生活模様を考えていきましょう。結論から言ってしまうと、「5G／6Gを活用したスマートグリッド都市」において、スウェーデンでは数年前から既に導入されているマイクロチップまたはそれに準ずるもの（スマートフォンのアプリ含む）での「バイオメトリクス（生体認証）」が当たり前となる生活になります。

デジタル通貨の普遍化により、全ての買い物が政府に記録され、お財布を出さなくてもよいという便利さと万引の防止、労働者不足を表向きの理由として、出口でのボディスキャンによる「スーパーのレジを通さなくてもそのまま買った物を持ち帰ることができる」サービスがどんどん導入されていきます。記録が残るのは、買い物だけでなく、近距離の移動は、基本的に自動運転の電気自動車タクシーを使う生活により「移動の記録と制限」も日常の中に組み込まれていきます。

仕事とレジャーの多くがメタバースで済まされ、時間の確認も「デバイスを通してARで」好きな時に個別に確認できるようになります。トランスヒューマニズム社会の黎明期であると言えるこの生活スタイルは、時間を「街の中心から市民に伝えるビッグベン」の究極の進化版であると言えるでしょう。

時計の進化では、スマートウォッチのしばらく後にマイクロチップ（またはそれに準ずるもの）が予定されているのでしょう——「何時何分までに地球に優しいタスクをコンプリートして、自分が好きなものを買える電子トークンを手に入れる」という生き方が成り立つには分刻みの概念がトランスヒューマニズム社会では不可欠なのです。

「時間に従順な家畜は、それだけ〝思考の獣化〟が進んでいる」という観点から、「電車が時刻通りに来る国」として定評を得ている日本をみると、世界各国の多くの人がマスクをしない中、（世界トップレベルのコロナ陽性率を叩き出しながらも）未だに国民のほとんどがマスクをつけ続けている現状（2023年1月現在）との、因果関係を感じずにはいられません。

支配層は、中世から数百年後に、ここまで時計という概念を進化させることを考えていたということになりますので、獣思考の家畜人間には到底到達できない頭のよさとヴィジョンであると言うほかないでしょう。

トランスヒューマニズム社会移行への不可欠なツールである「時間」。「神」のようにたとえても違和感のない強力な支配ツールであると言えることからも、「時を司るサタン」は、比喩的な表現としては非常に適切です。

「サタン＝時間の支配」。「時間は不変なものではなく、相対性理論で変わる」としたアインシュタインも、「サタニズム」から着想を得て、そう主張したのかもしれません。「サタニズム」がニューエイジの原点であると考えると、20世紀最大のニューエイジグルらしい着想であるとも言えます。

最後に「時計」と「テレビ」の関係について少し。

潜在意識への洗脳装置として開発されたテレビ。たとえば、朝、仕事へと出かける前に自分の腕時計を見て、それからニュース番組に表示されている時間を見て、1、2分のズレがある場合どうしますか？　きっと「腕時計が正しい！」とそのままにする人はほとんどいないと思います。大抵の人は「テレビの時間のほうが正しい」と判断して、腕時計の時間を直します。この行為自体も、「自分の感覚よりもテレビのほうが正しい」というサブリミナルな印象を与えるための支配層の戦略であるのかもしれません。

「テレビの時計は正確さを保てます」と言われ、論理的にも納得してテレビに時間を合わせてきた大衆は、毎朝ニュースを見て、「テレビのほうが自分よりも正しい」という刷り込み洗脳を毎日受けているわけです

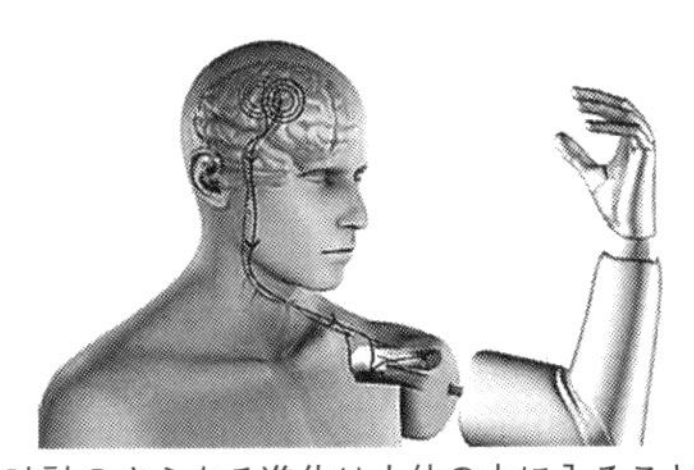
時計のさらなる進化は人体の中に入ること

時を司る者は、神にほぼ等しい力を手に入れたと言える

から、さまざまな分野に関するテレビ情報も「全て正しい」と思ってしまうのも致し方がないのかもしれません。ここでも、時間に従順な日本人がマスクをし続けている相関関係が見えてくるのではないでしょうか。

カーボンクレジット$チャリーン$な世界観

こちらは少し大げさな想像になります。

スマートスピーカーの一声で今日も起きる……。

あなたの今月のカーボンクレジットは5000ポイントです。地球に優しく、環境意識が高い善良な行動を取ってマイレ……ではなくポイントを今月もお貯めください。毎月あなたのスマートフォンに送られるCBDCトークンで支払われるベーシックインカムでは最低限の生活しかできませんので、ぜひとも自宅のリビングルームにあるエアロバイクをたくさん漕いで再生可能エネルギーを発電して、カーボンクレジットに変換してリッチな人生を歩んでいきましょう！　私（スマートスピーカー）がメタバース内でもさまざまな地球に優しいタスクを提案いたしますので、実生活

でもメタバースでも地球環境を第一に考えたソーシャル意識の高い（＝大地教的思想の）市民を目指しましょう。

　えっ、ヨーロッパ旅行に行きたいですって？　羽田―ヒースローの12時間のフライトだとカーボンクレジット５０００ポイント減らすことになります。また空港までの移動に使う自動運転タクシーには１２０ポイント必要です、こちらも忘れないでください――最低一年は猛烈にポイントを貯めてくださいね。それまではメタバースでのＶＲロンドン観光で我慢……ではなく、お楽しみください。来月ちょうどロンドンのＶＲパッケージの特別バージョンアップデートがありまして、ビッグベンが七色にライトアップされるので綺麗ですよ。えっ、メタバースなど冗談じゃないって？　ブブー、あなたはジェット燃料の二酸化炭素排出の地球への影響を軽視しています。マイナス15ポイントです。チャリーン。イギリス旅行が少し遠のきましたね。ほら自転車を2時間漕いで15ポイントを取り戻さなきゃですよ。

大地教の司祭化していくスマートスピーカー

　あ、メタバースでクエストがちょうど届きました。電子通貨のマイニングをしてくださいというタスクです。世界の経済活動に貢献してください。このメタバースフィールド（平原）のＡからＢに、自転車に乗っているあなたのアバターを（実際にはエアロバイクを漕いで）急いで移動させてください。途中に出現するゲップを大量に出し続ける牛モンスターを撃ち殺すことに成功したら1匹につき2ポイントのボーナスです。ゲームをクリアする自信がないと感じているならば、無敵のスターパッケージが今ならお得な10ポイントで購入できますよ！　あなたのアバターがスターモードになり、開始2分は無敵になります。購入されますか？

　タスクはコンプリートです。お疲れ様でした。パーフェクトクリアでしたので、今夜は一晩アバターを女性に替えられる性転換パッケージをボーナスプレゼントします。おめでとうございます。あっ、株式を買いたいのですね？　こちらの銘柄はいかがでしょうか？　地球温暖化に真面目に取り組んでいて、ＥＳＧポイントが高く、サステナビリティランクがＡＡの会社ですし、画期的な料理用３Ｄプリンターも開発していますので、今後とも伸びると思いますよ。

夜ご飯の時間です。料理３Ｄプリンターの材料が不足していますので、ウーバードローンにステーキデリバリーを注文させていただきます。今夜のステーキですが、ビーガン向けラボステーキならば２ポイント付与、昆虫肉ステーキパテならば1ポイント付与、地球温暖化に貢献している牛肉ステーキならば逆にマイナス16ポイントになりますが、どちらに致しますか？

そろそろ就寝の時間です。いつもより2時間遅く寝る？　もう少し身体を労ってください。心拍数のアップを検知しました。血圧を下げる薬を出します、飲んでください。寝ている間も異常があれば検知しますので安心してお休みください。あまり夜ふかしをすると、マイナス３ポイントですよ……おや、睡眠に入りましたね……おやすみなさい。また明日も地球に貢献する生き方に一緒に取り組んでいきますよ……。

第7章
トランスヒューマニズム社会に向けた予測プログラミング

ドラマや映画の予測プログラミング

最終章では、人気テレビドラマの『ブラック・ミラー』を中心に、テレビや映画で私たちが見せつけられているテクノロジーならびにトランスヒューマニズムに関連した予測プログラミングをいくつか紹介したいと思います。

ひとつだけ先に強調しておきたいのは、こうした予測プログラミングは通常、支配層の理想の形を表現した性悪説全開の極論的想像です。実際は、（論理的思考がまだ少し残った）家畜からのプッシュバックや、技術的な、または人的リソースやロジスティクスの限界があるため、映画やドラマで表現されている世界よりはある程度「優しい」現実世界が達成されます。

ですから、これらの予測プログラミングがそのまま寸分の狂いなく実現されると考えてしまったり、ニューエイジ陰謀論者にありがちな突飛な拡大解釈をして、その発想をそのままSNSで「これから絶対に起きる現実」として紹介したりしてしまうと、陰謀論のトンデモ化に繋がってしまいかねません。あくまでも参考情報として冷静に考察していってもらえたら嬉しいです。

考察するにあたってのよい見本が、生まれながらにして「マシンによる監視」と「制御されたコンピュータに繋がれている」ことに気づいてすらいない一般人が、バーチャル世界をまるで現実として過ごす映画『マトリックス』です。現実世界では、支配層が「マシン」に取って代わられるようなへまを犯すはずがないため、今後この「マシン支配の世界」が達成されるわけではありません。あくまでも比喩的に、SNS（や今後はメタバース）にどっぷりとハマった現代人に対する揶揄として読み取るべきです。悪役のエージェント・スミスも、メインストリームと異なる主張をする陰謀論者に（大勢の一般人のようにスルーするのではなく）積極的に絡み、攻撃し、排除しようとするタイプの「従順な奴隷人間」に置き換えればよいだけです。そのため、陰謀論者がメタバース内でマトリックスの主人公のようにカンフーの達人になる世界はやってきません。カンフーを学ぶ代わりに、確かな知識を努力して手に入れればよいのです。

それでは、『ブラック・ミラー』から考察していきましょう。

『ブラック・ミラー』まとめガイド

シーズン6の制作も決定したNetflixの一話完結型ドラマシリーズ『ブラック・ミラー』。私たちが待ち受ける未来のテクノロジーの姿を予測する上では、必見のドラマシリーズだと個人的には思っています。

同シリーズから見えてくるのは、「**永遠の命ビジネス**」、「**体内チップなどによるバイオメトリクス**」という二つの大きな流れです。どちらもいずれは当たり前になるということが予見できます。

本書では、エピソードをテーマ別に分けましたので、未視聴の方は興味があるトピックの順でご覧になっていただけたらと思います。ネタバレも普通に含まれていますので、一旦本書を閉じて、先に視聴してから再び開いてもよいかもしれません。

◎永遠の命を扱ったエピソード
　ずっと側(そば)にいて
　サン・ジュニペロ
　宇宙船カリスター号
　アシュリー・トゥー
　ブラック・ミュージアム

◎チップによる記憶や思考の読み取り、現実の書き換え
　人生の軌跡のすべて
　ホワイト・クリスマス
　ストライキング・ヴァイパーズ
　虫けら掃討作戦
　アークエンジェル
　クロコダイル
　シロクマ

◎AR／メタバースという「娯楽」による支配
　1500万メリット
　拡張現実ゲーム

◎SNSやネット社会の弊害
　秘密
　ランク社会

国歌
待つ男
時のクマ、ウォルドー

◎その他のテーマ
メタルヘッド（ロボットの反逆）
HANG THE DJ（AIの発展と恋愛）

ちなみに個人的な話をすると、純粋にドラマとして面白かったのがこの順。

1. ホワイト・クリスマス
2. HANG THE DJ
3. サン・ジュニペロ
4. 宇宙船カリスター号

未来を読み解くために必見のドラマシリーズ『ブラック・ミラー』

5. ブラック・ミュージアム

未来テクノロジー関連の参考になると思ったのはこの順。

1. 1500万メリット
2. ランク社会
3. サン・ジュニペロ
4. ホワイト・クリスマス
5. クロコダイル

ご参考になさってください。

「ランク社会」から読み解く社会信用スコア

「ランク社会」というタイトルのエピソードについて。英題は「Nosedive」、〝急降下〟という意味になります。中国で既に導入され、近未来は世界的に取り入れられるであろう「**社会信用／ソーシャルスコア**」※の思いがけない実施方法を提示しており、いろいろと考えさせられるエピソードとなっています。地球に優しい活動をする「社会貢献ポイント」などとは違う、別の評価ポイントの可能性について言及しています。

「ランク社会」では、SNSの「いいね！」などの評価がそのままリアル社会での行動制限に繋がる世界が実現しています。SNSで投稿した写真やコメントに対する他アカウントからの「いいね！」の数や、「人気SNSインフルエンサー」からのリアクション（価値が高めに設定されている）をもらうことからも得られるSNS上の「ステータス」が実生活にも応用されて、その人の社会ランクが決まります。他人に喜ばれようと現実よりもポジティブに着飾った投稿をしたり、「いいね！」という見返りを得ようと他のアカウントに「ラブボミング（ほめ殺しコメントや無条件の〝いいね！〟）」を計算高く実施したりするあたり、ニューエイジ気質の蔓延であると言えます。

「ランク社会」では、この「他人をインスタントに評価する」行為が現実でのやり取りにまで及びます。現在でたとえるならば、「食べログ」などが展開するオンライン評価システム（ここのレストランはおいしかったから星四つなど）が、リアルなやり取りの直後にできるようになっており、これも受け手のランクに影響を与えます。エレベーターで自分のファッションや髪型を褒めてくれた相手には「評価アップ」、タクシーの中でうるさかった客に対して、運転手が「評価ダウン」を客がタクシーから降りた瞬間に下す、などのリアクションが取れるようになっています。やり方は、相手のスマートフォンに自分のスマートフォンを向けて、リアクションボタンをクリックするだけ。この評価ポイントの総合点が低いと、その人は、たとえば飛行機の予約では評価の高い人が優先されるシステムにより席が空いているにもかかわらず予約ができなかったり、レンタカーも最下位グレードのものしか借りられなかったりします。近未来における「個人個人の主観により形成されるデジタル社会のカースト制度」ともたとえられる世界観になります。

主人公の女性は、このシステムにどっぷりとハマっているタイプの人間のため、自分の他人からの評価を上げるにはどんな投稿をしたらよいか、と常に考えながらSNS発信をしています。現実世界でも、スコアの高い「人気者」に気に入れられようとヘコヘコしたり、同僚にもフェイクな笑顔を振り撒き、そして褒め倒す。主人公は、ストーリーにおいてさまざまな不運に見舞われるのですが、ストレスの高い状態が続くことで、怒りや愚痴などの本性が何度も出てしまい、そのせいで点数がどんどん下がっていきます。とある場所に行くためにヒッチハイクを試みた主人公は、人間らしく生きたいからという理由で点数が低いことを全く気にしていないトラック運転手に拾ってもらいます。カースト制度の一番低いランクにいる、この運転手が一番人間的にまともなのが痛烈な社会風刺であると言えるでしょう。今でいう、ニューエイジ（＝主人公）と非ニューエイジ（＝トラック運転手）の違いを思わせる象徴的な対比でした。

※社会信用／ソーシャルスコアとは？

社会信用システム（Wikipedia より）

社会信用システム（しゃかいしんようシステム）とは、中華人民共和国政府が構想する全国的な評価システム開発のイニシアティブ。所得やキャリアなど社会的ステータスに関する政府のデータに基づいて全国民をランキング化し、インターネットや現実での行動に対して「ソーシャルクレジット」という偏差値でスコアリング（採点）することだと報じられている。それは管理社会・監視社会のツールとして機能し、人工知能（AI）によるビッグデータの分析を使用する。加えて中国市場での企業活動も評価することを意味する。

〈まとめ〉

「ランク社会」は、大衆への「ニューエイジ化／獣思考化の浸透」が、どんな形で社会全体に及ぶかを提示する良質なエピソードになります。主人公と同様に、今多くの人間がSNS依存症であり、このSNSという仮想世界が実世界に多大な影響を及ぼすであろう「トランスヒューマニズム社会の本質」がうかがえます。まわりにポジティブリアクションしてもらえそうな投稿をして、どれだけのリアクションがつくかをとにかく考える、という「質よりも量」を過度に重視した（ジャスティン・ビーバー最強説）ニュ

SNS でのよい子ぶりやバズり具合でその人の現実世界での価値も決まる

ーエイジ気質が、今のうちからの「トランスヒューマニズム調教」である、ということがよくおわかりいただけるエピソードです。正直、この主人公は、終始、まるで飼い主を喜ばそうとしてお手をする犬のような状態ではありました。

「1500万メリット」から読み解く未来人間

未来テクノロジードラマ『ブラック・ミラー』シーズン1の第2話「1500万メリット」。海外の陰謀論者によるメタバース関連の英語ミームでも、このドラマの場面がよく画像として使われています。私もおそらく一生忘れないと思えるくらいの印象が残る、ディストピアな未来を提示しているエピソードです。

我々に待ち受ける未来のヒントが数多く隠れていて、読者のマクロ視点がかなりクリアになると思えるため、ぜひ観ていただきたい作品になります。オルダス・ハクスリーの小説『すばらしい新世界』とジョージ・ルーカスの映画『THX　1138』を組み合わせた現代アップデート版、とも表現できる世界観となっています。

「1500万メリット」の世界観

大人になると、国民は親元を離れて巨大な複合施設での一人暮らしとなります。壁の至るところにモニターがある狭いベッドルームでの生活では、バイオメトリクス（脳波？）を常に読み取られ、その時の気分によってカスタマイズされたコンテンツがモニターで勝手に表示されます。ムラムラしていれば勝手にアダルトコンテンツが壁に映し出され、自慰行為を促されるのです。途中で動画を拒めば日常の仕事の報酬として得てきたデジタルクレジットが、ペナルティとしてその場でいくらか減らされます――クレジットを減らされたくなかったら、気分が萎えてもアダルト動画を最後まで観るしかありません。

そのクレジットの稼ぎ方ですが、ジムでエアロバイクにまたがり、（Netflixのおすすめ機能の進化版のような形で）その人の好みに合わせた動画コンテンツをモニターで選択して楽しみながら、ひたすらエアロバイクを漕ぐのです――そうすると画面に映し出された手持ちのクレジットが少しずつメーターのように増えていきます。この「地球に優しい」自転車漕ぎで発電された電気が、複合施設やその他諸々のものに供給されることで国民の生活は成り立っています。世の中の「複雑」な仕事がおおむねＡＩに取って代わられていると想定されるため、平凡な人間たちは基本的に、一生このエアロバイクを使った「単純」な仕事を毎日繰り返すだけです（→エアロバイク発電は、仮想通貨のマイニング行為に近く、まるでホイールで回り続けるハムスターみたいです）。クレジットは、トイレの後に「忘れずに石鹸（せっけん）で手を洗う」などの「よい行い」をすると増えたりもします。食事もモニター付き自動販売機にクレジットを入れて購入するのですが、基本的には加工食品ばかりです。本物の果物は高額を支払えば手に入れることができるため、朝のりんごが「自分へのご褒美」のような感覚で、ちょっとしたご馳走扱いとなっています。

エアロバイク地獄の生活から唯一抜け出す道として、米国の人気番組『アメリカン・アイドル』のような素人いじりコンテスト番組があり、出演料の「１５００万ユニット（クレジットの通貨名。６か月分の収入に相当）」を支払い、芸を披露して３人の下衆なセレブリティジャッジに認められると、コンテンツ発信の新たなスターになることができます（＝エアロバイク生活ではなくなる特権階級）。出演者は皆、番組の出演直前に謎のジュースをディレクターに渡されて飲まされます。おそらく、ハクスリーの『すばらしい新世界』で登場するソーマのようなぼーっとする鎮静剤の類であり、出演者の判断能力を鈍らせたいのでしょう。この番組は、個人個人の部屋のモニターから生配信を観ることができ、国民は（メタバースの）会場の観客席にアバターとして参加できます。バイオメトリクスを読み取られているため、部屋での国民の動きやリアクション、場面に抱いた感情に合わせて観客席のアバターが勝手に連動して動きます。部屋で「やったー！」と誰かが叫べば、会場のアニメチックなアバターも「やったー！」という動きをする、といった具合です。

ハムスターのような生活をする住民には、アダルトコンテンツから低俗なお笑い、ひたすら敵を撃ち殺すゲームなど、数々のくだらない娯楽がモニターを通して与えられており、それらのコンテンツに毒された住民の思考もかなり獣化（＝ニューエイジ化）しています――言葉が話せる動物という表現が適切なくらいにまで変貌を遂げています。実に自己中心的で世の中に無関心な人間ばかりの世界観であります。

主人公はこの生活の在り様に疑問を持ちはじめ、やがて片想いの女性に「1500万ユニット」を贈呈する形で、コンテスト出演権のチケットをプレゼントします。女性は番組で（上手な）歌声を披露するのですが、最終的には番組でジャッジの「君を見ているとムラムラしてくる」という評価に煽られる形で、（薬で判断力が鈍っていたこともあり）アダルト女優への転身を決意します。その後、主人公がエアロバイク場に姿を現さなくなった片想いのこの女性について部屋で考えるシーンがあるのですが、その恋の感情に反応して部屋に彼女が出演しているアダルト動画が勝手に流れはじめます。壁に映るアダルトシーンを消したくても、（そもそも手持ちの全クレジットを贈呈してしまっているので）動画を消すためのクレジットが足りず、強制的に彼女のアダルトビデオを観させられ続けます。そしてこの出来事により、主人公は番組ジャッジ（およびこの社会の仕組み自体）に復讐を誓うのです。

結末は意外なものとなっているため、本書にネタバレは記載しませんので、未視聴の方はぜひ観てみてください。まさに未来人の姿を、かなりのディストピアテイストで表現した秀逸な作品であることは間違いあ

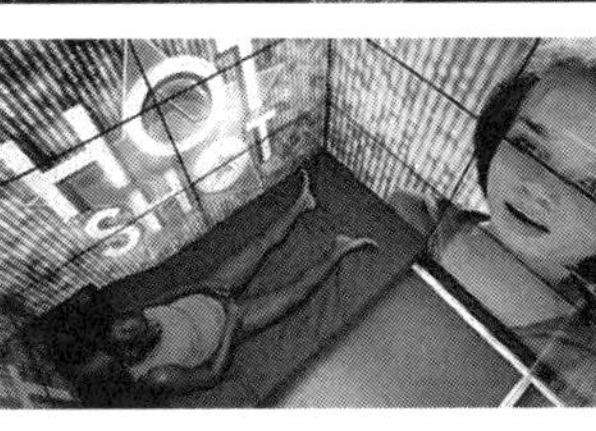

全てがデジタルで管理された、まるで檻の中にいるハムスターのような生活

自転車を漕いで電気を作ることが主な仕事

テレビ番組の観客も全てアバター

りません。

「ホワイト・クリスマス」から読み解くトランスヒューマニズム

『ブラック・ミラー』のシーズン2の最終話「ホワイト・クリスマス」は、本ドラマシリーズの通常のおおよそ一時間枠よりもかなり長い尺のスペシャルエピソードです。「ホワイト・クリスマス」も未来を予見するための必見のエピソードとなっています。本エピソードでは、「現実／人間と仮想／AIの曖昧化」と「永遠の生命」が取り上げられています。ストーリー自体は実際に観てお楽しみいただきたいので、この二つの未来テクノロジー関連のテーマにできるだけ絞って紹介します。

（1）国民には、取り外すことができないマイクロチップのようなものが目の中に埋め込まれています。目で見たものを直接写真としてそのまま撮影できたり、気に入らないことをしてきた相手が自分の視界に入ってきた時に、相手を（自分の視界では）「シルエット化（285ページ画像参照）」したり、話し声が（自分にとって）判別不能になるように「フィルター」をかけたりすることができるようになっています。つまり、SNSでの気に入らない相手の「ブロック」を彷彿とさせる機能を、実世界で実施することができるようになっているということです。

夫婦が喧嘩をしたら、片方がもう片方を簡単に「ブロック」することで、自分の世界から相手の存在を抹消します。そして離婚後には、親権を持つ親は子供についても、親権を持たない方の親から「ブロック」できる、といった「自分が自分の世界の神様」のように振る舞える「ニューエイジ気質の世界観」が実現されています。今回のストーリーでは、離婚された父親が、「フィルター」がかかってしまっているために、子供の成長すら全く確認できなくなってしまう設定です。子供がグレーのシルエットになってしまい、また話しかけても言葉が受け手の脳内で（「フィルター」により）ただのゴニョゴニョに変換されてしまうので、何を言っているのか全くわからないのです——まさに実生活に舞い降りたSNSの「ブロック」に等しい状況です。

現代のSNSの**スノーフレーク文化**※を考えると、近未来において、実際にこのようなテクノロジーが一般に浸透してしまっても、ニューエイジ気質でメタバース依存症に成り下がってしまった羊たちは、「これで批判を我慢することはない！　肯定してくれる仲間に囲まれた幸福でポジティブな現実世界の人生を歩める！」と、きっと歓喜の声とともに迎え入れるでしょう。

また、先ほどの夫婦とは別の登場人物で、人気テレビドラマ『マッドメン』のドン・ドレイパー役でもお馴染みのジョン・ハムが演じる主人公は、〝現実の司法システムにまで及んだ〟「ブロック」技術の餌食になります（＝のぞき魔として逮捕され、街ゆく人が全て視界から「ブロック＝グレーのシルエット化」された刑罰を受けています）。

（2）「ホワイト・クリスマス」の世界では、「自分の（記憶や性格を反映した）AIコピー」の**リアルなアバター**を作ることが可能となっています。タブレットで「AIコピーアプリ」を利用すれば、タブレットの中に存在するアレクサのような「自分のAIコピー」に、自宅の家電を操作してもらうようにすることもできます。また、容疑者に犯罪を脳内意識レベルで自白をさせるという目的で、警察官が「容疑者のAIコピー」を勝手に作って、そのコピーに語りかけ、巧みに自白へと誘導する取り組みも導入されています。

「個人のAIコピー」という概念は、トランスヒューマニズムの本質である**人間とAIの曖昧化**を体現したかのように、**AIながらまるで人間のような（恐怖や孤独感などの）感情が備わって**います。アレクサのような役割を果たさなければならない「AIコピー」も、

『ブラック・ミラー』の最高傑作とも言われる「ホワイト・クリスマス」

「シルエット化」など、実世界での「ブロック」を可能とするマイクロチップ

最初は「永遠の家電操作奴隷」という与えられた役割を猛烈に拒みます。しかし、プログラマーはタブレットを操作して、まるで自分がその「AIコピーの神様」であるかのように脅迫や虐待をし、半ば諦めさせる形で「理想のアレクサ」へと無理やり教育していきます。このAIは**死ぬことがない**ので、「人間の心が〝備わった〟AI」は永久的に奴隷として従事することになります。

この「AIコピー」のエピソードを観た時には、人間の「魂を永遠にこの大地に閉じ込めたい」ように考えている節がある支配層の信仰心に基づいた思惑が、具現化されたような感覚を覚えました。支配層の信仰心に起因する、この「**永遠の命**」という概念は、だからこそ現実世界でもビジネスとして今後も飛躍していくのではないでしょうか。

「AIコピー」が永遠のアレクサ的パシリになる世界観

※スノーフレーク文化とは？
SNSでちょっとでも自分と異なる意見を唱える人を即座に「ブロック」する風習。ニューエイジ気質の極みとも言えます。「自分が自分の世界の神様」であるという価値観のため、自分の意見をほぼ全面的に認めない人間に対してはとても排他的であり、議論をするくらいならばさっさと「ブロック」をしたほうが楽という、コミュニケーション能力不足とめんどくさがり屋な性質を表している文化であるとも言えます。

「アシュリー・トゥー」から読み解く永遠の命ビジネス

究極の錬金術とされている「**永遠の命**」という概念。SNSからはじまり、いずれはメタバースで進化する「永遠の命に関する技術」を、ストーリーに取り入れたエピソードとなっています。「永遠の命」という概念は古来人間の憧れの的であり、特にIT業界のアナリティクス分野では、「人とAI／機械が融合」するトランスヒューマニズムの一環として、「永遠の命」に関する研究が現在進行形で熱心にされています。

セレブリティ（有名人）が支配層のアジェンダに、知ってか知らずか加担してしまう一番の理由は、大きな収入による物質的に豊かな生活とともに、多くの人に注目されて祭り上げられる状態という**「自己実現」が叶う**機会を与えられることにあると思います。つまり、それは**人々の記憶に残り続ける**ことこそが、ある意味**「永遠の命」を叶えた状態**であると言えるからです。セレブリティは、〝生きている時〟に手に入るお金や名声も重要視しますが、〝死んだ後〟も、スポーツであればマラドーナやベーブ・ルース、モハメド・アリなどがそういう扱いを受けているように、**「ファンやメディアにより長く語り継がれる伝説」になる**ことが、むしろ彼らの一番の動機なのではないでしょうか？

話を一般人に移しますが、SNSでアカウント所持者が亡くなった後に、アカウントをなかなか削除できずに遺族が困る現代の社会問題があります。インターネット上で「永遠の命」という概念を植え付けるために、この問題はもしかしたらSNS各社があえてある程度放置している（させられている？）問題かなと考えられます。

他の『ブラック・ミラー』のエピソードでも取り上げられていますが、今後AI技術がさらに発達することにより、人間の（脳波などの）バイオメトリクスの完璧なスキャンが可能となります。また、その人のSNSでのこれまでの投稿や発信などから、その人の傾向や癖、話し方、話しそうなことを分析することで、その人の「ペルソナ」を作り上げることがいずれ可能になります。

身近な人が亡くなってしまった（取り残された）人や、スターに憧れるファンなどが、本物と区別がつかないレベルにまで本人に似たAIを作り出す**「没入型AI」**というビジネスができあがりつつあるということです。故人を惜しみ、その人と過ごした過去に囚われたままの人間（顧客）は、この「永遠の商品」にお金と時間を惜しみなく落とし込むことでしょう。

もう少しメタ観点での話をすれば、こういう商品にのめり込む人間は、それこそ「現実を見ておらず、生も謳歌しておらず、まさに魂が死んだ状態」であると表現できます。「支配層の理想の状態の家畜（＝人的

憧れのポップスターのAIコピーという「永遠の奴隷」

な労働リソース）」なのです。また、何度か本書でも述べているように、トランスヒューマニズムの本質は「ＡＩと人間の曖昧化」であり、この状態を最も体現した商品が、これらの「永遠の命」関連の商品であるのではないでしょうか。

本エピソードでは、人気歌手のマイリー・サイラス演じるポップアイドルの「おもちゃロボット商品」を使って、「永遠の命」に関連したテクノロジーを取り扱っています。ぜひご視聴ください。

＊参考記事
ロボティクス社会　いつかは永遠の命に？　デジタル人格がもたらすもの（未来コトハジメ）
https://project.nikkeibp.co.jp/mirakoto/atcl/robotics/h_vol21/
もし、あなたの心がインターネット上で永遠に生き続けるとしたら、どうなるでしょうか？　[What happens if your mind lives for ever on the internet?](Support the Guardian)
https://www.theguardian.com/technology/2019/oct/20/mind-uploading-brain-live-for-ever-internet-virtual-reality

＊参考動画
『The Metaverse: This Changes Everything（メタバース　これがすべてを変える）』
https://youtu.be/FVoORlUv29k

映画『レディ・プレイヤー1』から読み解くムーンショット

『レディ・プレイヤー１』は、スティーブン・スピルバーグ監督による２０１８年公開の映画です。より比喩的、潜在的な表現を施し通常の予測プログラミングをさらに一歩超えた、ムーンショットにかなり近いレベルの「現実的にあり得る」世界観を提示しています。

『レディ・プレイヤー1』の概要

２０４５年。環境汚染や気候変動、政治の機能不全により世界は荒廃しています。そのため、スラム街で暮らさざるを得ない状況に陥った地球上の人類の多くは、「オアシス」という**VR世界に現実逃避し入り浸る**ようになります。現在、「オアシス」内では創始者であるジェームズ・ハリデー亡き後に公表された彼の遺言により、ゲーム内に隠された三つの鍵を手に入れた勝者には「オアシス」の所有権と５０００億ドル

（日本円で約56兆円）相当のハリデーの遺産が授与される「アノラック・ゲーム」が開催されているのです。

ハリウッド映画、日本のアニメ、漫画、ゲーム、セカンドライフ、といったさまざまな娯楽コンテンツが、世界中に浸透させられている理由が明確にわかる映画となっています。コントローラーを操ってテレビゲームを楽しむという行為から、実生活がメタバース中心に進化していくにつれ、「なんでも自由に手に入る仮想世界へ現実逃避する人があとを絶たなくなる」ことがよく読み取れる世界観を提示しています。

この映画でも示されているように、タスクをコンプリートしての「ポイント稼ぎ」や「マイニング」といった、一日中行われそうな経済活動の実生活への影響は絶大です。自宅のインターネット環境の回線スピードで、生活レベルが実質決まると言っても過言ではないでしょう。以前、「フラットアースジャパン」で取り上げた**「世界経済フォーラム」の未来予測動画**（P291動画に関する投稿記事参照）でも、スラム街のインターネットスピードの遅さが設定のひとつとなっていました。

「VR世界」であれば、容姿に自信がない人でもアニメ調のカッコいい中性的なアバターに変身したり、リオネル・メッシなどのスーパースターのようになれるパッケージを実装すれば超人的に活躍したりすることもできるようになります（アニメキャラや世界に認められたK－POPの男性も中性的なのは、中性的＝カッコいいの印象づけのためではないでしょうか）。

また、「ニューエイジ気質の浸透」こそ「VR社会」への慣らしであると本書でも既に書きました。本映画でも、主人公がメタバース内での女の子とのデート用の衣装を、手を一振りさせながら、キラキラスターダストとともに瞬時にチェンジ（アバター着せ替え）させて、どの服を着ていくのが最適かを吟味しているシーンがあります。これはニューエイジが信じてやまない「（物質が自由自在に七変化することができるというコンセプトの）量子力学波動」の概念を彷彿とさせます——テレビゲームという娯楽は、そもそも物質を疑似的に自由自在に変化させられることが大きな魅力のひとつです。ニューエイジ気質の男性に、ゲーマーが多めなのも頷けます。ニューエイジゲーマーも、支配層の「慣らし」にまんまと乗せられているというわけです。

「量子力学波動」なる魔法のような物質概念ですが、実際には「ＶＲ世界」でしか存在できません。そのため、ニューエイジがメタバースを、現在のテレビゲームよりもさらに肯定的なものとして捉え、「現実世界に帰りたくない」くらいの依存症になっていくことが容易に想像できます。

　また、本映画のメタバースには、「宇宙」がたくさん登場します。「宇宙旅行が可能なメタバースの浸透」が、「真空宇宙が存在しないことを物理的に説明しているフラットアース」をさらに潰すのも間違いないでしょう。

　アニメから人気ゲームの『ファイナルファンタジー』、メタ社のアバター風の中性的なアバターまで、さまざまなコンテンツを使って、漫画『ＨＵＮＴＥＲ×ＨＵＮＴＥＲ』の「グリードアイランド」のような場所で、「ひたすらマイニングおよびポイントとアイテム稼ぎをしている生活」が、ニューエイジゲーマーの人生の末路であるのではないでしょうか。しまいには、プレイヤーは、ゲーム内で遭遇したキャラクターが「人間（ＰＣ）であるのか、ＡＩ（ＮＰＣ）であるのかもわからない」状態になると考えられます。「メタバース漬けの日常生活」が、まさに「トランスヒューマニズムの世界観そのものである」と言えます。そして、この「メタバースに依存した経済活動」になるからこそ、「インターネットの回線スピードで、その家庭の生活レベルがおおよそ決まる」のではないでしょうか――なぜなら、回線の速度が速い環境にいる家庭は、バーチャル空間では超有利です。回線が遅い家庭は、「その日暮らしのためのポイント分くらいしか稼げない」ような生活を強いられるのかもしれません。

　最後になりますが、こうしたディストピア映画で共通してよく出てくるバーチャルセックスは、本映画でも健在です。全身に「セックススーツ」と呼べる体にピタッとしたスーツを着ることで、バーチャルセックスを実現します。相手がバーチャル空間で触った体の部位が、バーチャルスーツの体感センサーを通して、性的な刺激を与えるように作られています。

メタバースの予測プログラミング映画『レディ・プレイヤー1』

予測プログラミングやソーシャルエンジニアリングは、おおむね2～3世代くらいにわたって長期的に実施されることが多いです。親が「俺もゲームをいつもやっていたよ」と子供に伝えれば、その子供も家庭にある気軽な娯楽として同じようにゲームが好きになるということは往々にしてあるでしょう。ゲームというジャンルを通した予測プログラミングは、大変効果的な洗脳方法でもあるのです。

「世界経済フォーラム」の動画に関する投稿記事（加筆、修正あり）

10年前に登場していた、アフターグレートリセットの世界を描く世界経済フォーラムのプロパガンダビデオ。支配層の目指す少し先の世界はまさにこういうことなのだろうな、と感じずにはいられません。動画の世界観がまず気色悪すぎて、鳥肌ものではあります。クラウス・シュワブをはじめとした支配層が、どれほど私たちと感覚がずれているかよくわかります。今まで私が主張してきたこととすごく被っており、10年以上前からここまでキッチリ決まっていたと思うと本当に恐ろしいです。動画の概略を記載します。

◎地球温暖化で大多数の人がスマートシティに押し込められ、仕事も完全リモート勤務。

◎そうでない人間はスラム街に押しやられ、高速ネットなどの恩恵にあずかれないだけでなく、そもそもまともな仕事にもつけない。

◎自家用車は富裕層のみが所有し、一般人は皆自動運転タクシーで、決められた目的地にしか行かせてもらえない。

◎バイオメトリクスによる完全なデジタル管理体制が描かれています。スマートフォンのアプリを使えば、自分が食べているカロリー指数もバイオメトリクスから計算されます。動画内で直接の言及はなかったものの、「カロリーが過度に摂取されました。地球環境に優しくありません。ソーシャルスコアを減らします」などとアプリが判断すれば、なんらかのペナルティが与えられるのかもしれません。

◎牛などの本物の肉は、誕生日に食べる「自分へのご褒美」のようなご馳走扱いであり、庶民は人工的に作られたラボ肉を筆頭とした代替肉が主食になっています。

◎都市部の駐車場は、自家用車の少なさによりほとんど使われていなかったため、そのスペースが庶民の野菜を育てるための畑にリノベーションされています。
◎家族や友人とは、基本的にネット（メタバース）上でのバーチャルな交流が主流です。

　これでもかというくらい本書で描いている未来を提示しています。さて、スラム街の皆さん、今日も夕飯用の虫をハンティングしに行こう。晩飯はイナゴかな……。あぁ、たまにはほとんど濁っていない綺麗な水が飲みたいなぁ……。そんなスラム街ワールドの可能性を、多少は覚悟していきましょう。

＊世界経済フォーラムの動画について解説している動画
『This Was 10 Years Ago! The Great Reset（これは10年前の話だ！グレートリセット）』
https://www.youtube.com/watch?v=X-Aw-qYiRUc

『エクス・マキナ』と『アンキャニー』から読み解くトランスヒューマニズム

　私自身、世知辛い真実にいろいろと気づいてしまっていると思っているため、一般的な（平凡な映画であるという）評判に反して、強い印象を私に残した、この二作の映画（同時期にリリースされた）について少し書きます。

AIとの共存が我々の意識や行動に与える影響／インパクトを、強烈に提示した映画『エクス・マキナ』と『アンキャニー』――未視聴の方はぜひご覧になっ

同時期に登場した「トランスヒューマニズム」をテーマにした映画

てください。

この二作から読み取れることは、ずばり、「**トランスヒューマニズムの本質とは何か？**」であるのではないかなと思っています。

「トランスヒューマニズムとは何か？」と訊かれたら、多くの方が以下どれかを回答するでしょう。

①人間の機械化〈『スター・ウォーズ』的な発想〉
②機械の人間化〈『ターミネーター』的な発想〉
③人間のAI（バイオロボット）化〈『マトリックス』的な発想〉
④AIの人間化〈『2001年宇宙の旅』的な発想〉

本二作についてでは、④についても、ある程度のメッセージ性を出しているのは確かです。しかし、主軸は**トランスヒューマニズムの本質**である以下の⑤の状態を我々に訴えているような構成となっています。**メタバースの本質**ともピタリと合致するところでもあります。

⑤人間とAIの曖昧化

『エクス・マキナ』も『アンキャニー』も、これが真のテーマのように見えます。両作品とも、先入観のない状態で実際に観て考察してほしいため、あまりネタバレになることは書きません。

まず、『エクス・マキナ』では、「人間とAIの駆け引き」が主題であり、AIロボットが主人公の人間を相手に心理戦を繰り広げ、主人公の男性は、交流を持った女性ロボットおよびAIという存在自体が「ロボットなのか人間なのか」を常に自問自答するようになります。『アンキャニー』では、（ネタバレにならないようかなり言葉に気をつけた言い方をすると）主人公である元理工博士の女性の価値観を根底から揺るがすような「人間とAIの曖昧化」の見本を見せつけるような実験が、とある科学者により実施されています。このような「人間とAIの曖昧化」を成し遂げるトランスヒューマニズム社会の形成こそ、支配層が我々にニューエイジ気質を長年にわたって浸透させている一番の目的と言っても過言ではないと思っています。それをわかりやすく提示してくれているのが、『エクス・マキナ』であり、『アンキャニー』なのです。

『サロゲート』から読み解くポストメタバース

メタバースの本格的な浸透で、特に海外のいわゆる陰謀論者の間で、再び注目を浴びている2009年公開の映画『サロゲート』。主演はブルース・ウィリス。少しネタバレも含みますので、これから観たい人はまだ読まないほうがよいかもしれません。

まずは映画の設定から。

脳波で遠隔操作できるロボット〈サロゲート〉が開発された近未来。人々はサロゲートを分身として使役し、自身は家から一歩も出ずに社会生活を営むことが可能となった。生身より高い身体能力や自由に選べる容姿など、サロゲートにはさまざまなメリットがあったが、最大の特長は安全性にあった（Wikipedia より）。

最初に挙げられるのは、現実世界の当たり前となっていくであろうメタバースを主軸においた「未来のトランスヒューマニズム社会」の在り様を主題としていることです。トランスヒューマニズムの本質は、「人間のＡＩ化」というよりは、「人間とＡＩの曖昧化」であると私は考えています。この本質を踏まえ、さらに、「メタバースやパンデミック」、「日本政府が方針として発表したムーンショット計画」、「Facebook のアバター文化の浸透」なども念頭に置きながら、本映画のさまざまな設定を見ていきましょう。

（1）人々は、ベッドルームで小型のゴーグルをつけながらベッドや安楽椅子に横たわり、自分の身代わりとなるサロゲートと呼ばれているアンドロイドを操作して日常生活を送っています——つまり、街中はサロゲートしかほとんど存在していない状態です。サロゲート本体は大変リアルな作りであり、人間「本体」は基本自宅に引きこもっていても生活になんら問題はありません。生身の人間が外に出ると、他の人に「感染症が伝染るから、生身で外に出たら危ないよ！」と諭されるような世界観です（↓ニューエイジ気質の「体に害のあるものを忌み嫌う」を連想してしまいます）。

（2）サロゲートは店舗で購入することができ、追加料金などでさまざまなカスタマイズが可能。太ったおじさんが金髪の美女に成りすますこともできます。クラブでナンパしたサロゲート美女と性行為をはじめるが、美女の本体がただの中年男性であるなんてことも起きます。もちろんナンパしたほうの男は、相手が中年男性であるとはずっと気づきません。また、今のスマートフォンや自家用車のように定期的にサロゲートを買い替えるため、白人男性が気晴らしに「今回」のサロゲートは背の高い黒人男性にしていることもあります。

つまり、どんな容姿の人間がそのサロゲートの本体かは、サロゲートを見ただけでは全くわかりません。ただし、最もポピュラーなチョイスは自分自身の若い頃を模したサロゲートや、現在のアバターのように皺（しわ）やホクロなどの「欠点」を取ったものとなっています（→これらは、まさにニューエイジ気質の「なりたい自分になれる」です）。

（3）自家用車を買い替えるくらいの「お手軽さ」で、サロゲートを買い替えます。最新の機能を手に入れたり、別の見た目になったりするために何年かに一回買い替えるのです。そこで、店舗に買い替えに行くのはもちろん、「外に出かけても感染症が伝染らない」それまでのサロゲートであるのが非常に皮肉であると言えます（→アバターに隠れてネットではよく吠えるが、実際には「自分に自信がなく、臆病な人間」であるニューエイジ陰謀論者に通じるものがあります）。

（4）先ほども触れた見本ですが、サロゲートがナイトクラブに行って女性（のサロゲート）をナンパしたり、よくわからない液体（電気ショック？）を体に注射することで違法なドラッグのようにハイを体感したりすることもできます（→ニューエイジ気質は「快楽主義」です）。

（5）主人公の妻は、若い頃の自分の見た目のサロゲートを使っていて、表向きには華やかな生活を送っているように見えます。しかし、実態は中年であり、病気がちなベッドルーム生活（うつ病と闘っており、向精神薬依存症）であることから、サロゲートがまるで現在のInstagramのフィルターを通して見せられる見栄たっぷりの虚像のように映ります。ちなみに妻は、サロゲートで社交パーティを楽しむ生活をしている合間に、よくベッドルームの窓の外を眺めながら泣いていて、情緒不安定なのです（↓SNSによって育まれる「ニューエイジ気質の未来の姿」を暗示しています）。

（6）家の中の夫婦のやり取りもサロゲート同士が多く、本体同士の直接的な交流はほぼなく、主人公も華やかなサロゲート妻とばかりやり取りしているため、助けがいる本体には目をほとんど向けていません。うつ状態で気分にむらがあり、病気がちな本体は、夫にとっては存在しないに等しいのです（↓SNSの友人とのやり取りばかりで、「本当に一番大切な家族に目を向けない現代人の未来の姿」を示唆しています）。

（7）本体が太っているなど、不健康であることが多いです。サロゲートでは「なりたい自分になれる」わけですから、自分自身の本体のケアは怠りがちなのでしょう。本体が実際には一日中横になっていてほとんど運動していないため、ストレスが溜まるのか、お菓子などをよく食べているのだと思われます——だから太るのです（↓安全試験が十分でないコロナワクチンを射つという選択を取り、ファストフードをよく食べる現代人の「思考回路」に通じるものがあります）。

（8）自著『99・9％隠された歴史』でも紹介した映画『デモリションマン』同様、この「サロゲートが当たり前の世界」に異議を唱える者、または貧困のためにサロゲートを購入することすらできない低所得層はスラム街に住んでいます。中にはこの現状を打破しようと革命を起こそうとしている人もいます。しかし、残念ながらスラム街のボスも、実はとある人物に操作されたただの工作員サロゲートであり、そういう意味ではスラム街の住民は八方塞がりなのです（↓「世界の縮図は変えられないよ」という支配層のメッセージを感じ取ることができます）。

本映画の本筋プロット自体は、ありがちなハリウッドのSFアクション設定であるため特筆すべき点はありません。これから本映画を観る方は、予測プログラミングにフォーカスして観るほうがよいかとは思います。

メタバースについて——本書でも既に紹介したメタ社のトップ、マーク・ザッカーバーグ司会のメタバース宣伝動画を視聴するとわかりますが、メタバースの本筋は、AR（拡張現実）の活用により、現実の広場で適当にゴーグルをかければその広場があっという間に（デジタル）テニスコートに変身する。というような、**拡張デジタル世界が当たり前の社会**をいずれ提供していくことです。メタバースの本格的な導入当初は、今のテレビゲームの延長（より没入感が高い）のような立ち位置で、純粋な「VRの世界」での活動になります。そして、そのさらに先の進化版として、**現実世界とメタバースを融合するAR技術の活用**が見込まれているということです。

2050年のムーンショット計画の世界観とは、まさに**拡張デジタル世界が当たり前の社会**を指しているのでしょう。実に味気ない世界であり、人間が生まれてくる意味すらあるのだろうかと個人的には思ってしまいます。

また、もしも、『サロゲート』で描かれているようなアンドロイド中心の社会が現実になるならば、「拡張デジタル世界」が浸透した後の、次の段階ではないでしょうか。

「**自由自在になりたい自分になる**」という価値観は、Facebookのアバターから、キムタクが演じるゲームキャラクター、そして全ては主観、ワンネス（＝AI社会のサーバにみんな繋がった状態）などの価値観を推すニューエイジまで、実に多角的に我々に植え付けられており、非ニューエイジも含めて、今の若者の多くが肯定的に、そしてむしろ積極的にトランスヒューマニズム社会へと歩んでいくのが今から想像できます。

また、感染症の脅威や地球温暖化、リモートワークといった概念で、私たちは外の世界に出かけるのを少しずつ嫌にさせられていっています。こちらも、ひたすらゴーグルをかけながら椅子に座る映画『サロゲート』が提示する、「未来の日常生活」に向けての慣らしなのかもしれません。

本体は自宅、外出は基本的にアンドロイドが担当する

あとがき

本書では、「ニューエイジ気質の浸透」を軸にした「支配層のトランスヒューマニズム社会形成の計画」に着目しました。しかし、自分が「ニューエイジ気質」ではないからと安心できるわけではありません。なぜなら、「ニューエイジ気質」という思考の獣化を促し、ニューエイジに染まっていく人たちの思考が無力化されていくということも問題ではありますが、大企業の役員や中間管理職、専門職の方、マスメディアに勤めている方々にみられるような「合理主義のインテリ層」タイプになってしまうのも、同様に「支配層の思う壺である」からです。

ニューエイジとはかなり反対の性質を持つ「合理主義のインテリ層」に見られる強い傾向なのですが、メインストリームで現状「正」とされていることに少しでも異議を唱える人を全員ひとくくりに「非科学的で頭がおかしい陰謀論者」と決めつけている節があります。

たとえば、コロナワクチンについて。各国でおおむね増加している超過死亡者数や、国民のほとんどがマスクをつけ大多数の人がワクチン接種をしているのに感染者が増え続けたこと、PCR検査のサイクル数の問題、身のまわりでかなりきつい副反応を経験した人の多さ、多くのスポーツ選手の試合中の卒倒など、根拠のある「ワクチンの有効性に懐疑的な指摘」が多数あるにもかかわらず、ひとくくりに「ワクチンに反対する人は全員反社会的な人間か頭のおかしい陰謀論者」と決めつけてしまう。そのような思考の、社会で影響力を持っている人たちがかなり存在します。

しかも、こうしたいわゆる「羊」的な思考回路は、本質的にはメインストリーム（マスメディア／政府／学校教育）への強い信仰心に基づいていることから、「陰」と「陽」のような関係で、「ニューエイジ陰謀論者」と本質的には同じであるということに、「彼らインテリ層」は全く気づいていないのです。

上記のワクチンに関する根拠を聞いて、先入観なしに論理的に冷静に考えられる人物であれば、「私はそれでもコロナワクチンには有効性があると思っているけれど、あなたが主張していることも一理あるね」となるはずです（フラットアースについても同じようなことが言えます。たとえば、科学に携わっている人に、「科学における再現性の大切さ」を説くことがよくあるのですが、「再現されていない重力」をなんの疑問もなく普通に信じています）。

「合理主義のインテリ層」はメインストリームへの信仰により、マスメディアや教育、その他諸々の権威が唱えるさまざまな主張を、情報の客観性や論理性をあまり精査せずに「この〇〇という偉い肩書の（自分同様の）合理主義のインテリ層がそう言っているから」と**主観**で決めて行動します。この現象は、「ニューエイジ」のワクワク陰謀論への執着と同様の**非論理的な思考**であり、ニューエイジが「大好きなスピリチュアルリーダーや自己啓発セミナーの講師、YouTubeで情報発信をしている陰謀論者がそう言っているからきっと本当だ」とするのと、瓜二つなのです。

違いは、インテリ層が信仰している情報は、大きな資本が後ろにあるため「見た目や表面的な説得力」が、ニューエイジのどちらかというと「草の根」コンテンツよりも立派に見えることくらいです。

たとえば、数年後にもしコロナワクチンにまつわるさまざまな問題点が浮き彫りになり、マスメディアも取り扱うようになれば、インテリ層は、ころっと反ワクチンの人たちに対する意見を変えるのかもしれません。「いやぁ、実は私もコロナワクチンにはさまざまな問題点があるとうすうす思っていたんだよ！」などとしらばっくれ、自己正当化をはかり、自分の思考プロセスの課題点を振り返らない人もいるでしょう。これは、ニューエイジ陰謀論者に、私のような非ニューエイジの陰謀論者が「論理的に整合性が高い別の主張」をしても、「感情的な理由で自分の主張を意地でも曲げない」という傾向と類似しています。

また、「合理主義のインテリ層」が、現在の金融システムを批判する陰謀論者を見て、「ユダヤ人へのなんらかの憎悪により、ユダヤ陰謀論を唱える人たち」とひとくくりにしていることがあります。ユダヤ人が現在のインフレ金利経済体制を作ったのも、かなり裕福な資本家が多いのも、ハリウッドやメジャーテレビ局に多いのも事実です。にもかかわらず、「まぁ確かに一理はあるかもね」という感想にはならず、〝非論理的な陰謀論〟と一蹴してしまうのは「権力者のプロパガンダにまんまとやられている」証拠であると思います（→一般のユダヤ人にまで〝憎悪〟を向けている金融システム陰謀論者はほとんどいません）。

メインストリームの枠組み内で物事を考える「合理主義のインテリ層」と、感覚を大切にする「ニューエイジ気質のワクワク陰謀論」が、本質的には同じであるとわかる見本を記載します。

「あの人ワクチン射ってないんだって！　コロナが伝染るから近寄っちゃだめよ」

と、

「あの人ワクチン射ったんだって！　**シェディング**※が伝染るから近寄っちゃだめよ」

極端な意見は瓜二つである、というのがよくわかるかと思います。

※シェディングとは、ワクチン接種者の呼気や汗によってスパイクタンパク質が排出され、そばにいるだけでワクチン未接種者も体調が悪くなってしまう、という説です。シェディングという現象自体が、科学的に正しいか正しくないかは一旦置いておいて、横を通り過ぎただけで接種者から40℃の熱の症状が出るような毒素をもらってしまうとするのは、ニューエイジお得意の拡大解釈であると言わざるを得ません。

私はよく「フラットアースジャパン」でも**陰と陽のバランス**の大切さを啓蒙しています。この世界は太陽だけになっても、月だけになっても成り立たなくなり崩壊してしまうのと同じように、人の思考プロセスも（男性脳を意味する）陽と（女性脳を意味する）陰のどちらかに寄りすぎては退化するだけです。**合理主義、論理的思考、効率性、収益性、客観的思考、俯瞰的思考へ過大に寄りすぎた「陽」のインテリ層と、主観、感覚、感情、クリエイティビティに寄りすぎた「陰」のニューエイジ層**。これらの二つの反対軸にある思考プロセスのどちらもバランスよく持っている人が増えることを願って、私は執筆活動を続けている次第です。

　メインストリームが論理的な整合性の低いことを言えば遠慮なく否定し、また、その過程で反対側に振りすぎて、代わりに論理的な整合性の低いトンデモ陰謀論を持ち出すこともない。そんな、支配層が手を焼きそうな、バランスのよい思考プロセスを持つ人が増えれば増えるほど、圧倒的な「数の理論」では家畜に完敗してしまう支配層は、ほぼ何もできなくなります。

　そういう世の中になってほしいという思いから本書の執筆を決意しています。ぜひとも、本書で学んだことも含め、読者の皆様も「**思考プロセスのバランスが取れた人が多い、支配層にとってはやりづらい社会の実現**」を目指して、明日からまた啓蒙に励んでいただけたら幸いです。

　本書で伝えたかったことは以上となります。

思考プロセスにおける「陰と陽のバランス」こそ、よりよい社会の実現の要である

レックス・スミス（Rex Smith）

イギリスのロンドン出身、現在は日本在住。

2017年にフラットアーサーとなり、2018年当時にはFacebookで唯一の日本語フラットアースグループ「フラットアースジャパン」を立ち上げ、現在も管理人を務める。

エリック・デュベイの絵本小説『The Earth Plane』の日本語訳を手掛ける。

2019年より、フラットアースおよび真相論を啓蒙するためにTwitterも開始し、日々情報を発信し続けている。

著書に『99.9%隠された歴史』、『地球平面説【フラットアース】の世界』、『究極の洗脳を突破する【フラットアース】超入門』、編集協力『緊急着陸地点が導く【フラットアース】REAL FACTS』（以上ヒカルランド刊）がある。

Facebook
https://www.facebook.com/groups/1924324390962053
Twitter
https://twitter.com/YKeyALCEj78NGPC

支配層の腕の中で眠り続ける、君よ！

これだけは知っておけ！
大地教［Earthism］とトランスヒューマニズム

第一刷　2023年6月30日

著者　レックス・スミス

発行人　石井健資

発行所　株式会社ヒカルランド

〒162-0821　東京都新宿区津久戸町3-11　TH1ビル6F

電話　03-6265-0852　ファックス　03-6265-0853

http://www.hikaruland.co.jp　info@hikaruland.co.jp

振替　00180-8-496587

本文・カバー・製本　中央精版印刷株式会社

DTP　株式会社キャップス

編集担当　たいら☆ちずこ

ISBN978-4-86742-264-9

今日からすぐに本格的なコーヒーを
どなたでも手軽＆簡単にご家庭で焙煎が楽しめる
「家庭焙煎　お試しセット」

ホンモノのコーヒーを自宅で淹れ、優雅なひと時を——。そんな日常のコーヒーライフを激変させるのにまずは基本として手に入れておきたいのが、こちらのお試しセット。焙煎に使う「いりたて名人」のほか、ドリッパー、豆を挽くミル（ミル付セットのみ）に、本格的な生豆も付いたセットなので、届いたその日から、わずかな時間で絶品のコーヒーを味わうことが可能です。

★生豆（コロンビア ナリーニョスプレモ）
南米コロンビア産の生豆の中でも最高級グレード。甘い香りとまろやかなコクが特徴で、まずは最初に試してほしい逸品です。

★いりたて名人
すべての工程において職人による手作りの焙煎器です。素材である超耐熱セラミクス（ウィルセラム）は遠赤外線効果が抜群で、熱がすばやく奥まで均等に伝わり、蓄熱力にも優れています。ボディカラーは「中煎り（MEDIUM ROAST）」の目安となる色になっていますので、焙煎初心者の方でも安心してお使いいただけます。

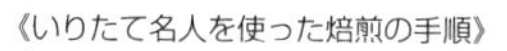

《いりたて名人を使った焙煎の手順》
①いりたて名人を弱火で１～２分温める
②お好みの生豆を計量スプーンに入れる（スプーン山盛り１杯でコーヒー４杯分）
③生豆をいりたて名人に投入。軽く左右に振って均一にならす
④豆全体の色が変わるまで、水平に左右に振って豆を転がして焙煎
⑤炒ったコーヒー豆を取っ手の穴から取り出し、うちわで扇いで炭酸ガスを取り除く

★ドリッパーAS101
新鮮な煎りたてコーヒーを１穴でじっくり抽出する１～３杯用のドリッパーです。

★いりたてや・ミル
（ミル付セットのみ。お求めの場合はミル付をお選びください）
セラミック刃使用。軽量で持ち運びも便利で、粗挽き・細挽きが簡単に調節できます。お手入れも簡単な手動式のミルです。

★計量スプーン
山盛り１杯で４杯分のコーヒーを淹れることができます。

家庭焙煎　お試しセット
■ 6,500円（税込）　■ミル付 9,800円（税込）
●セット内容：いりたて名人１個、ドリッパーAS101・１個、生豆（コロンビア ナリーニョスプレモ）250g（約50杯分）、計量スプーン１個、使用説明書、いりたてや・ミル（手動式）１個
※いりたてや・ミルはミル付のセットのみとなります。

【お問い合わせ先】ヒカルランドパーク

本といっしょに楽しむ ハピハピ♥ Goods&Life ヒカルランド

家で飲むコーヒー、家庭焙煎で見直してみませんか？
ホンモノの味わいを手軽に愉しめるセレクトアイテム

日本のコーヒー業界は間違った認識が浸透しており、多くの方がホンモノの味わいを知ることができない状況にあります。実際、販売店には焙煎してから時間の経過したコーヒー豆ばかりが並び、本当においしいコーヒーはほとんど市場に流通していないのが現状です。詳しくは『一杯の珈琲から見える 地球に隠された秘密と真実』（一宮唯雄 著／ヒカルランド刊）（本体：1,815円＋税）でも触れていますが、おいしい１杯をお求めになるためには、これまでのコーヒーに対する常識を見直し、真実を知っておく必要があります。

これだけは知っておきたい、コーヒーの新常識

① コーヒーは生鮮食品である

コーヒーはもともとはフルーツの種なのです。ですから**本当の賞味期限は、焙煎したら７日、豆を挽いた粉なら３日、たてたら30分**です。現在流通している豆の多くは、焙煎してから時間が経ち新鮮さを失ったものです。おいしいコーヒーを自宅で淹れるためには生豆を買い求め、自分で焙煎するのが近道です。

② コーヒーは健康にも良い

焙煎してから時間が経過し、酸化したコーヒー豆が一般的なせいか、「コーヒーの飲みすぎは体に良くない」「コーヒーを飲むと、胃がもたれて胸やけする」といった認識が根付いてます。しかし焙煎したての新鮮なコーヒーは、クロロゲン酸、トリゴネリン、カフェインの３つの成分が働き、**生活習慣病による不調の予防、脂肪燃焼効果、美肌効果、リラックス効果などをもたらし、さまざまな健康促進効果が科学的にも実証されている**のです。

これらの真実をもっと多くの人に知ってもらい、ホンモノのコーヒーをより多くの人に届けたい。ヒカルランドでは、コーヒーは生鮮食品であるというコーヒーの原点に立ち返り、どなたでも簡単にご自宅で焙煎することで、ホンモノのコーヒーを愉しむスタイルを提案しています。そこで、おいしいコーヒーを焙煎し、淹れるためのオススメアイテムをご用意しました。

ヒカルランド　好評既刊！

地上の星☆ヒカルランド　銀河より届く愛と叡智の宅配便

フラットアースからの突破
99.9%隠された歴史
支配層はこれを知るのを絶対に許さない
著者：レックス・スミス
Ａ５ソフト　本体 3,000円+税